KB122656

우리들의 혁신학교 이야기

노안남초등학교 교육공동체

pasonmoson

일러두기

1. 노안남초등학교는 전라남도 나주에 있으며, 재학생은 2023년 현재 77명이다.
2. 노안남초등학교는 2015년에 혁신학교로 지정받아, 8년간 혁신학교로서 교육활동을 펼쳤다.
3. 이 책은 2021년에 노안남초에 근무한 세 명의 교사를 중심으로 혁신학교에서 진행한 교육활동 및 개인적 경험을 담은 글 모음집이다.
4. 마지막 장에 실린 노안남초 혁신학교 발자취는 노안남초 교육활동에 관한 보도자료 및 기사를 모은 것이며, 보도자료 및 기사는 되도록 원문 그대로 담았다.
5. 본문의 학생이름은 '박◯린'과 같은 방식으로 이름 전체를 공개하지 않는 것을 원칙으로 했으나, 5·18관련 시 '꽉 막힌 도로의 끝'을 쓴 학생의 이름은 밝혔다.

우리들의 혁신학교 이야기

작은 학교 살리는 혁신학교 이야기

여는 이야기

노안남초 혁신 이야기를 쓰고자 마음먹은 때는 2021년이다.
그 이후로 우리들의 생각과 자료가 얼마나 정리되었을까?
우리는 혁신학교 교사로서 얼마나 성장하였을까?

2022년 교육감 선거 이후 혁신 교육을 전면에 내세우던 교육의 기치는 물러가고 왜 '혁신교육'이어야 하는가에 대한 근본적 질문을 하게 되었다. 우리 자신을 되돌아보면서 우리가 하는 것이 '혁신교육이 맞는가?'라는 질문에서부터 인원 구성이 변하더라도 노안남초는 '혁신교육을 지속할 수 있을 것인가?'라는 물음을 마주하게 되었다.

2022년 일 년 동안 우리는 이 물음에 대한 답을 찾기 위해 고군분투했다. 정답이라고 할 만한 것은 찾지 못했지만, 답을 찾기 위해 고군분투하는 과정에서 우리는 우리 자신을 들여다볼 수 있었다. 노안남초 교육공동체가 잘하는 것과 부족한 것, 그리고 가능성을 볼 수 있었다.

2015년부터 2022년까지의 8년 혁신학교를 종합평가로 마무리하고 새로운 도약을 모색할 즈음, 타의에 의해 '혁신학교'라는 이름을 내려놓게 되었다. 처음엔 우리가 부족해서 '혁신학교' 타이틀을 떼게 되었다고 생각했지만, 과연 그럴까 하는 의문이 들었다.

전남 '혁신학교'는 2022년 3월 기준 139개 학교가 있었다.(2023년 123개, 2024년 65개로 계속 혁신학교 수는 줄고 있다.) 초등혁신학교는 100개, 이 중 혁신학교를 모범적으로 운영하고 주위에 혁신학교 사례를 적극적으로 알리는 울림(초등)학교가 5개 학교, 미래학교가 4개 학교였다. 이 중 2022년도에 혁신학교 8년 차를 맞은 15개 초등학교는 예년과 다르게 비예산 유지 혁신학교로도 남지 않고 혁신학교 사업을 완료하게 되었다. 노안남초의 구성원들 모두가 모범적으로 사례를 전파하는 울림학교가 되기를 희망하였으나 2022년을 끝으로, 이제 더 이상 교육청 지정 혁신학교의 이름으로 불리지 않게 되었다.

공식적으로 '혁신학교 완료'라는 종합평가 결과를 마주하고 온몸에서 힘이 스르르 빠져나가는 것을 느낄 수 있었다. 우리와 비슷하게 '혁신학교 종료'를 맞닥뜨린 다른 학교 선생님들은 어떤 생각을 하고, 어떻게 대처하고 계실까 궁금했다. 도 교육청 혁신교육과 장학사들과, 혁신교육의 일선에서 앞장서 활동했던 교사들은 무슨 이야기를 할까 궁금해서 혁신교육과 주최 연찬회를 찾아갔다.

'혁신교육 정책의 변화'를 이야기하는 새로운 교육감이 당선된 이후 그 누구도 이렇다 할 뾰족한 방향성을 제시하지 못하는 때에 고민만 깊어져 갔다. 그런 상황에서 찾아간 자리에서는 비장함을 느낄 수 있었다. 비장함을 넘어 결연함을 보이며 서로를 위로하고 '새로운 의지'를 돋우는 뭔가를 느꼈다. 노안남초가 그동안 쌓아온 성과와 문화도 있고 아이들과 학부모들을 생각하면 기운 빠져 있을 수만은 없다고 생각했다.

우리의 선배 교사들은 '혁신학교라는 타이틀'이 없어도, 그리고 교육청의 예산 지원이 없어도, 혁신교육이 올바르다는 신념 하나만으로 아이들의 배움을 위해 온갖 열정을 쏟지 않았던가?

다시 초심으로 돌아가야 한다는 이야기들이 오갔다. 그리고 우리 교사들은 외부의 어떤 자극에도 변함없이 그저 하던 대로 우리들의 교육 활동을 열심히 하면 된다는 이야기들을 나누었다.

철학은 망치로 하는 것이다. – 니체
공부는 망치로 하는 것이다. – 신영복

철학도 그렇고 공부도 그렇듯이 새로운 상황에서 우리에게 필요한 건 망치가 아닌가 싶다. 우리를 구속하는 틀은 망치로 깨고, 새로운 교육적 사고를 위해 고루한 우리들의 생각도 깨뜨려가면서 우리가 신나게 해왔던 '혁신교육'을 쭉 실천하는 것이 애초에 우리가 가졌던 물음에 대한 정답이다.

내용 없는 그저 그런 책을 쓰게 될까 봐 두려웠다. 다른 학교의 혁신교육 이야기에 관한 책들을 읽어보면 '모두 대단하고 엄청나다'라는 생각을 했다. 그러면서 노안남초 혁신 이야기가 과연 '책으로 만들 만큼 의미 있는 이야기가 될까?'라는 의구심이 들었다. 하지만 노안남초 교육공동체가 그동안 어려움을 헤쳐가면서 소통하고 협력하는 문화를 만들기 위해 기울여왔던 노력! 아이들이 주인이 되는 삶을 위해 고군분투했던 모습들! 연구하고 기록하면서 성장하기 위해 탐구하던 우리들의 이야기가 우리만의 이야기로 회자되기보다 여러 선생님과 나누면서 '잘한 것은 잘했다. 부족한 것은 부족했다'라고 이야기 듣기를 바랐다.

노안남초 혁신교육이 '이제 더 이상 혁신할 것이 없다'라며 마무리되는 것이 아니고 아직은 머나먼 혁신교육의 길에 놓여 있다고 생각한다. 그렇기 때문에 소소하지만 혁신교육으로 가는 여정에서 노안남초의 우리들과 혁신교육에 몸담고 있는 여러 교사들이 자신을 되돌아보며, '서로 다독이면서', '아직 우리들의 할 일은 많다'라고 서로 격려하면서 '묵묵하게 교육 활동의 길을 걸어가는 우리는 옳다'라고 이야기하고 싶어서 한 권의 책을 엮는다.

2023년 10월

대표 저자 박숙현

차례

●
함께하는 배움과 성장

●●
아이들이 주인되는 자치활동

●●●
어린농부들의 학교 텃밭 이야기

●●●●
우리들의 공간주권 이야기

016 그림책으로 풍성해지는 교육
028 온작품 읽기로 즐거운 교실
044 마음을 하나로 모으기 '신뢰형성서클'
054 함께하는 교육과정 운영
066 특별한 방학 숙제
074 함께 성장하고 배우는 혁신학교 적응기
078 서로 다른 빛깔이 하나로 모여 우린 결국 무지개가 되었어
084 아이들과 함께 성장하기
088 새내기 교사의 혁신학교 사계절 나기

104 학생 노.리.터 다모임

150 나눔과 기부로 더욱 빛나는 '스쿨팜 프로젝트'
162 어느 교사의 텃밭 일기

194 어린이들의 놀 권리 보장을 위한 실내놀이터 완공
198 실내 놀이공간 만들기에 도전!
208 예술공감터 만들기 솔루션

●●●●●

두근두근 혁신학교에서 살아보기

●●●●●●

노안남초 혁신학교 발자취

220 작은 학교라서 좋다! 혁신학교라서 참 좋다!
224 소통으로 함께 성장하는 노안남초등학교
228 어느 특수교사의 이야기
232 기억 속의 한 장면
238 혁신학교에서의 첫걸음
242 내가 경험한 혁신학교
246 혁신학교에서 내가 배운 점
250 혁신은 사랑의 열정으로부터
262 작은 학교로 유학 왔어요!

272 폐교 위기의 작은 학교, 혁신학교로 거듭나다!
278 주제 중심 집중 체험프로그램으로 더욱 탄탄해지는 학교
296 도전과 열정의 자전거 하이킹
304 다양한 활동으로 역량을 키워가는 아이들
312 놀이가 밥이다
316 생태 텃밭 활동
320 자기 삶의 주인으로 살아가기
328 배움과 성장을 위하여
332 교육 활동의 동반자, 학부모(보호자)
338 지역사회 속에 우뚝 선 학교
346 그리고…

2015년~2022년 동안 노안남초에서
아이들의 성장을 위해 고군분투했던 선생님들의
교육 활동에 관한 이야기를 모았습니다.

함께하는 배움과 성장

그림책으로 풍성해지는 교육

장애 공감 및 인권교육

*
이런저런 모양이 함께 있어야 세상은 아름답지,
달라서 빛나는 우리!

그림책 읽어주는 특수교사

김부양*

요즘은 신체적인 장애를 지닌 경우보다 환경적, 정서적인 이유로 학습에 어려움을 겪어 특수교육대상자로 선정되는 경우가 점점 늘어나고 있다. 그래서 겉으로 장애를 가졌다고 판단하기 어려운 경우가 많고 통합교육에도 더 어려움을 겪는 경우가 많다.

노안남초는 작은 학교여서, 한 학년이 한 반으로 6년 동안 쭉 같은 반 친구들과 졸업까지 간다. 학교에 발령받았을 때 4학년이었던 우리 반 학생은 같은 반 친구들과 함께 지낸 시간이 많아 서로를 잘 알고 있었다. 그리고 선생님들과 일상회의가 잦은 노안남초에서 통합학급 선생님과 자주 만나다 보니 작은 사건도 바로 이야기해서 해결하는 경우가 많았다. 무엇보다 통합학급 선생님께서 특수교육 대상 학생이 통합학급에서 소속감을 느낄 수 있게 노력해주셔서 감사함을 느끼고는 했다. 그래서 매년 실시하는 장애 공감 교육에서는 장애에 초점을 맞추기보다는 저마다의 특별함을 이해하고 존중하는 문화 형성을 중심에 두고자 했다. 서로의 다름을 인정하고 존중하는 마음이 있다면 당연히 장애가 있는 친구를 대할 때도 편견 없이 있는 그대로 받아들이리라 생각했기 때문이다.

장애 공감 및 인권교육 신문발행(매년 1회)

매년 한 번씩 장애 공감 및 인권교육 신문을 발행했었다. 차별, 존중, 배려라는 주제로 하나의 장애에 초점을 맞추기보다는 자신을 사랑하고 타인을 존중하길 바랐다. 신문을 읽고 퀴즈를 제출하면 상품을 주니 항상 전교생의 3분의 1이나 참여할 정도로 장애 공감 교육 활동에 높은 참여율을 보였다. 물론 상품을 받기 위해 더 적극적으로 참여하였다. 상품은 장애인이 함께하는 사회적 기업에서 만든 것으로 하여서 그 의미를 더 깊게 하였다.

인권 자료 게시

왼쪽. 카드뉴스 자료 게시(2018)
오른쪽. 세계 인권선언문 함께 읽고 푸는 낱말 퍼즐(2019)

그림책으로 마음 열기(인권교육)

학년별 독서 릴레이(2019)

장애 공감 및 인권주간에 학년별로 도서를 선정해 읽고 4절지에 반 전체 학생이 소감을 써서 제출하도록 하였다. 모든 학년의 학생들이 참여하였으며, 참여한 학급에는 맛있는 핫도그 선물을 전달하기도 했다.

2019년도 2학기 장애 공감 및 인권교육 학년별 선정 도서

학년	제목	책 소개
1학년	「감기 걸린 물고기」	https://book.naver.com/bookdb/book_detail.nhn?bid=11014858
2학년	「아나톨의 작은 냄비」	https://book.naver.com/bookdb/book_detail.nhn?bid=7796291
3학년	「다다다 다른 별 학교」	https://book.naver.com/bookdb/book_detail.nhn?bid=13883276
4학년	「행복을 찾은 건물」	https://book.naver.com/bookdb/book_detail.nhn?bid=12085356
5학년	「행복한 줄무늬 선물」	https://book.naver.com/bookdb/book_detail.nhn?bid=12712485
6학년	「딸 인권 선언」 「아들 인권 선언」	https://book.naver.com/bookdb/book_detail.nhn?bid=13363822 https://book.naver.com/bookdb/book_detail.nhn?bid=13358725

1학년 학생들이 감기 걸린 물고기를 읽고 만든 소감문

전교생이 함께 읽는 그림책 : 장벽을 허물어요(2021)

유치원부터 초등학교까지 전교생이 하나의 그림책을 읽고 소감을 나누었다. 그림책은 「장벽–세상에서 가장 긴 벽」으로 학생들이 책을 보며 느낀 소감을 제출하였고, 6학년은 더 나아가 우리 현실의 장벽은 무엇이 있는지 깊이 있게 생각해보고 고민한 흔적을 남겨주어 뜻깊은 교육 활동으로 기억에 남는다.

장벽-세상에서 가장 긴 벽을 읽고 작성한 소감문(2021)

장애 공감 벽화 만들기(2021)

'대한민국 1교시' 영상을 보면서 학습지를 풀다가 새로운 시도를 해보기로 했다. '세상을 바꾸는 따듯한 생각'이라는 주제로 학년마다 캠페인 문구를 만드는 것을 시도해 보았다. 54자 문구를 만들어 협동 작품으로 공감 벽화를 완성하도록 하고, 전교생이 들어오는 입구에 1년 동안 전시를 하였다.

3학년이 만든 캠페인 문구 완성된 작품 전시

교직원 장애 인식 개선

어느 연수에서 이런 말을 들었다. 학생들은 '장애 이해 교육', 교직원은 '장애인식개선교육'이라고 용어를 사용한다고. 학생들은 그렇지 않지만, 어른들은 장애에 대해 이미 가지고 있는 편견이 있어 개선해야 하므로 그렇다고 한다. 사실 학생들에게 장애 이해 교육을 하는 것보다, 통합학급 선생님께서 교실에서 특수교육 대상 학생을 대하는 작은 행동 하나하나가 학생들에게 더 큰 가르침이 된다. 그러므로 교직원 장애 인식 개선은 더 어렵지만 어찌 보면 학생 교육보다 더 중요하다.

* 「선량한 차별주의자」 책 소개 카드뉴스를 보고 소감 나누기 (2019)
* 웹툰 보고 소감 나누기 : 장애인먼저실천운동본부 웹툰 (2020)
* 교직원 장애 공감 퀴즈 풀기(2021)

2019년도 2학기 장애 이해 및 인권교육 교직원 연수

박○규 선생님

장애 이해 교육 및 인권교육이 의무연수와 관련하여 짧은 소감을 몇 자 적어 보냅니다. 우선 보내주신 자료를 읽고 무척 얼굴이 화끈거립니다. 아마도 저 자신에 내재된 심리적 장애 때문이 아닐까요.

저는 건강상의 이유로 장애인으로 등록되어 몇 가지 혜택을 보고 있습니다. 장애인이 되기 전까지는 크게 느끼지 않고 자연스러운 용어로 사용했는데, 막상 장애인으로 등록이 되다 보니 많은 생각을 하게 되었습니다. 무엇인가를 막연하게 의지하는 마음, 기대심리, 보상 등을 찾게 되었고, 나약해지는 자신을 발견하는 순간, 당혹스럽고 창피하고 부끄러웠습니다. 솔직히 쪽팔렸지요. 항상 내가 정상인, 평범한 사람이라고 생각을 했거든요.

지금은 교감이 되어 관리자의 역할을 하게 되면서 생각이 많이 변했습니다. 제가 생각하는 가장 크고 무서운 적은 "익숙함에 길드는 것"이라고 생각하고 있습니다. 보내주신 자

료처럼 자연스러워 보이는 사회질서, 규범, 가치, 행동 양식, 예절 등에 차별이라는 독버섯이 자라고 있음에도 불구하고 우리는 그것을 인지하지 못하거나 당연한 것으로 치부하고 생활하는 행동 양식이 너무 많다는 것입니다.

내 생각의 주인은 나가 아니라 익숙함에 길들여진 그 무엇인가에 의해 자연스럽게 끌려가거나 추종하면서 살아간다는 것이지요. 그래서 저는 제가 조금 불편하고 힘들어도 익숙함을 당연하게 받아들이지 않고 역지사지를 생각하면서 저 나름의 행동 양식을 만들어 가며 살려고 노력하고 있답니다.

합리적인 차별, 자연스러운 차별, 익숙함에 길들어 부지불식 중에 행하는 차별 등이 모두는 우리가 늘 경계해야 하는 것들이고 자신을 진솔하게 성찰하면서 살아가야 하는 이유이기도 합니다.

다름이 힘이 되는 세상이 되려면 어떻게 해야 할까요?

첫째, 다름은 인정하는 동시에 존중하는 것입니다. 그리고 배려하는 것입니다. 나눌수록 더 커진다는 나눔의 가치를 실현하는 것이지요.

둘째, 익숙함을, 차이를 당연함으로 여기지 않는 것입니다.

마지막으로 자신을 끊임없이 성찰하면서 자연스러운 차별을 늘 의심하고 개선하려고 노력하는 것입니다.

다름이 존중받는 다름다운 세상! 분명 아름다운 세상을 만드는 동력이 될 것입니다.

이○연 선생님

나도 모르게 하던 차별 행동들을 반성하게 되었습니다. 어쩌면 지금도 스스로 괜찮다고 위안 삼으며, 권력의 위치에서 시선을 가지고 생각하며 행동하며 판단하지 않나 되돌아보는 기회였습니다.

유○민 선생님

니체는 '나는 법을 가르칠 수 없는 자에게는 더 빨리 추락하는 법을 가르쳐라.'라는 말을 남겼습니다. 저는 이 속에 두 가지의 의미를 찾아 현실이란 답안지 위에 저만의 정답을 기입하고자 합니다.

첫째, 일단 모든 사람이 날 필요는 없다는 것입니다. 꼭 나는 것이 미덕일 필요는 없습니다. 저마다의 장, 단점을 발견하고 존중하는 모습이 기반이 된 사회화가 우리에게는 절실히 필요합니다.

둘째, 교육의 필요성입니다. 인간의 사회화는 교육으로 시작되어 교육으로 진행되고 일생을 통틀어 이루어집니다. 교육 내적인 차별적 요소를 철저히 배제하고 교육 외에 그 어떤 요소도 정규교육과정에 간섭하지 못하게 해야 합니다. "적어도 초등학교라도 다녔다면~"이라는 말이 상식이 되고 또 기준이 되는 사회, "학교에서 그렇게 가르치지 않았잖아!"라는 말에 부끄러움을 느끼는 사람이 없어지는 사회, 그것이 바로 제가 차별에 대한 해답으로 적고 싶은, 차별이 사라진 유토피아의 모습이지 않을까 싶습니다.

주○정 선생님

의식하지 못한 채 차별받고 차별하며 살아가고 있는 우리. 그런 우리가 과연 선량하다고 말할 수 있을까? 그런 자신을 의식하지 못함을 한 번 더 비꼬는 형용사가 아닐까 싶다.

"'아' 다르고 '어' 다르다'라는 말처럼 나와 네가 다르고 이 다름이 우리 사회의 다양성을 존귀하게 만들어 주고 사회를 풍요롭게 한다. 타인은 갖지 못하고 나는 가진 어떤 것. 나는 가지지 못하는 데 타인은 가지고 있는 것. 우리는 모두가 특권을 누리고 있는 것일지도 모른다. 그 특권의 종류는 저마다 다를 테고 우리는 이것을 인식하지 못한다. 제가 가진 특권을 느끼며 만족하고, 또 타인과 이 특권을 함께 나눈다면 우리가 모두 특권을 누리고 살 수 있고 다름다운 사회가 될 것이다. 다름다운 대한민국.

방○옥 선생님

「선량한 차별주의자」를 읽고

작년인가? 뉴스에서 떠들썩했던 사건이 있었다. 서울시 교육청에서 어느 곳에 특수 학교를 짓겠다고 하자 주민들이 일제히 반대하는 시위를 하고 무산될 위기에 처하자 학부모 한 분이 무릎을 꿇고 마을 사람들에게 빌었다. 나를 포함한 수많은 사람이 주민들의 처사에 화를 내고 마음 아플 엄마를 생각하며 눈물을 흘리기도 했다. 그것뿐이었다. 그 후로 학교는 지금 짓고 있는지 무척 궁금해지기도 했다.

많은 사람이 '나는 차별을 하지 않는다'라고 믿는다는 말이 가슴을 쿵 친다. 나는 그 주민들처럼 하지 않았다는 안도감도 있고 내가 퍽 인간적이고 인권을 존중하는 사람처럼 느껴지기도 했는데 과연 그럴까?

우리가 차별하지 않을 가능성은, 사실 거의 없다는 말…. 맞는 말이다! 우리가 의식하고 차별하지 않지만, 관습을 따른다면서, 또는 남들도 다 그렇게 행동하고 그렇게 말하니까 나도! 그러면서 매 순간 매일매일 물론 의식적으로 차별해야지 하는 생각까지는 하지 않더라도 의도와는 상관없이 무의식적인 차별을 하게 된다.

온작품 읽기로 즐거운 교실

한 학기 한 권 읽기

*

책이 풍성한 교실 환경을 꾸미고 교과서 대신 책으로,
입체적인 활동으로 독서교육 풍성하게!

책 읽어주는 교사

박숙현*

「가정통신문 소동」

학교에서 거의 매일 나눠주는 가정통신문이 재미없고 뻔하다는 생각! 누구나 해봤을 것이다. 의례적인 인사말은 읽지도 않고 필요한 부분만 살펴보거나, 그저 그런 통신문은 그냥 폐휴지 함으로 던져버리는 부모님들도 있을 것이다.

책에 등장한 상식을 확 깨는 가정통신문을 보고 우리도 만들어보기로 했다. 우리 반 아이들이 너도나도 책 속에 나왔던 것과 똑같은 통신문을 집으로 가져가고 싶어 했다. 그럴싸하게 보이도록 컴퓨터 한글 프로그램을 사용하기로 했다. 그러나 프로그램 다루기가 만만치 않아서 절반 정도만 가정통신문을 만들었다.

송미경 글, 황K 그림, 스콜라(위즈덤하우스)

노안남초등학교
제2019-42호
http://noannam.es.jne.kr

큰 꿈을 갖고 즐겁게 배우는
노안남 가정통신문

교무실: 061-335-5860
행정실: 061-335-6840

즐거운 시간

곳 무더위가 오는 여름에 안내문을 보내겠읍니다.
2학년 숙제를 내주기위해 안내장을 보내겠읍니다.

이번 주에 한 번은 아이들과 재미있는 활동으로 놀이공원을 가보자 합니다. 놀이공원에 간 사진을 단임선생님께 보내주시면 됩니다. 또 놀이기구를 5개 이상 타야합니다. 그리고 자유이용권을 끈었으면 더욱 아이들이 좋아하겠으니 자유이용권을 끈어주면 감사하겠읍니다. 또 맛있는 걸 먹는 것도 찍어주면 좋겠읍니다. 대신 부모님들이 놀이기구를 골라주시면 안됩니다. 부모님이 골라주신 놀이기구는 보내주시면 안됩니다.

2019. 5. 27.
노안남초등학교2학년

아이들이 만든 가정통신문

아이들의 마음이 온전히 들어간 통신문이라 띄어쓰기만 조금 수정하고 맞춤법은 그대로 두었다.

「이구아나 할아버지」

분량과 어투, 사건의 단순성으로 봐서 저학년생들이 읽기에 적당한 동화이다.

'이구아나 할아버지'를 천천히 깊게 읽은 친구들은 초등 2학년들이다. 제목에도 있는 이구아나에 관심을 보이고 적극적인 자세를 취할 우리 반 남자아이들 여럿을 떠올리며 온 작품 읽기 활동을 준비했다. 심지어 도마뱀을 애완용으로 키우고 있던 별이는 책 읽는 과정 중에 분명 자신이 알고 있는 지식과 정보들을 제공하고 싶어 할 것으로 생각했다.

우선 책 내용부터

주인공 희경에겐 애완용으로 키우는 '이구아나'가 있다. 희경이는 학교에서 집으로 돌아오면 곧장 이구아나에게로 가 학교에서 그날 있었던 일을 친구나 가족에게 하듯 털어놓는다. 형제도 없고, 부모님이 바빠 집은 늘 텅 비어 있어 희경이에겐 이구아나가 유일한 위안이자 벗이다.

그런 희경이에게 이구아나만큼 좋은 사람이 있다. 시골 할아버지다. 희경이의 소원도 잘 들어주고 희경이를 예뻐해 주신다. 그 할아버지가 몸이 안 좋아 병원 진료를 위해 딸네 집에 왔다가 손녀가 키우는 이구아나를 보게 된다.

이때부터 희경이와 할아버지의 갈등이 시작된다.

치료를 위해 서울에 올라오신 할아버지는 곧 새끼를 낳을 소가 걱정이다. 소가 무사히 새끼를 낳는 곳을 못 보게 되어 늘 노심초사인데, 불길하게도 희경이네 집에 뱀처럼 생긴 이구아나가 있어 더욱 불길하게 여기신다. 희경이에게는 무엇보다 소중한 애완동물 '이구아나'인데 할아버지는 자꾸만 '뱀'이라고 하면서 불길하다고 내쫓자고 하신다.

나에게는 소중하나 다른 사람에게는 소중하지 않은 것! 그것으로 인한 갈등은 누구나 겪을 수 있다. '이구아나 할아버지'는 그 점에 대해 생각해보고, 서로를 이해하게 되는 과정에 관해 이야기 나눌 거리를 제공하는 책이다.

이구아나 몸 길이가 37센티미터라는 걸 알고는
좋아서 펄쩍펄쩍 뛰기도 했지요.
산이네 이구아나보다 2센티미터나 길었거든요.
— 이구아나 할아버지
박효미 글, 강은옥 그림, 사계절

그런데 이렇게 좋은 이야깃거리를 제공하는 '책'이 우리 반 아이들에게 의미 있는 배움의 기회를 제공할까 하는 염려가 있었다. 재미로만 그치고 의미 있는 대화를 나누고, 깊은 생각을 소통하는 기회를 놓칠 것 같은 걱정을 하며 온작품 읽기 활동을 시작했다.

수업 구상 : 2시간씩 7회에 걸쳐 수업 진행

단계	활동 내용	
읽기 전 활동	설문 조사	책 내용 예상하기
읽기 중 활동	책 내용	활동
	할아버지와 이구아나	이구아나 특징 알아보기
	쫓겨난 이구아나	할아버지 설득하기
	이구아나, 몰래 숨어들다	재밌는 표현 찾기
	사라진 이구아나	우리에게 소중한 것
	친절한 이웃 친구	물건을 찾습니다.
읽은 후 활동		정지 장면으로 이야기 정리하기

읽기 전 활동

＊ 설문 조사

책을 읽기 전, 우리 반 아이들이 반려동물을 키우고 있는지, 키운다면 키우는 것에 대해 가족들과 갈등은 없었는지가 궁금했다. 그리고 반려동물 키우는 것에 대한 생각을 나누면 책 내용이 더욱 쉽게 다가오리라 생각했다. 그래서 간단한 설문 조사를 했다.

설문 조사는 9월에 실시했다. 그러나 이런저런 이유로 온작품 읽기가 미뤄져서 차츰 우리 아이들에게서 반려동물에 관한 관심은 멀어져 갔다.

＊ 책 내용 예상하기

국어과 모든 교육과정을 끝내고 난 12월 둘째 주에 「이구아나 할아버지」 온작품 읽기를 시작했다. 설문 조사를 한 후 약 3개월이 지난 후에 책 공부를 시작한 셈이다.

① 책 제목과 표지를 보며 책 내용 예상하기

어떤 내용의 책일지 상상해 봅시다.

– 못생긴 할아버지가 나오는 책입니다.

– 이구아나를 키우는 할아버지 이야기입니다.

– 손녀와 할아버지가 이구아나를 함께 키우는 벌어지는 내용입니다.

② 설문 조사 결과를 보며 이야기 나누기

오래전에 설문 조사를 실시했음을 알려주고, 설문 조사 결과를 함께 보며 이야기를 나눴다.

– 누가 반려동물을 키우는지?

– 어떤 반려동물을 키우는지?

대부분의 아이가 아파트에서 생활하기에 반려동물을 키우는 아이는 거의 없었다.

동물에 관심이 많아 동물 박사로 불리는 별이를 제외하고는 반려동물에 대한 추억이 있는 아이는 없었다. 많은 아이들의 추억거리는 할아버지 집에 놀러 갔을 때 봤던 마당에서 키우던 개에 대한 것이었다. 그래도 우리 아이들은 할 말이 많았다. 개나 고양이에 관한 이야기는 키우던 반려동물에 대한 것이 아니라, 옆집 개, 지나가던 고양이라도 할 말은 많았다. 아파트에서 살고 있어 환경이 받쳐주지 못해 키우지 못할 뿐, 반려동물을 키우고 싶다는 생각은 똑같았다. 그러니 가재, 도마뱀 등 여러 종류의 동물을 키우고 있는 별이는 다른 아이들에겐 부러움의 대상을 넘어 경외의 대상이었다.

③ 온작품 읽기 안내와 함께 약속하기

우리가 함께 천천히 읽을 책은 이구아나를 키우는 주인공이 나오는 이야기라고 알려주며, '이구아나 특징 조사해오기'를 과제로 내주었다. 천천히 함께 읽기(온작품 읽기)를 하기 위한 약속도 확인했다.

— 책은 함께 읽는 것 : 미리 읽어오지 않는다.

— 역할 읽기의 역할을 독차지하지 말 것 : 역할은 연속 2일 이상 맡지 않는다.

— 학습장 정리를 성실하게 할 것 : 함께 탐구하며 배운 내용은 학습장에 착실하게 정리한다.

— 연기는 진짜처럼 할 것 : 연극 활동으로 탐구할 때는 진짜 등장인물이 된 것처럼 상상해서 한다.

읽기 중 활동

* 이구아나 특징 알아보기

① 책 함께 읽기 : 역할 읽기

대사 및 해설을 나눠서 읽기로 하고 페이지별 해설자 및 등장인물을 누가 할지 먼저 정했다. 이것은 전날 책 공부가 끝남과 동시에 정한다. 우리 아이들한테 가장 인기 있는 역할은 해설자, 그리고 주인공이다. 책 공부 초반에는 너도나도 해설자를 하려고 하더니 책 공부가 거듭될수록 대사를 한 번만 하더라도 역할을 맡고 싶어 했다.

② 「이구아나 할아버지」를 읽고

책 공부는 매일 반복되는 기본공부(모르는 낱말 알아보기, 한 줄 요약하기)와 샛길 새기 활동으로 진행되었다.

③ 샛길 새기 활동 : 이구아나 특징 알아보기

책 공부에 대한 기대 때문이었나? 아이들이 조사를 잘해 와서 고마운 생각이 들었다.

이구아나의 생김새를 먼저 이야기하고, 특성을 발표하도록 했다. 친구들의 발표 내용을 들으며 새로운 사실을 깨닫기도 하고, 자신이 알아낸 내용을 강조하기도 했다. 아이들이 이구아나에 대한 조사 후 가장 신기하게 여긴 사실은 이구아나가 '온순하다'라는 것이었다.

＊ 할아버지 설득하기

①, ② '쫓겨나는 이구아나' 함께 읽기 및 한 줄 요약하기

책을 함께 읽은 후 아이들은 '할아버지' 역할을 맡고 싶어 했다. 아이들은 할아버지 '사투리' 가 재미있어서 주인공인 희경이와 해설자보다 할아버지 역할을 맡아 목소리 연기를 하고 싶어 했다. 이 점은 예상하지 못했다. 사투리를 이용한 활동 또는 배울 거리를 고민했더라면 좋았겠다는 생각이 든다.

역할 읽기를 한 후 모르는 낱말 알아보기 및 한 줄 요약하기를 했다. 아이들이 모르는 낱말이 많아서 책 공부 시간이 낱말공부로 시간 가는 줄 모르고 지나갈 뻔하기도 했다. 적당히 조절해 주는 센스가 필요한 듯하다.

③ 샛길 새기 활동 : 할아버지에게 이구아나와 뱀이 다르다고 말씀드리기

할아버지에게 말씀드리기 전에 뱀과 이구아나의 공통점과 차이점에 대해 생각하는 시간을 가졌다.

— 뱀과 이구아나의 공통점 : 둘 다 파충류이다.(우리 반 동물 박사 별이가 한 말. 파충류라는 말이 나오니 양서류는 무엇인지, 조류는 무엇인지 질문이 쏟아졌다. 덧붙여 사람은 포유류라고 이야기 해줬다.) 털이 없고 미끌미끌한 가죽이 있다고 이야기하고. 징그럽다고 이야기하는 여학생도 있었다.

— 뱀과 이구아나의 차이점 : 가장 큰 차이점으로 발이 있고 없고를 이야기했다.

할아버지와 희경이 역할을 맡아, 등장인물이 되어 각자의 처지에서 이구아나와 뱀에 관해 이야기를 나누도록 했다. 희경이는 할아버지에게 이구아나는 뱀이 아님을 설명하고, 할아버지는 이구아나랑 뱀은 똑같다고 주장하는 장면을 연출했다. 일대일로 이구아나랑 뱀이 다르다고, 할아버지 설득하기를 해본 후, 할아버지 역할을 하는 두 명의 학생을 상대로 남은 아이들 모두가 희경이가 되어 설득하기를 해보기도 했다.(역할 읽기–모르는 낱말 찾아보기–한 줄 요약하기–샛길 새기 과정은 온작품 읽기 수업의 기본 틀로 유지했다.)

할아버지와 희경　　　　할아버지 설득하기

책을 읽다 보면 문득, 재밌다고 여겨지는 표현을 만나게 된다. 시적인 표현, 장면이 그려지는 표현 등, 무릎을 치게 되는 문장들이 있다. 그런 문장을 만날 때마다 표시해 보고, 함께 읽어보았다.

– 몸은 교실에 있지만, 마음은 이구아나한테로 들락거렸어요.

– 열쇠 없다. 전에 살던 사람이 통째로 삶아 먹었는지, 이사 올 때부터 없었어.

– 엘리베이터는 소걸음 걷듯 올라온다.

＊ 우리에게 소중한 것 : 소중한 것을 잃어버렸던 경험 나누기

언제, 어떤 물건을 잃어버렸었나요? 물건이 아니어도 좋습니다. 소중한 존재에 관해 이야기해주세요.

– 시계를 잃어버렸었는데, 한 시간이 지나 찾아서 무척 다행이었습니다.

– 휴대폰을 잃어버려서 엄마한테 굉장히 혼이 났습니다. 그러다가 찾았지만.

– 선물 받은 스티커를 잃어버렸습니다.

– 캐릭터 지우개를 잃어버렸었습니다. 몇 번 쓰지 않은 건데, 너무 아깝습니다.

– 가재를 아빠가 아빠 친구한테 데려다줘서 너무 슬펐습니다.

잃어버린 물건은 학용품 등의 작은 물건에서부터 고가의 휴대폰까지 다양했다. 키우던 가재가 없어져서 슬퍼한 예도 있었고, 돌아가신 할머니 이야기를 하는 경우도 있었다.

＊ 물건을 찾습니다.

“현재 가지고 있는 물건 중에서 가장 소중하게 여기는 물건을 한 개씩 꺼내 봅시다.”

꺼내 놓은 소중한 물건을 교사가 모아서 숨긴다. 아이들은 그 물건을 찾기 위해 ‘물건 찾는 광고지’를 만들어 붙인다. 이때 그 물건이 얼마나 소중한지 생각하며 마음을 담아 광고지를 만들도록 했다.

광고지는 복도에 붙이고, 그것을 지나던 옆 반 아이들이나 선생님들이 보고 찾아주는 방식으로 진행했다. 그러면서 소중한 것에 대해 생각해 볼 수 있는 시간을 갖고자 했다. 그러나 아이들의 활동은 재밌는 보물찾기 활동으로 바뀌어 한바탕 소란이 일어나, 학교 전체를 시끌벅적하게 만드는 소란이 일어나고야 말았다.

아이들이 만든 ‘물건을 찾습니다’ 광고지

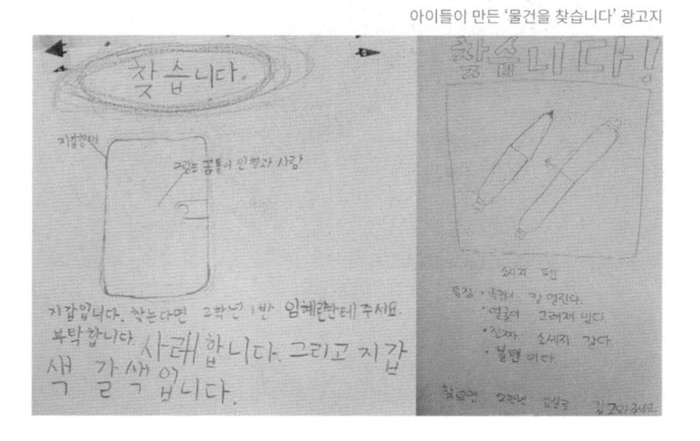

읽기 후 활동

*** 이야기 정리**

처음 계획은 이야기 그래프 및 감정 그래프 그리기를 해보고 싶었다. 그러나 우리 아이들은 연극 활동이 부족했다 여겼는지, 장면 만들기로 이야기를 정리해보자고 아이들이 제안하여 그래프 그리기 활동 대신 장면 만들기를 해보았다.

기억에 남는 장면을 정지 장면으로 표현하고, 그것을 본 친구들이 어떤 장면인지 알아맞혔다. 이 과정을 통해 책 내용 전체를 되돌아보고 흥겹게 온작품 읽기 활동을 마무리했다.

정지 장면 만들기

「그 소문 들었어?」

코로나 19 팬데믹 상황 속에서 우리는 바이러스로 고통받는 것에 더하여, 온갖 '가짜 뉴스'에 시달렸습니다. 한편에서는 팩트 체크까지 해가면서 대응하기도 했습니다.

일명 '-카더라'통신은 소문을 전하는 당사자의 무책임함과 재미, 자극성이 더해져 쉽게 전파돼 강력한 영향력을 행사하는 모습을 많이 보아왔는데, 우리 집 딸아이가 유튜브에서 보았다며 이러저러한 이야기를 할 때는 '가짜 뉴스'와 '정보'를 구별하는 능력 또는 구별해야 한다는 기본 의식이 더욱 필요함을 절실하게 느끼게 됩니다.

우리 아이들에게 그런 이야기를 어떻게 전할 수 있을까요? 이런 생각으로 펼쳐 든 책이 「그 소문 들었어?」입니다.

「그 소문 들었어?」는 금색 사자가 왕이 되고 싶은 마음에 (지금으로 치자면) 상대 후보에 대한 거짓 소문을 퍼뜨리고, 이 소문을 들은 동물들은 소문을 확인하지도 않고 퍼뜨려, 끝내는 왕국이 폐허로 변하게 되는 이야기를 담은 동화책입니다.

책을 처음 접했을 때는 '이 책 동화책 맞아?'라는 탄성이 저절로 나왔습니다. 그리고 주변에 소개했을 때, 책을 읽은 후의 반응이 아이들보다는 어른들에게서 더 폭발적이었습니다. 지금의 사회현상을 그대로 보여주고, 우리에게 전하는 메시지가 강렬하므로 어른들에게서 더 반응이 강했던 것 같습니다.

그렇더라도 아이들과 이야기를 나눠보고자 '온책읽기' 작품으로 이 책을 정하고 2018년에는 1학년 아이들과 2019년에는 2학년 아이들과 함께 읽었습니다.

책이 두껍지도 않고, 동물들의 이야기라 저학년이 보아도 괜찮겠다는 생각에서, 그리고 아이들과 '소문'에 대해 이야기 나눠보고 싶은 마음에서….

이야기는 단순하지만, 저학년생들에게 어려운 낱말도 있고 주제가 쉽지는 않아 온책읽기 활동이 어려운 낱말을 찾아 뜻을 탐색해보는 수준을 넘어서지 못하고 끝나고 말았습니다. 선거 포스터 만들기, 투표하기, 등장인물 인터뷰하기 등 작품을 통해서 해볼 수 있는 활동 등, 다양한 활동을 통해 작품을 통해 즐기고 생각해 볼 수 있는 부분이 많았는데, 책 활동이 단순하게 끝나버려 아쉬웠습니다.

올해도 저학년을 맡아 가르칩니다. 우리 아이들에게 쉽지는 않겠지요. 그래도 아이들과 함께 읽고 싶은 욕심이 생기는 책입니다. 이전의 경험을 넘어설 수 있다는 생각으로 아이들에게 남는 특별한 책이 되도록 온책읽기 방안을 새롭게 구상해 아이들을 만나야겠습니다.

하야시 기린 글,
쇼노 나오코그림,
김소연 역,
천개의 바람

마음을 하나로 모으기
'신뢰형성서클'

*

사랑과 존중의 관계 형성 첫 만남!
학교에 웃음이 살아나고 공동체가 회복되기를 소망한다.

관계를 회복하는 삶과 배움을 지지하는 교사

임미희*

2020년 6월 8일 어색한 첫 만남

2020년 코로나 19로 여러 차례 개학이 연기되고 4월에는 원격수업 시작!

시도별로 차이가 있었지만, 전남의 초등학교는 5월 27일 1~2학년, 6월 3일 3~4학년, 6월 8일 5~6학년 등교 개학이 이루어졌다.

5학년 아이들과 6월 8일이 되어서야 교실에서 만날 수 있었다. 나와 온라인상으로만 만나 서먹서먹한 아이들, 아마도 원격수업 필기 노트를 매일 검사하는 내가 살짝 미웠을 것이다. 수업 내용 필기를 강조하는 나와의 5학년 학교생활이 정말 힘들고 따분하다고 생각했을 것이다. 사회적 거리두기로 친구들과 만남도 뜸해져 친구들끼리도 어색한 만남이 예상되었다.

교무실에서 동료 교사들과 짧은 인사를 마치고 바쁘게 교실로 올라갔다. 아이들이 아직 덜 왔나? 복도가 너무 조용했다. 교실 문을 여는 순간, 적막감이 흘렀다. 아이들이 쓰고 있는 마스크, 교실 책상의 투명 칸막이가 방학 중 있었던 이야기로 시끌벅적한 교실을 이렇게 고요하게 만들 줄이야….

코로나 감염병 예방 수칙이 교실 곳곳에 붙어있고, 코로나 감염에 대한 두려움을 감수하고 수업해야 하는 상황에 답답함으로 가슴이 조여왔다. 아이들도 마찬가지였을 것이다.

코로나 상황에서도 등교하여 수업을 받고, 친구들과 만남을 감사하며 5학년 학교생활을 좀 더 의미를 찾고 기대하는 마음을 가지길 바라며 신뢰형성서클을 열었다.

'우리 반이 어떤 학급이 되었으면 좋겠어?' 학급 비전 세우기

– 실천 시기 : 개학 날

– 소요시간 : 2차시(80분)

– 준비물 : 토킹피스, 센터피스, 협동 컵 쌓기, 이미지 카드, 포스트잇

마음 열기

"애들아! 집에서 원격수업하기 너무 힘들었지? 드디어 오늘 등교 개학이 이루어져서 너희들과 교실에서 이렇게 만나니 선생님은 너무 기쁘고 이 시간이 너무 소중하단다. 5학년 우리가 모두가 1년 동안 학급 살이를 잘 할 수 있도록 첫 시간 해야 할 중요한 활동이 있어."

– 활동의 필요성과 의미, 기대 부여하기
– 서클의 목적과 서클의 약속 확인하기
– 토킹피스 소개하기

서클에 초대하는 말

오랜만에 학교에 와서 모두 어색하지? 이렇게 둥글게 앉아 이야기하는 것을 '서클로 모였다'라고 합니다. 가운데 둥근 카펫에 놓인 장식물을 센터피스라고 한단다. 선생님은 오늘 장미를 준비해 왔어요. 장미는 종류만 해도 6~7,000종이며, 해마다 200종 이상의 새 품종이 개발되고 있다고 해요. 이렇게 다양한 향과 색을 가지고 있는 장미는 한국인이 좋아하는 꽃 1위이고 참 아름답지만, 가시가 있어 쉽게 접근하기 어렵기도 하지요. 모든 사람은 저마다 자신만의 가시가 있어 상대방과 적당한 거리(경계)를 유지하지 않으면 상처를 주기도 하지요. 하지만 그런 과정을 거치고 나면 오히려 더욱 가깝게 다가설 수 있어요.

우리 반 친구들과 장미처럼 각각의 개성을 가진 친구들을 서로 존중하고 아름다움을 지키기 위해 노력하는 아름다운 반으로 만들고 싶은 선생님의 마음이 담겨 있어요. 상대방의 이야기를 잘 듣기 위해 우리가 함께 지켜야 할 약속이 있어요.

첫째, 토킹피스를 가진 사람만 이야기할 수 있고, 다른 사람은 무조건 들어주세요.

둘째, 준비될 때 말해요. 말할 준비가 되지 않았으면 '패스'라고 말하세요.

셋째, 솔직하게 말해요.

넷째, 친구를 비난하지 않아요.

다섯째, 서클에서 한 이야기는 비밀을 지켜줘요.

여섯째, 서클에 참여한 모든 사람의 의견을 합의해서 결정해요.

여는 질문

교사 : 5학년 등교 개학 첫날 자신의 느낌을 말해 볼까요?

민○ : 코로나에 걸릴까 봐 걱정되기는 하지만 학교에서 친구들을 만날 수 있어서 너무 좋아요.

지○ : 집에서 너무 심심했어요. 학교에 너무 오고 싶었어요. 학교의 공부하는 것이 얼마나 소중한 시간인지 알게 되었어요.

주○ : 학교에 너무 오고 싶어서 토요일에 아무도 없을 때 학교 운동장을 엄마와 걷다가 갔어요.

공동체 놀이

텔레파시 박수 게임

① 둥글게 앉아서 다른 사람을 바라본다. 서로 눈을 마주치는 사람을 향해 박수를 1번 친다.(상대방이 주는 눈빛을 의도적으로 피해서는 안 된다.)

② 텔레파시 박수를 받은 사람은 같은 방법으로 서로 눈을 마주치는 사람을 향해 박수를 1번 친다.

어색한 눈빛만 오고 가는가 했는데 시간이 지나니 박수 속도도 빨라지고 서로 자기에게 신호를 주라고 강력한 눈빛을 보낸다. 금세 분위기가 화기애애해졌다.

주제 활동 1 : 학급 비전 세우기

교사 : 코로나 상황에서 마스크를 쓰고 학교생활을 해야 하고 체험학습도 못 가게 되는 상황이 생기겠지만 선생님은 여러분들과 즐겁고 행복하게 1년을 보내고 싶어요. 올해 우리 반이 어떤 학급이 되길 원하나요? 교실 중앙에 전시된 이미지 카드 중 내 생각을 가장 잘 표현하고 있는 카드를 골라 가져가 포스트잇에 문장으로 정리해보세요.

학급 비전 세우기 '이미지 카드로 이야기해요'

아이들이 각자 포스트잇에 정리한 생각을 이미지 카드를 들고 발표하기

주○ : 이 사진은 사람들이 친구들끼리 여행을 가서 즐겁게 노는 것 같아요. 빨리 코로나바이러스가 사라져서 친구들과 마스크를 벗고 편하게 놀고 싶어요.

채○ : 저는 이 개미들처럼 우리 반이 함께 협력하고 협동해서 어려운 일이라도 즐겁게 해결해 나가는 반이 되었으면 좋겠어요.

준○ : 이 사진은 어미 오리와 새끼오리가 있는 사진입니다. 어미 오리가 보살펴주고 챙겨주는 것처럼 우리도 서로 챙기고 행복하게 지냈으면 좋겠어요.

올해 우리 반이 어떤 반이 되면 좋을까? 서로의 생각 나누기

교사 : 여러분이 발표한 것을 바탕으로 핵심 가치를 적어 보았어요. 평등(차별×), 협력, 협동, 도움, 즐거움, 행복이 가장 많이 나왔네요. 이 단어들의 의미를 살리는 비전문을 만들어봅시다. (활동 후) '차별 없이 서로 도와주는 행복한 우리 반'이 학급 비전이 되었어요.

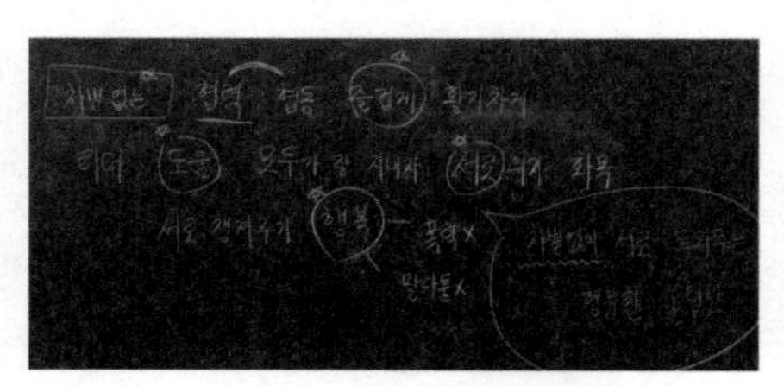

'차별 없이 서로 도와주는 행복한 우리 반' 만들기에 일심동체

주제 활동 2 : 학급 약속(규칙) 세우기

교사 : 우리 반의 비전을 이루기 위해 내가 할 수 있는 약속을 만들어봅시다.

평등
– 남녀 구분 없이 누구나 똑같이 대해주기
– 모두 같이 놀기

도움
– 좋은 말(잘했어, 고마워, 수고했어) 사용하기
– 도움이 필요한 친구를 모른척하지 않기

행복
– 상대방을 비하하는 말 하지 않기
– 욕하지 않기, 서로 다투지 않기

각자 말하는 제안들을 분류하여 합의를 거쳐 최종 약속을 결정하였다. 합의된 비전과 약속을 함께 읽고, 잘 지키겠다고 다짐하는 시간을 가졌다.

모두가 함께 학급 약속 만들기 – 해야 할 것 & 하지 말아야 할 것

주제 활동 3 : 학급 버킷 Five 리스트 만들기

행복한 학급을 만들기 위해 1년 동안 학급 친구들과 함께 하고 싶은 활동 5가지 리스트를 만들어 함께 실천하도록 했다. 학교생활에 대한 기대감과 소소한 행복감을 주며, 버킷 리스트를 계획하고 실천하는 과정에서 아이들이 협력하는 방법을 배울 수 있는 좋은 활동이다.

– 마니또(비밀 친구) 놀이하기
– 생일 축하 해주기(카드와 선물 전달)
– 나만의 간식 만들기(요리 활동)
– 할로윈데이 파티하기(사탕 바구니 만들어 나눠주기)
– 놀이공원 함께 가기

닫는 질문

교사 : 활동을 통해 알게 된 점과 느낀 점을 말해 볼까요?

신○ : 우리가 정한 학급 약속이기에 더 잘 지켜야겠다는 생각이 들어요. 애들아 할 수 있지?

하○ : 남녀 구별하지 않고 모두에게 평등하게 대해주고 싶어요.

민○ : 친구들을 오랜만에 만나서 어색했는데 활동을 통해 다시 친해졌고 1년 동안 싸우지 않고 친하게 지낼 수 있을 것 같아요.

이렇게 2020년 6월 개학 첫날을 마무리하고 5학년 학급

살이에 대한 희망과 꿈을 가지고 아이들과 함께 천천히 걸어갔다. 크고 작은 문제들이 발생하겠지만 아이들이 만든 비전과 약속을 중심에 세우고 흔들림 없이 나아갈 것을 다짐했다. '괜찮아 잘 될 거야'

[슈퍼스타] 반가 부르기

함께하는 교육과정 운영

*
함께 연구하고, 계획하고
든든한 지원자로, 협력자로 함께 성장하기!

1학년 담임교사 박숙현

2학년 담임교사 유연주

*

노안남초등학교는 2022년 기준 담임교사 6명, 교담교사, 문해력 전담교사, 특수교사 등 총 11명의 교사가 근무하는 작은 학교 규모의 혁신학교이다.

학년에 여러 학급이 존재하는 학교가 아니라서 학년 부장도 없고, 그러니 학년 회의가 있을 리 만무하다. 한 학년에 한 학급이 존재하므로, 혼자서 교육계획을 작성하고 행사를 기획한다. 한 명의 교사가 학년을 총괄하기 때문에 학년 교육과정 운영의 자율성이 다른 큰 학교에 비해 크고, 반면 영향력도 크다. 함께 의논하고 검증할 수 있는 학년 동료 교사가 없으므로 오로지 교육과정의 책임을 혼자서 떠안게 된다.

그러나 작은 학교라서 학년이 다르더라도 함께 운영의 틀을 맞춰갈 수 있는 인접 학년의 동료성이 크기 때문에 걱정하지 않아도 된다. 학년 군이 함께 체험활동 등의 행사를 기획하고, 학년 교육과정의 연계성을 확보하여 함께 지도할 수 있는 부분을 찾아보게 된다.

우리 학교는 오래전부터 체험학습을 학년 군이 함께 진행했다. 한 학급의 학생 수가 열두어 명 안팎이라 한 개 학급이 체험학습을 진행하려면 인솔자인 교사의 부담도 크고, 체험학습 진행을 하는 처지에서도 비효율적이라 학년 군이 함께 체험학습을 진행한 듯싶다.

체험학습의 진행을 학년 군이 함께 진행한다고 해서 공동교육과정을 운영한다고 할 수는 없다. 그것보다는 학년 교육과정 운영의 궤를 같이하면서 속도를 맞추고, 공통의 주제를 찾아내고, 함께하는 교육 활동을 진행하는 것이 공동교육과정 운영의 기본이라고 할 수 있다.

2022학년도 노안남초 1, 2학년 교사는 초보적인 수준에서의 공동교육과정을 운영해보았다.

– 2학년 또래 선생님이 1학년 동생들에게 책 읽어주기

– 수학 시간에 또래 선생님이 되어 2학년이 1학년 동생에게 덧·뺄셈 가르쳐주기

– 2학년 직업 체험활동 시간에 1학년이 손님이 되어 찾아가기

– 1학년 나눔 장터 활동 시간에 2학년 손님이 찾아와 물건 사기(수익금은 1, 2학년 모두를 위해 사용)

– 「하늘 조각」 읽고, '푸른 하늘의 날' 활동 함께 하기

– 텃밭 생태 활동 함께 하기(달걀 껍데기 비료 주기, 자동급수기 이용 텃밭 물주기, 열매 수확하기, 그림책과 연계하

여 텃밭 활동하기 등)

– 학급 인형 가정 나들이[1] 함께 진행하기

– 체험학습 공동 진행하기

책 읽어주기 활동 : 1학년 2학기 국어 시간

5단원 '알맞은 목소리로 읽어요'를 공부할 때이다. 이 단원은 책 읽는 활동에 주안점을 두었다. 책 읽기 할 때 우선 알아야 할 것으로 낱말, 어절, 문장에 대해 알려주고 글을 읽도록 했다. 듣는 사람도 문장에 대해 느끼면 좋겠다고 알려준 뒤 한 개의 문장이 끝나면 짧더라도 잠시 쉬어야 한다고 일러주었다. 그래도 아이들은 글자를 잘 읽을 수 있다는 것을 뽐내고 싶은지 쉼 없이 술술 읽으려는 경우가 많았다.

교사가 시범을 보이고 내용을 이해하면서, 강조할 것은 강조하고 인물이 말하는 것은 실감 나게 흉내 내면서 읽는 것이 책을 읽는 재미를 줄 수 있다고 했다. 그리고는 짝꿍에게 책을 읽어주는 활동을 했다.

그러자,

"윤○는 너무 빨리 읽어요. 무슨 소리인지 하나도 못 알아듣겠어요."

"서○이는 너무 느리게 읽어서 답답해요."

"준○도 그래요. 준○가 읽는데 저는 벌써 속으로 다 읽었어요."

1 학급 인형을 정하고, 한 명씩 돌아가면서 가정으로 인형을 데리고 간 뒤 인형에게 책을 읽어주거나 놀이 활동을 하며 함께 가정에서 지내는 것이다. 함께 지낸 이야기는 학급 밴드를 통해서 학급이 함께 공유한다.

아이들이 여기저기서 짝꿍이 읽어주는 것을 답답해하거나, 내용을 알아들을 수 없다며 불만을 토로했다. 불만을 들은 뒤, 듣는 사람을 생각해서 잘 알아듣도록 읽기 위해서 무엇을 신경 써야 할지 생각해보자고 이야기했다.

"또박또박 읽어요."

"너무 작게 읽으면 안 돼요."

"띄어 읽기를 해요."

친구들에게 읽어주기 활동을 마친 후, 선배 형님들과 부모님들의 책 읽어주기 시간을 마련했다.

친구에게 책을 읽어주는 모습

5, 6학년 선배 형님들로부터 책 이야기를 들은 뒤 바로 다음 날 부모님을 초대했다. 부모님은 윤○ 아버님과, 예○ 어머님을 초대해서 그림책 읽어주기를 부탁드렸다. 그림책「몽당」과 「안 돼!」를 읽어주셨는데, 아이들이 모두 귀를 쫑긋하며 재미있게 들었다. '몽당'이라는 낱말이 익숙하지 않던 아이들은 그림책을 듣고는 '몽당연필'을 이해하게 되었고, 「안 돼!」를 다 읽은 후에는 '강아지가 바보 같다.'라며 우스갯소

리를 하기도 했다.

책 읽기 다음 단계 활동은 바로 2학년들로부터 듣는 책 이야기다. 이 활동은 부모님들이나 5, 6학년 선배들이 1학년 학급 전체를 대상으로 책을 읽어주는 활동이 아니라 일대일로 책을 읽어주는 활동이다. 이 활동을 위해 2학년 어린이들은 읽어 줄 책을 정하고, 읽기 연습을 한 뒤 1학년 동생들을 만났다.

1학년 동생들은 도서실 의자에 2학년 형님과 나란히 기대 앉아 책을 보았다. 형님이 읽어주는 책의 재미에 빠져 조용히 듣는 모습이 무척이나 진지해 보였고, 이때 들은 책 이야기가 재미있어 도서실에서 다시 빌려보는 예도 있었다.

2학년들의 책 읽어주기 활동이 끝난 후 1학년들끼리 '어떤 책이 재미있었는지?', '책을 잘 읽어준 형님이 누구였는지?' 투표하기도 했다.

2학년이 1학년 동생에게 책 읽어주기

또래 선생님으로부터 배우는 덧, 뺄셈

비슷한 생각으로 행동하기 때문에 1학년 아이들을 가장 잘 이해하는 것은 2학년들일 것이다. 이런 이유로 1학년들의 어려움을 가까이에서 듣고 해결 방법을 제시하고자 2학년 또래 선생님으로부터 덧, 뺄셈 지도를 받기로 했다. 물론 도움이 필요 없을 정도로 계산이 능숙한 1학년도 있을 것이다. 하지만 2학년 또래 선생님과 공부하는 경험을 통해 새로운 뭔가를 터득할 수도 있을 것이라는 기대로 또래 선생님 수업을 하기로 했다.

또래 선생님과 공부하면서 가장 혜택을 많이 받는 것은 2학년이다. 동생한테 설명하려면 설명을 하는 또래 선생님 본인이 설명할 내용을 가장 잘 알아야 하고, 그렇기 위해 준비하면서 완벽하게 이해하고 잘 설명하기 위해 연습을 한다. 그 연습의 과정으로 자기 공부가 되는 것이다.

1학년 동생들은 2학년 또래 선생님의 설명을 통해 쉽게 이해할 수 있고, 계산방식 이외에 공책과 필기도구 사용법 등에 관해 이야기를 들으며 공부하는 방법에 대한 지혜도 익힐 수 있었다.

또래 선생님에게 배우는 수학

1학년 연산 교육과정	2학년 연산 교육과정
100까지의 수	네 자리 수
10씩 묶어 세기	몇천 알기
수를 두 가지 방식으로 읽기	네 자리 수의 자릿값 알기
두 자릿수의 자릿값 알기	뛰어 세기
수의 순서 알기	수의 크기 비교하기
수의 크기 비교하기	
짝수, 홀수 알기	
덧셈과 뺄셈	곱셈구구
몇십 몇 더하기/빼기 몇	1~9단 곱셈구구
몇십 더하기/빼기 몇십	1의 곱, 0의 곱 의미 알기
몇십 몇 더하기/빼기 몇십 몇	곱셈구구 이용하여 문제 풀기
세수의 덧셈/뺄셈	
10이 넘는 두 수의 더하기	
10을 이용하여 더하기/빼기	
모으기와 가르기를 이용하여 더하기/빼기	

1학년들은 2학기 수학 시간에 받아올림과 받아내림이 있는 덧셈, 뺄셈을 배운다. 이때 어려움을 많이 겪는 아이들을 많이 보아왔다. 교사가 여러 가지 방법으로 설명을 하고 구체적 조작 활동을 통해 계산을 해보거나 다양한 방식으로 연산을 해보는 경험을 제공해주지만 어려움을 겪는 어린이는 매년 있었다.

이런 상황에서 바로 위 학년인 2학년으로부터 도움을 받을 수 있겠다는 생각에서 협력 수업을 제안하고 2학년 또래 선생님을 초대했다. 초대는 1회에 그쳤고 1학년 아이들의 반응은 싱거웠지만, 가르치는 교사 관점에서 또래 가르침을 하는 장면을 보고는 새로운 가능성을 확인해 볼 수 있었다. 연산을 가르치는 방법은 서투르지만, 연산 이외에 형님으로서 동생의 부족한 학습 방법을 보고는

"계산이 바로 안 될 때는 손가락을 써도 돼."

"머릿속으로 계산한 것을 공책에다 써!"

"다시 한번 더 계산해 봐!" 등등의 코칭을 해주는 모습을 보고 또래의 경험이 전수되는 장면을 보는 듯해서 흐뭇했고, 1학년 동생보다는 2학년 또래 선생님의 성장이 더욱 클 것 같았다.

직업체험활동, 나눔장터활동에서 서로 손님이 되어주기

1, 2학년 통합교과 시간에는 나눔 장터 활동, 직업놀이 활동을 통해 이웃에 대하여 동네 사람들의 직업에 대해 학습할 수 있다. 각 교실에서 따로 활동할 수는 있으나 공허한 교육 활동이 될 수 있어서, 서로 손님이 되어 체험활동을 돕도록 하였다.

1, 2학년이 함께하는 나눔장터　　　네모 틀 사이의 하늘

푸른 하늘의 날 : 그림책 「하늘 조각」활동

통합교과 가을 공부를 하면서 해볼 수 있는 활동이다. 마침 찾은 그림책 「하늘 조각」은 고개를 들어 하늘을 바라볼 수 있게 만들어 주는 내용을 담고 있다. 학년 밴드에 이 책으로 활동한 선생님의 안내가 있어서 그림책을 읽고 하늘을 네모 틀에 넣고 사진 찍는 활동을 했다. 1, 2학년이 함께 운동장에 나가 하늘을 바라보고 사진 찍고 가을 나뭇잎, 곤충을 함께 찾아보았다.

하늘이 파랗게 보이는 날, 활동해야 제격이다. 희뿌연 하늘을 담게 되면 아이들도 교사들도 실망하게 된다. 물론 희뿌연 하늘이 푸른 하늘이 되도록 지구인인 우리가 환경지킴이 활동을 해야 한다고 이야기하면서 교육적 의미를 살릴 수도 있다.

다행히 푸른 하늘을 담아 사진을 찍게 되면 아이들도 교사들도 기쁘다. 그러나 푸른 하늘을 바라보며 감상에 젖는 것은 어른인 교사의 몫이고 아이들은 하늘보다는 낙엽을 찾고, 곤충을 발견하는 것에서 의미를 찾는 듯했다.

그림책 읽기 활동은 「하늘 조각」이 외에 「상추씨」, 「다다다 다른 별 학교」 등 여러 그림책으로 함께 활동했다. 별도로 진행한 그림책 활동을 서로 추천하며 함께 진행했으나, 2022학년도 활동을 바탕으로 2023년도에는 공동의 교육과정을 계획하면서 함께 볼 그림책을 사전에 준비할 수 있으리라 생각하고, 온작품 읽기 활동까지도 함께 진행할 수 있으리라 생각한다.

함께하는 텃밭 생태 활동

2022학년도에는 공동교육과정을 처음 시도해 본 해라고 할 수 있다. 기존에 인접 학년 교사에게 개별 교육 활동을 권유하거나, 인접 학년 학생들을 초대한 적은 더러 있었다. 그러나 그것이 공동의 교육과정 진행으로 고민되고 정리된 적은 없었다. 그러나 2022학년도 한 해를 보내고 교육 활동에 대한 철학 공유를 바탕으로 고민을 함께한다면 얼마든지 가능한 일이라는 생각이 들었다. 특히 한 학년 한 학급 규모의 작은 학교에서라면 더욱더 공동교육과정 운영에 대해 고민을 해봐야 할 것이다.

5월 모종 심기, 텃밭 물주기, 씨앗 심기, 열매 수확하기 등의 활동을 함께 하고, 무엇보다 활동하기 전에 해야 할 교육 내용과 읽어줄 그림책에 대해 사전 협의 활동을 통해 진행했다. 사전 협의 활동뿐만이 아니라 사후 활동에 대해서도 함께 고민하고 공동의 결과물을 만들어 포트폴리오를 작성할 수 있다면 더욱 좋을 것이다.

씨앗 심는 모습

학급 인형 만들고, 가정으로 인형 초대하기

2022학년도 1학년 어린이들은 '양띠생'들이라 양 인형을 교실에 들여왔다. 이때 교실에 있게 된 양 인형이 무려 네 마리였다. 그중 파란색 양 인형의 이름을 '양순이'로 지어주고 뽑기를 통해 집으로 데려가기로 했다. 단, 집에 데려간 '양순이'랑은 숙제랑 책 읽기도 함께 하고 같이 놀아주기도 해야 한다고 일러주었다. 2학년 선생님께는 보라색 양 인형을 드렸다. 2학년들도 양 인형의 이름을 정하고 '인형 초대하기' 활동을 함께 했다.

인형을 데려간 아이들은 이틀 동안 데리고 있으면서 옆에 끼고 숙제하고, 마치 들을 수 있는 동생인 듯 책도 읽어주는 활동을 했다. 윤○는 서울 여행을 갈 때 데리고 가서, 박물관 구경도 시켜주고 야외에서 함께 놀아주는 듯, 마치 제 동생인 양 돌보는 모습을 보여주었다.

'인형 초대하기' 활동은 2018년에 유새영 선생님 연수를 듣고, 유 선생님이 하셨던 활동을 그대로 따라 해본 것으로 2학년 동료 선생님과 함께 활동을 진행한 것이다.

인형초대하기 활동으로
책 읽어주는 모습

특별한 방학 숙제

*
세상을 바라보는 해상도를 높이는
특별한 수업 만들기

새로운 시선으로 세상을 바라보는 교사

유새영*

"이번 여름방학 숙제는 게으를 때 보이는 세상을 이 카메라에 담아오는 거예요!"

서울에서 열린 '그림책 NOW' 전시에서 한 권의 그림책에 마음을 빼앗겼다. 바로 우르슐라 팔루신스카의 《게으를 때 보이는 세상》이라는 작품이다. 이 그림책은 여유를 가지고 바라볼 때 보이는 세상의 모습을 담고 있다. 누워서 바라본 하늘에는 비행기가 남긴 흔적이 잠자리와 함께 지나가고, 낮잠을 자기 위해 덮어두었던 모자 틈으로는 반짝이는 햇살이 쏟아진다.

이 책을 보며 열한 살에 보았던 세상이 떠올랐다. 보리밭에 누워 보았던 하늘, 순창에 수련회를 갔다가 보았던 쏟아지는 별들, 골목 담벼락에 나란히 앉아있던 잠자리도 생각났다. 어린이일 때 보았던 게으른 세상의 기억들은 어른이

된 나의 삶에 큰 힘이 되어주었다.

방학의 의미는 무엇일까? 학교에 가지 않는다. 쉴 수 있는 시간이 생긴다, 여유가 생기고 게으르게 시간을 보낼 수 있다. 그래서 방학에만 볼 수 있는 세상의 모습이 있다.

그래서 방학식 날 열한 살 어린이들에게 36컷의 사진을 찍을 수 있는 일회용 필름 카메라를 하나씩 나눠줬다. 방학에만 볼 수 있는 세상의 모습을 담아오는 것이 숙제였다.

열한 살의 여름에는 어떤 풍경들이 남아 있었을까? 현◯이의 카메라에는 마을에서 가장 좋아하는 나무의 모습이 담겨 있었고 민◯이의 카메라에는 사마귀와 고양이가 마당을 가로지르는 풍경이 담겨 있었다. 하늘과 바다, 그리고 산을 바라보던 느린 시간이 필름에 남았다.

개학하고 난 뒤 남아 있는 필름을 학교 곳곳에서 사용해 보자고 안내했다. 마침 미술 교과에 사진과 관련된 성취기준이 있어 교육과정과 연계해 프로젝트를 진행할 수 있었다. 어린이들은 각자의 공간에서 느리게 시간을 보내며 게으를 때 보이는 세상을 친구들과 함께 담았다.

운동장에서 필름 카메라로 사진을 찍는 어린이들

"선생님! 게으를 때 보이는 세상을 담아야 하니까 먼저 게을러져 볼게요!"

현○이는 이렇게 말하고 나무 밑에 누워서 낮잠을 잤다. 3년의 시간이 지나 졸업식이 끝나고 받은 한 편지에는 운동장 여기저기에서 하늘을 찍었던 이 순간이 기억난다는 이야기가 담겨 있었다.

그렇게 필름에 담긴 소중한 시선들을 모아 늦가을에는 '열한 살, 게으를 때 보이는 세상'이라는 사진 전시회를 열었다. 사진을 인화해서 미술 시간에 만든 종이 액자에 넣었다. 일부 사진은 벽에 전시하고 사진 설명을 남겼다. 낭독극에 사용하는 무선 스탠드와 가정에서 가져온 캠핑 램프를 사용해 협의회실을 전시회장으로 꾸밀 수 있었다.

문화생활을 돈을 들여 즐기는 경험을 전교생에게 주기 위해 티켓도 만들었다. 티켓 아이디어는 일본에 있는 지브리 미술관에 방문했던 기억으로 만들게 되었는데 사진에 사용된 필름을 잘라서 만들 수 있었다.

어린이들은 순서를 정해 쉬는 시간마다 전시회장을 운영했고 다른 학년 학생들은 열한 살 작가님들의 사진을 진지하게 관람했다. 백 원을 내고 관람하는 1학년 학생부터 만 원을 내고 격려를 해주시는 교장 선생님까지 모든 교육공동체가 게으를 때만 볼 수 있는 세상을 함께 나누었다. 관람하고 난 뒤 적는 방명록에는 다음과 같은 문장이 남겨져 있었다.

"돈이 많이 없어서 한 번밖에 보지 못했어요. 잘 보고 갑니다."

주머니 사정으로 전시를 한 번밖에 보지 못한다는 아쉬움이 가득 담긴 방명록의 마음이 큰 울림으로 다가왔다. 그리고 그 울림은 다른 학급으로도 전해졌다. 그림책 만들기를 진행한 1학년과 6학년 학생들도 같은 장소에서 한 달 뒤에 전시회를 열게 된 것이다. 작가와 관람객이 이제는 역할을 바꾸어 서로의 작품을 격려하고 감상하는 문화가 학교에 가득한 시간이었다.

이렇게 특별한 방학 숙제는 끝이 났고 소중한 사진들은 일 년 동안 시 주머니에 모아두었던 시들과 함께 시집에 수록할 수 있었고 독립출판플랫폼에 판매하여 수익금을 그린피스에 기부하게 되었다.

태풍의 흔적　　양○후

태풍은 자신을 알리고 싶어해요
그래서 흔적을 남겨요.

자신을 더욱 알리고 싶은 태풍은
아주 큰 흔적을 남겨요.
강이 무너지고 나무가 부러져요

자신을 알리는 게 부끄러운 태풍은
아주 작은 흔적을 남겨요
종이가 날아가고 나무가 흔들려요

2020년은 사람들에게 어떤 모습으로 기억될까? 바이러스 때문에 6월이 되어서야 학교에 갈 수 있었고, 일 년 내내 마스크를 쓰고 살아야 했으며 여러 자연재해가 계절을 따라 우리를 찾아왔다. 이러한 풍경을 떠올리면 분명, 이 시기는 재난과 고통의 시기가 맞다.

그런데 어린이들의 글과 필름 사진을 모아 시집을 만들고 나니 열한 살 어린이들의 글에 담긴 일 년의 기억은 조금 다른 것을 발견할 수 있었다. 어린이들은 '재난과 고통'에도 아랑곳하지 않고 열한 살 현재를 살고 있었던 것이다.

무엇보다 유난히 큰 비가 자주 내리고 태풍이 많았던 한 해였다. 그래서 어린이 시인들은 자연과 날씨에 대한 시를 자주 써왔다. 어떤 어린이는 멈추지 않는 비를 보며 잠그지 않은 샤워기(나무와 풀의 샤워)를 떠올렸고, 또 다른 어린이는 크고 작은 태풍을 만나며 태풍의 의도(태풍의 흔적)를 시에 담았다.

이렇게 어린이 작가들의 글을 읽다 보면 무채색이었던 일 년의 풍경이 다양한 빛깔로 물들어 있음을 깨닫게 된다. 혁신학교인 노안남초등학교의 모습도 이와 비슷하지 않을까? 다양한 빛깔로 빛나는 세상을 있는 그대로 볼 수 있는 곳, 과거도 미래도 아닌 지금 여기 현재를 충실하게 살아갈 수 있는 곳이 바로 노안남초등학교이다. 무엇보다 노안남초등학교에서의 하루하루가 좋다고 말하는 어린이들이 함께 지내는 곳이기 때문이다. 현재를 충실하게 살고있는 어린이들의 시가 오늘도 시 주머니에 쌓여간다.

직접 꾸민 전시회장

필름 사진 영상

함께 성장하고 배우는 혁신학교 적응기

*

함께 할수록
행복이 가득해요

함께여서 행복한 교사

나효정*

나에게 노안남초등학교는 두 번째 학교였다. 전에 있었던 학교를 떠나 처음 노안남초등학교에 인사를 드리러 갔을 때가 생각이 난다. 선생님들께서 반갑게 환영해주셨고 교감 선생님은 노안남초등학교 곳곳을 소개해 주셨다. 주변에는 조용한 마을이 있었고 학교 뒤편에는 학교에서 관리하는 작은 텃밭이 있었다. 학교의 모습만큼이나 아이들의 모습은 자유롭고 행복해 보였다.

작은 학교가 처음이었던 나는 처음에 적응하기가 힘들었다. 특히 아이들이 통학 차를 타고 다니기 때문에 하교 시간이 정해져 있어 4학년임에도 불구하고 거의 매일 6교시를 했다. 교담 시간이 없는 날은 온종일 아이들과 붙어있어야 했다. 아이들은 활력이 넘쳤고 나는 수업도 하고 업무도 처리하느라 항상 진이 빠졌었다. 3월 학기 초는 시간이 지나가는 줄 모르게 빠르게 지나갔었다. 정신없던 3월이 지나가고 아이들이 갑자기 나에게 물어봤다.

"선생님, 우리는 자전거 연습 안 해요?"

다른 학년들이 자전거 연습을 하는 것을 보고 부러웠나 보다. 날씨가 좋을 때 나가자고 약속을 하니 매일 날씨를 확인하는 아이들의 얼굴에는 기대감이 가득해 보였다. 자전거 창고를 가보니 아이들의 이름이 적힌 자전거가 쭉 정리되어 있었다. 자전거를 다 정비하고 운동장에서 2시간 정도 열심히 연습했다. 수업 시간에 무기력하게 앉아있던 아이들의 모습은 온데간데없었다. 1학년 때부터 자전거를 타왔던 아이들이기 때문에 자전거 타기에는 자신감이 넘쳐 보였다.

"선생님, 저 좀 보세요. 저 잘 타죠?"

내 앞에서 열심히 자랑하는 것을 보니 자전거 타는 게 신이 나 보였다.

자전거 하이킹 당일. 3, 4학년 하이킹 코스는 학교에서부터 황룡강 수변 공원까지 갔다가 다시 학교로 돌아오는 코스였다. '어른인 나도 힘든 코스인데 아이들이 할 수 있을까?'라는 생각이 들었다. 역시나 잘 타는 아이들은 잘 탔지만, 체력이 약한 아이들은 뒤로 쳐지기 시작했다. 다행히 학부모님들과 교장 선생님이 같이 자전거를 타고 따라와 주셔서 뒤처져 있는 아이들을 챙겨주셨다.

아이들의 도전에 계속 응원해 주시고 격려해 주는 모습에 아이들도 힘을 얻었을까? 다행히 낙오자 없이 모든 학생이 완주했다. 그중에 중간까지만 가고 다시 학교로 돌아가고 싶다던 아이가 있었다. 하지만 그냥 가면 너무 아쉬울 것 같아 끝까지 데리고 갔다. 마지막에 그 아이가 한 말이 계속 기억에 남는다.

"선생님, 저 끝까지 탔어요. 힘들었지만 뿌듯해요."

계속 데리고 다니길 잘했다는 생각이 들었다. 오전 내내 자전거를 타서 땀에 젖은 모습은 엉망이었지만 반짝반짝 빛나던 그 눈빛은 잊을 수 없을 것 같다. 아이들이랑 또 자전거를 신나게 타고 싶다.

서로 다른 빛깔이 하나로 모여
우린 결국 무지개가 되었어

*
서로의 다름을 특별하게 바라보고,
함께 버무려져 뚜벅뚜벅 걸어가기

아이들의 내면의 힘을 존중하는 교사

정원선*

2020년 새 학교 새 학생들. 그런데 학생이 없다?

발령을 받았던 첫 학교생활을 끝내고, 나의 두 번째 학교를 만나게 되었다. 주변에서 혁신학교라는 이야기를 전해 들었지만 사실 혁신학교가 정확히 어떤 곳인지 알지는 못한 채 새로운 학교와 설레는 만남을 가졌다. 큰 학교에서 근무했던지라 자그마한 규모에 각 학년당 한 반씩 있는 그 느낌은, 뭐랄까? 마치 내가 동화 속에 들어온 느낌이라고 표현해 볼 수 있겠다. 그런데 그에 더해 하나 더 신선했던 점은 내가 1년간 함께 하게 된 아이들이 남학생 6명이라는 것이었다.

'여자 선생님인 나를, 사춘기가 한창일 남학생들이 잘 따라줄까? 이 아이들과 또 어떤 추억들을 만들어갈 수 있을까?'

우려 반, 기대 반으로 새 학기 개학을 준비했던 그 당시의 느낌이 이 글을 쓰는 중에도 떠오른다. 그런데 설렘도 잠시, 코로나 19로 인해 우리는 영상으로 먼저 만나야 한다는 소식을 접했다. 처음의 설렘과 왁자지껄함이 아니라 고요한 교실에 앉아 아이들을 가상의 공간에서 만난다고 생각하니 조금은 힘이 빠졌다.

물론 처음에는 이 상황이 어렵기만 했지만, 온라인 일지라도 마음은 전해질 것이라는 생각으로 아이들에게 첫인사 영상을 만들어 보냈다. (후에 들은 이야기인데, 첫 인사가 정말 기억에 남는다고 해주는 아이들이 많았다. 최대한 밝게 인사했었는데 그 인상이 좋았나 보다. 실제로 수업에서 만났을 때는 무섭다고 했으면서…)

아이들을 비록 온라인상에서 만났지만, 서로가 정말 다르고 개성이 강하다는 것을 느낄 수 있었다. 아직 보지 못한 아이들의 모습을 떠올리며 나는 '무지개'라는 단어가 슬며시 생각났다. 빨주노초파남보 일곱 빛깔로 빛나는 무지개도 결국은 모두 다른 색이 하나로 합쳐져서 아름다움을 만들어낸다. 개성이 각자 다른 여섯 남자아이와 나. 이렇게 우리 일곱은 올 한 해 과연 무지개라는 성과를 달성할 수 있을까.

온라인으로, 또 유선상으로 만나던 아이 중에 일부 아이들은 집이 학교와 가까웠기에 직접 학교에 와서 수업을 듣는 날들도 있었다. 어찌 보면 휑한 교실이었지만 또 아이들이 있기에 온기로 그 공간이 채워졌다. 이렇게 조금씩 아이들과의 일 년 살이가 시작되었다. 다양한 색이 빛나기 시작하는 순간들이었다.

반 전체의 절반의 아이들이 등교해서
함께 체육수업에 참여하는 모습

아이들과 1년간 함께 이루고 싶은 목표

온라인이 아닌 정상 개학을 하고 아이들을 만났을 때, 내가 예상한 대로였다. 자신의 주장이 강한 아이, 의견을 내기 어려워서 우물쭈물하지만 스스로 해내는 것은 야무지게 해내는 아이, 조금은 표현이 서툰 아이, 누군가를 핀잔주는 것이 당연한 아이 등 아이들의 특성은 색깔뿐 아니라 모양까지 모두 다른 퍼즐 조각들 같았다. 아이들끼리는 매우 어릴 적부터 오랜 시간을 함께 해왔으나, 사실 묵혀왔던 갈등들이 많아 보였다. 그저 한 공간에 있어야 하기에, 한 반이기에 매년 참고, 참고 또 그냥 참았다는 느낌을 받았다.

나는 이 아름다운 혁신학교라는 공간에서 아이들이 경험을 통해 그 응어리들을 풀어내기를 바랐다. 그러기에 아주 충분한 곳이라고 생각했기 때문이다. 다양한 활동들을 통해 아이들이 성장하면서 생기는 갈등을 조금씩 풀어나가고, 또 애정을 바탕으로 아이들의 보석 같은 면모를 끌어내 주고 싶었다. 그리고 그에 더해 자기 자신이 얼마나 무한한 존재인지 장점을 찾아내고 졸업하기를 바랐다.

도전, 함께, 그리고 무한한 내면의 힘

일 년 살이의 가장 큰 목표가 추억을 바탕으로 하나가 되는 것이었기 때문에 나는 모든 운영을 아이들과 함께하는 것을 기반으로 했다. 보람반(특수학급)에 다니는 2명의 학생이 있었지만 나는 계획된 국어, 수학 교과가 아닌 다른 활동과 교과에서는 최대한 모든 것을 함께 하려고 했다. 아이들이 함께 보내는 시간은 무엇과도 바꿀 수 없는 시간이 될 것이라 느꼈기 때문이다.

물론 쉽지는 않았다. 이해도가 다르기 때문에 속도도 달랐고, 또 수업 진행 중에 다툼도 더 많아질 터였다. 하지만 첫 시작이 어렵지 시간을 더해갈수록 아이들 또한 모든 것에 익숙해지고, 적응했다. 오히려 수업 시간에 모두가 함께 뭉치지 않으면 어색할 정도로.

2020학년도 6학년 아이들의 모습

정말 달랐다. 모두가. 하지만 서로 그 다름을 몰아세우던 아이들이 시간이 갈수록 인정하기 시작했다. 너의 다름이 또 다른 좋음이라는 것을 받아들이기 시작했다.

우린 같이 자전거를 타고 여행을 했다. 함께 수학 문제도 직접 손으로 조작하며 답답해하기도 하고, 선생님이 제시한 퀴즈를 달성하기 위해 서로 손짓, 발짓하며 문제를 해결하기도 했다. 스포츠 대회에도 도전해보자며 각자 잘하는 종목을 영상으로 찍어 제출도 해보았다. 물론 예선조차 들어가지 못했지만 우리는 그때 진심이었다. 그냥 그 순간이 즐거웠던 것 같다.

6년여를 함께 해온 학교의 모습도 사진과 그림으로도 자주 담았다. 폴라로이드 필름으로 곳곳을 촬영하고, 그곳에 담겨 있는 그동안의 추억을 수시로 이야기했다. 한 해가 끝날 때쯤에는, 서로 다른 중학교로 헤어진다는 사실을 알고 서운한 감정이 한동안 맴돌았다. 하지만 우리는 결국 언젠가는 만날 인연이라는 것을 알았다. 아이들은 그렇게 자신들만의 표현 방식대로 고생했다고, 함께 추억을 만들어 주어서 고마웠다고 인사를 나누었다. 덤덤하지만 그 안에 진심이 묻어있었다.

화려한 수업 성과도, 완벽한 마무리도 아니었지만 난 어느 때의 일 년보다 소중한 추억으로 기억한다. 아이들의 다름이 모두 모여 6학년 1반이라는 빛을 내었을 때, 비로소 완벽한 느낌이 들었던 한 해였다.

아이들과 함께 성장하기

*
십 년을 교단에 있었지만, 항상 새로운 학교생활!
아이들과 함께 성장하는 교사가 되고 싶다.

함께 배우는 교사

권범희*

3학년 학생들과 사회과의 우리 고장 수업을 할 때 일이었다.

"우리 고장의 여러 장소 중에서 가족과 함께 갔거나 인상 깊은 장소를 골라서 말해 볼까요?"

교사의 말에 아이들은 말을 꺼내기 어려워했다.

"선생님 저희는 밖에 나가본 적이 별로 없어요."

반장의 말에 아이들의 반응이 이해가 되었다. 그동안 코로나로 인하여 야외활동을 많이 하지 못했던 학생들은 주로 실내에서 개인 활동을 하는 것에 익숙해져 있었다. 생활 반경이 집과 학교, 집 근처로 제한된 생활을 2년 동안 한 아이들은 우리 고장에 대한 지식도 부족했고, 그와 함께 흥미도 많이 없는 상태였다. 특히 3학년 친구들은 입학할 때부터 코로나로 인하여 마스크와 거리두기가 일상인 친구들이어서 안타까움이 더 했다. 그래서 이번 학기 동안에 우리 고장 보물찾기라는 주제로 프로젝트를 구상하여 나주의 여러 장소를 둘러보자고 하였다.

가장 먼저 갔던 곳은 한수제였다. 3월에서 4월로 넘어갈 때 즈음의 한수제는 흐드러진 벚꽃이 장관을 이루는 곳이다.

"우와 멋지다!"

버스를 내릴 때부터 아이들은 신나있었다. 벚꽃이 만발한 호수공원을 산책하며 몸과 마음에 힐링을 줄 수 있었다.

"선생님, 다람쥐가 있어요!"

산길을 걷다 보니 보이는 다람쥐에 아이들은 신나서 뛰어나갔다. 자연을 보며 교사도 아이들도 힐링할 수 있는 좋은 시간을 보낼 수 있었다.

다음으로 간 곳은 복암리 고분전시관이었다. 이곳은 나주교육지원청에서 진행하는 '비단고을 역사탐험대' 프로그램과 연계하여 진행하였다. 아이들이 고분전시관을 돌아보고 우리 고장의 역사를 알아보며 나주가 역사적으로 많은 의미를 지닌다는 것을 알 수 있었다. 국립나주박물관은 아이들이 많이 가봤지만, 이곳은 처음인 아이들이 많아서 우리 고장의 아름다움을 한껏 느낄 수 있는 시간이었다.

다음으로는 자전거 하이킹을 통해서 승촌보로 향했다. 작년까지는 버스를 타고 승촌보로 갔던 아이들이 직접 자전거를 타고 하이킹을 하는 모습을 보며 스스로 성장한 것을 느끼나 보다.

"선생님, 직접 타고 나와보니 너무 재미있어요."

시원한 바람을 맞으며 승촌보 자전거 길을 달리며 나 역시 도전 정신과 의욕이 생기는 것 같다. 아이들도 나와 같은 생각을 하였는지 표정이 밝아 보였다.

그 외에도 금성산 생태숲, 나주학생독립운동기념관 등 다양한 장소를 둘러보며 우리 고장이 가지는 가치를 알아볼 수 있는 좋은 시간이 되었다. 이러한 것을 남기기 위해 아이들과 함께 책 만들기 활동을 하였다. 프로젝트 활동을 하면서 학생들이 우리 고장에 대해 알아가는 모습이 보기 좋았고, 즐거운 시간을 함께 보낼 수 있어서 행복했었다.

"선생님, 저희 어제 남평에 다녀왔어요."

이제는 우리 고장의 다양한 장소를 알아가는 재미에 빠진 아이들이 주말에 다녀온 곳을 자랑스럽게 나에게 알려준다. 이제는 실내에 있기보다는 다양한 장소를 경험하며 성장하는 아이들의 모습이 기대된다.

새내기 교사의 혁신학교 사계절 나기

*
괜찮아, 누구나 처음은 서툴러.
사랑받고 사랑하며 나아가는
우리의 길을 늘 응원할게!

아이들과 함께 성장하는 새내기 교사

유연주*

노안남초등학교는 한 해 교육과정을 마무리하며 매년 학급 앨범을 만든다. 정신없이 바쁜 학기 말인지라 가볍지만은 않은 업무였지만, 한 달에 2~3번 학급 밴드에 아이들 교육 활동사진을 꾸준히 올려두었던 덕분에 사진 편집은 생각보다 수월했다. 오히려 내가 가장 많이 공을 들인 부분은 '제목과 표지'였다. 대개 학급 앨범의 제목은 '2022년 2학년', '우리들의 이야기' 등으로 짓지만, 첫 제자들과의 시간을 조금 더 의미 있게 기록하고 싶었던 나는 표지에 우리들의 '봄 여름 가을 겨울'을 담아보았다.

다행히 반응은 매우 성공적이었다. 2학년을 마무리하는 겨울 방학식 날, 우리는 앨범으로 '봄 여름 가을 겨울'을 함께 돌아보았다. 더불어 의도치 않은 작은 사인회도 열렸다. "선생님! 사인해 주세요!"라는 주○의 엉뚱한 요청이 이 사인회의 발단이었다. 당황한 나는 "선생님은 사인이 없어요."

하고 머쓱하게 한 발을 빼보았지만, 아이들의 성화에 못 이겨 결국 '사랑하는 ○○에게'라는 문구와 날짜까지 곁들인 어설픈 사인을 하게 되었다. 이후 선생님의 볼품없는 사인을 받겠다고 너도나도 앨범을 품에 안은 채 쪼르르 한 줄로 서서 기다리는 아이들을 보니 사뭇 웃음이 났다.

이 앨범의 기획은, 아이들이 보기에 뭐든 잘하는 척척박사 선생님의 탄탄한 교육계획이 아니라, 3월에 학급 단체 사진이 필요해서 우당탕 급하게 찍은 사진 한 장에서 비롯되었다는 새내기 선생님의 진실은 아무래도 아이들에게 계속 비밀로 하는 것이 좋겠다.

첫 발령, 첫 담임 그리고 작은 학교, 혁신학교의 부담감이 때론 나를 버겁게 하기도 했지만, 더 없이 사랑받고 사랑하는 일 년이었음은 분명하다. 그 사계절 속에서 내가 경험한 혁신학교에 관한 이야기를 미흡하지만 몇 줄 나누어보고자 한다.

학급 앨범 표지 '봄 여름 가을 겨울'

버킷리스트

내가 느끼기에 혁신학교이자 작은 학교인 노안남초등학교의 가장 큰 장점 중 하나는 교육과정 운영의 자율성이다. 아이들과 함께 학급 버킷리스트를 세우고 달성해나가며 이를 체험할 수 있었다.

나는 '버킷리스트'(bucket list, 꼭 해야 할 일이나 하고 싶은 일들)를 중요하게 여기는 편이다. 하고 싶은 일을 계획하고 추진하면서 목표 의식이 생기고, 성취감을 얻기 때문이다. 그래서 내가 새 학기 첫날 아이들을 만나고, 학급 규칙 세우기보다 더 먼저 한 활동이 학급 버킷리스트 작성이었다. 2학년으로 일 년을 보내며 우리가 함께하고 싶은 일들을 모두 쪽지에 적어 내도록 했다. 곤충 박물관 가기, 농구 하기, 수영장 가기, 인라인스케이트 타기, 키즈카페 가기 등 '놀러 오는' 학교를 만들기 위해 아이들은 온갖 재미난 것들을 신나게 적어 냈다.

충분히 시간을 준 후, 우리는 쪽지를 하나씩 보며 '실현 가능한 것'과 '다수가 원하는 것'을 기준으로 우리 반의 버킷리스트 5가지를 함께 정했다. 그리고 나는 이것을 아이들과의 약속으로 생각하며 체험학습 계획 및 교육과정 운영에 최대한 반영하도록 노력하였다. 그리하여 우리는 여름에는 수영장으로, 겨울에는 스케이트장으로 가며 소원을 하나씩 이루어나갔고, 결국 겨울 방학 전에 버킷리스트를 모두 달성할 수 있었다. 그 과정에 통합교과와 안전한 생활 등 교과 성취기준을 녹여냈고, 사후 활동으로 시 짓기나 미술 활동 등을 연계해 교육 활동도 소홀히 하지 않도록 유의했다.

이렇게 우리는 학급 운영 목표였던 '오고 싶은 학교'에 한 발 더 가까워질 수 있었다. 또한, 버킷리스트 성공 경험으로 2학년이 끝나갈 때쯤에는 아이들이 주체적인 태도로 새해맞이 개별 버킷리스트도 척척 작성해냈다. 이는 혁신학교의 자유로운 분위기와 적극적인 지원, 그리고 교직원들 간의 수평적인 관계가 뒷받침되었기 때문에 가능한 일이었다. 이러한 것들이 '공교육의 획일적인 교육 커리큘럼에서 벗어나 창의적이고 주도적인 학습 능력을 배양하기 위해 시도되고 있는 새로운 학교 형태'라는 혁신학교의 지향점과 맞닿아 있다고 생각한다.

학급 버킷리스트 중 '수영장 가기'　　학급 버킷리스트 중 '스케이트장 가기'

아침 활동

1교시를 시작하기 전 10분~20분의 짧은 시간 동안 무엇을 하면 좋을까 고민하다가, 내가 초점을 맞춘 것은 2015 개정 교육과정의 핵심 역량 중 '창의적 사고 역량'과 '의사소통 역량' 기르기였다. 그래서 아이들이 교과적인 질문 이외에 다양한 주제에 대해 폭넓게 사고해보고, 이를 발표하며 서로 생각을 공유하는 활동을 매일 했다. 주제에 대한 아이들의 흥미에 따라 어느 날은 공책 한쪽을 가득 채우기도 하고, 또 어느 날은 떠오르는 게 없어서 하기 싫다며 투정을 부리기도 하였지만 우리는 끝내 총 2권(학기별로 1권씩)의 아침 활동 공책을 완성했다.

1학기에는 '초등학생이 좋아하는 글쓰기 소재 365'라는 책을 참고하여 1~2줄 짧게 창의 글쓰기를 했다. 책 속에서 소개하는 주제는 '다음 생에 과일로 태어난다면 무슨 과일로 태어나고 싶은가?', '내 인생 최초의 거짓말은?' 등 엉뚱하고 재미있는 내용이었다. 이를 우리 반 아이들의 관심사와 수준에 맞게 조금씩 변형하여 매일 아침마다 새로운 주제를 칠판에서 적어두었다. 아이들은 교실에 들어서면 주제를 확인하고 자기 생각을 이유와 함께 아침 활동 공책에 적는다. 그리고 1교시가 시작되면 수업 시작 전 10분 동안 저마다의 톡톡 튀는 생각들을 발표하고 경청하며, 절대 놀리거나 비난하지 않는다는 원칙에 따라 공유하는 시간을 가졌다.

2학기에는 '생각 그물 그리기'(마인드맵) 활동을 하였다. '학교', '12월', '급식' 등 일상적인 주제어를 낱말 형식으로 제시하고, 떠오르는 모든 생각을 그물처럼 펼치도록 하였다. 그때그때의 학급 이슈들을 주제어로 활용하고, 아이들의 추천을 통해 주제어를 선정하기도 하였다.

물론 첫 담임으로서 노하우가 부족하다 보니 아침 활동에 몇 가지 한계점도 있었다. 가장 큰 어려움은 '공유 시간 부족'과 '경청 습관 형성'이었다. 많은 아이가 자신의 이야기는 길게 하고 싶고, 다른 친구들의 이야기는 오래 귀 기울여 듣기 힘들어한다. 그리고 아이들은 별거 아닌 작은 이야깃거리에서도 수많은 꼬리들을 이어갈 수 있는 만담꾼이다. 그래서 각자 꼭 말하고 싶은 내용만 발표하고 친구의 발표를 경청하며, 다음 발표 순서로 딱딱 넘어가도록 하는 것이 여간 어려운 일이 아니었다. 그렇다 보니 처음에는 1교시의 절반을 아침 활동 수다로 보내게 되는 일도 종종 있었다. 그래서 '가장 말하고 싶은 내용 2가지만 말하기'라는 규칙을 세워 발표 시간을 단축하고, 다양한 발표 방식을 도입했다.

효과가 좋았던 발표 방식으로는 '순서 뽑기'와 '지목 발표'가 있다. '순서 뽑기'는 무작위로 순서가 정해지는 프로그램을 활용하여 발표 순서를 정했다. 자신이 어느 순서에 발표하게 될지 모르니 아이들은 활동에 집중하게 됐고, 임의성이 더해져 아이들의 흥미를 돋울 수 있었다. '지목 발표'는 자신의 발표가 끝난 이후 다음 발표자를 지목하는 형식이다. 이때는 이전에 발표하지 않은 친구를 기억했다가 지목해야 해서, 자연스럽게 서로의 발표에 집중하게 되었다. 이렇게 하여 후반부에는 아침 활동 공유 시간을 목표했던 10분 이내로 끝내고, 1교시 수업을 수월하게 시작할 수 있었다.

또한, 다음에는 1학기와 2학기의 활동을 순서를 바꾸어 진행하려고 한다. 낱말 수준의 글감 떠올리기 활동(2학기 생각 그물 그리기)을 먼저 하고, 문장 수준의 글쓰기(1학기 창의 글쓰기)를 하면 더욱 짜임 있는 교육 활동이 될 것 같다.

어린이상 & 꼬마선생님

그림책 '다다다 다른 별 학교'에서는 모두가 각자의 별에서 온 특별한 사람이다. 나는 이것을 가장 중요한 교육철학 중 하나로 생각한다. 사람들은 저마다의 장단점과 특성을 지니고 있다. 우리 반 아이들은 각자의 개성을 이해하고, 서로의 다름을 존중해줄 수 있는 사람으로 자라났으면 했다. 그래서 우리 반에는 '어린이 상'과 '꼬마 선생님' 제도가 있다.

'어린이 상'은 학급 회의를 통해 아이들이 스스로 미덕 주제(칭찬, 배려, 존중, 책임 등)를 정하고, 2주간 해당 주제를 잘 실천한 친구를 투표로 선정하는 것이다. '어린이 상' 수상자로 선정된 학생은 친구들 앞에서 상장과 특별 간식을 받는다. 아이들은 받은 상장을 가방에 소중히 챙겨 넣으며 숨길 수 없는 미소를 보인다. 아이들을 참 좋아하는 활동이었지만, 교사로서 '어린이 상'을 운영하며 고민되는 부분들도 있었다. 예를 들어, '인사'처럼 비교적 단기간 실천하기 쉬운 주제에서는 학생들의 노력이 잘 드러났지만, '존중'이나 '봉사'와 같이 아이들 성향에 따라 학급 내에서 이미 대표적인 인물이 정해져 버리는 경우도 많았다. 2주간의 실천 기간 동안 소소하게 노력하는 친구들이 묻히면 어떡하지 싶어 고민이 되기도 했지만, 나는 이를 적당히 받아들이기로 했다. '어린이 상'이 친구의 장점을 찾아 칭찬해 주는 역할로도 작용할 수 있다고 생각했기 때문이다.

다만, 자신이 그 친구를 뽑은 이유를 설명할 수 있을 만큼 합당한가를 고려하고, 인기투표가 되어서는 안 된다는 것을 매 투표마다 강조했다. 그런데도, 한 학기 내내 한 번도 선정되지 못하는 아이들도 있었다. 그래서 한 학생이 한 학기에 2번 이상은 선정되지 못하도록 횟수 제한을 두어 최대한 많은 학생이 상장을 받을 수 있도록 하였다. 또한, 학기의 마지막 '어린이 상' 주제는 아직 상장을 받아보지 못한 친구들이 개별 목표(거짓말하지 않기, 수업 시간에 집중하기 등)를 정할 수 있도록 배려하였다. 해당 학생들은 2주 동안 각자의 목표를 달성하기 위해 노력하고, 친구들은 그들을 응원하며 목표를 잘 이루었는지 아닌지를 투표하여 학급의 모든 아이가 상장을 받을 수 있도록 하였다.

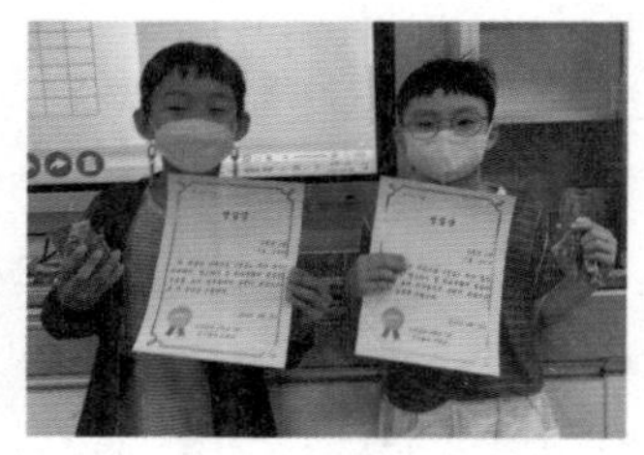

어린이상 시상식

'꼬마 선생님'은 해당 활동에서 성취 수준이 높은 학생들이 학습 과제를 일찍 끝내면, 친구들을 가르쳐 주는 학급 제도이다. 특히 만들기나 수학 문제 풀이에서 만족할 만한 효과를 보였다. 우리 반은 아이들의 학습 수준차나 과제 수행 속도의 편차가 큰 편이었다. 그 때문에 똑같은 과제를 제시해도 어떤 학생은 5분 만에 끝내는 데 반해, 어떤 학생은 20분 동안 끙끙대기도 했다. 그래서 해당 활동을 잘하는 학생이 자신의 능력을 잘 활용하면서도, 속도가 느린 친구들이 존중받는다는 느낌을 받으려면 어떻게 해야 할까 고민하다가 '꼬마 선생님' 명찰을 만들었다.

아이들은 명찰을 목에 걸면 어깨가 으쓱 올라간다. 어떤 아이는 집에 가서 "엄마, 내가 수학 이 부분을 잘 안다고 생각했는데, 친구한테 설명해 주려니까 어려웠어요. 어떻게 하면 친구한테 더 잘 알려줄 수 있을지 공부해 가야겠어요." 라고 이야기했다고 한다. 또한, 속도가 느린 친구들도 도움을 청할 때 망설임이나 부끄러움이 없다. 오히려 얼른 선생님이 채점해서 통과한 꼬마 선생님을 보내 달라고 아우성이다. 스스로 조금 느리다고 해서 주눅들 필요도 없다. 수학에서 도움을 받는 친구가 만들기 활동에서 꼬마선생님이 되기도 하기 때문이다. 그것도 어려운 학생은 1학년 후배들의 꼬마 선생님으로 활동한 경험을 통해 성취감을 얻도록 일회적인 학년 군 연계 활동도 진행하였다. 이렇게 서로 도우며 기쁨을 느끼고, 다름을 존중하는 학급 분위기가 되도록 격려하였다.

꼬마 선생님 활동

그림책 수업

'교사가 즐거운 수업이 학생들도 즐겁다' 이것을 깨달은 것은 내가 그림책 수업을 진정으로 사랑하게 되면서였다. 우리 반은 시간이 날 때마다 짧게 짧게 그림책 수업을 했다. 문해력이 낮은 몇몇 학생들을 고려하고, 선생님을 좋아하는 저학년 아이들의 특성에 맞게 그림책 수업은 내가 가벼운 연극 형식으로 읽어주는 방식을 택했다. 대신 중구난방 쏟아지는 아이들의 질문에 동료 독자인 친구들의 몰입에 방해되지 않도록 '질문이나 하고 싶은 말은 주어진 시간에만!'이라는 규칙은 확실히 하였다.

그래서 그림책을 한 장씩 넘기며 그림과 글을 살피고, 필요할 때는 잠시 멈추어 '실컷 말하기' 시간을 가졌다. 그림에 대해 자신이 발견한 점을 공유하고, 떠오르는 웃긴 이야기를 서로 이야기해주었다. 궁금한 점도 실컷 물어본 후에, 선생님이 다음 장을 넘기면 모두 '쉿' 조용히 하며 또다시 이야기 속으로 빠져들었다. 그렇게 읽기 중 활동은 저학년에 맞게 자유로운 대화를 통해 진행되었고, 읽기 후 활동은 해당 그림책에 맞는 다양한 활동들을 구상하거나 선배 선생님들의 경험을 전수 받아 진행하였다. 기억에 남는 몇 가지 그림책 활동은 다음과 같다.

「다다다 다른 별 학교」

한 교실 안에는 '작아도 별', '두근두근 별', '짜증나 별' 등 다양한 별에서 온 특별한 사람들이 모여 있다는 내용의 책을 읽었다. “우리 반 친구 중 ‘○○ 별’에서 온 것 같은 친구는 누구일까?” 등의 확산적 질문을 통해 친구들의 특성을 서로 이해해 보기도 하고, 직접 자신의 별 이름을 짓고 서로 소개하는 활동을 하였다.

윤진현 글 그림, 천개의 바람

「무엇이 반짝일까?」

사람들의 욕심으로 점차 우주 쓰레기가 우주를 가득 채운다는 주제의 이야기였는데, 직접 검은색 도화지에 우주 쓰레기 릴레이 그리기 활동을 해보았다. 이를 통해 아이들이 자신이 아름답다고 생각하며 그린 몇 조각의 조형물이 릴레이로 쌓이고 쌓이면 결국 우주를 가득 채워버리고 만다는 것을 몸소 느꼈다.

곽민수 글 그림, 숨쉬는책공장

「근데 그 애기 들었어?」

소속해 있는 나주 '어린이 책 읽는 교사 모임[2]'의 김부양 선생님께 추천받은 활동을 우리 반에서 적용해 보았다. 마을에 새로 이사 온 생명체의 모습에 대해 근거 없는 소문들이 여러 동물이 입을 거치며 와전되는 이야기이다. 2학년 2학기 국어의 '자세하게 소개해요' 단원과 연계하여, 그림은 가린 채 글로 묘사된 부분만 듣고 학생들이 그 모습을 직접 도화지에 그려보기도 했다.

밤코 글 그림, 바둑이하우스

2 나주에 있는 초등학교의 7~8명의 교사들이 모여 동화책, 그림책 등의 어린이 책을 읽고 이야기를 나누는 모임. 교사 김부양은 노안 남초에 근무하다 다른 학교로 이동하였으나 '어린이 책 읽는 교사 모임'을 통해 노안남초 교사들과 교육적 교류를 이어가고 있다.

학생 자치활동의 한 획을 그었던,

2021년 학생자치회 선거 및 학생노리터 다모임 활동에 관한 이야기를

활동을 이끌었던 최바라 선생님이 정리한 글입니다.

아이들이 주인되는 자치활동

학생 노.리.터 다모임

내 삶의 주인으로 바로 세우는 교육

*

"나, 너, 우리의 목소리로 계획부터 실천, 평가까지 스스로!"
공감으로 하나 되고 보람으로 성장하는 우리

학생자치의 선한 영향력을 지지하는 교사

최바라*

OPEN, 노리터 좋.아.해 공약 마켓

"공약 마켓이 뭐예요? 공약을 사고팔 수 있다는 거예요?"

"맛있는 공약의 신선한 재료를 얻을 수 있는 마켓이지!"

학생자치 업무 담당자로서 전교 임원선거를 치르는 3월은 참 분주하다. 선거가 학생들이 스스로 삶 속에서 문제를 발견하고 공감하여, 자신의 의견을 적극적으로 제시하는 장으로서 큰 역할을 한다고 믿기에 공감과 참여를 이끌어내는 선거를 지원하고자 노력하기 때문이다.

노안남 이야기가 있는 터전(이하 노리터)답게 선거의 첫 포문은 다양한 생각들이 재잘거리는 <노리터 좋.아.해 공약 마켓>으로 열었다. 후보 등록 전에 공약 마켓 포스터를 학년별 복도에 게시해 놓으면 학생들이 지난해 또는 지난 학기 학교생활을 돌아보며 '좋'았던 점(지속 발전시키고 싶은 것),

'아'쉬워서 개선하고 싶은 점, 이번에 새롭게 시도'해'보고 싶은 것들에 대해 의견을 자율적으로 포스트잇에 적어 제시하고, 그 내용을 바탕으로 후보들이 공약을 정하는 것이다. 의미 있는 공약 메뉴의 신선한 재료가 될 학생들의 의견을 먼저 받는다는 의미에서 공약 마켓이라고 부른다.

노리터 좋.아.해 공약 마켓 포스터

공약 맛집에 초대해 봄

"공약 실천 계획 짜고, 토론회 답변 준비하느라 진짜 머리에 고무줄을 몇 개 꽉 끼워 넣은 것 같아요."

"사실 다른 후보들 공약도 다 좋은 것 같아서, 누가 뽑힐지 전혀 예상이 안 돼요. 제발 내 공약이 먹혀야 할 텐데!"

후보들이 내가 만들고 싶은 학교 비전에 따라 그 목적을 달성하기 위해 학생회 임원으로서 어떤 일을 할 것인지 구체적으로 계획을 수립하고 나면 그 공약들은 공개되어 게시되고, 유권자 학생들에게는 <답변 주문서>가 제공된다. 후보자들의 공약 메뉴를 자세히 살펴본 후, '이 공약이 정말 우리 학생들에게 의미 있는 것인지?', '임기 중에 제대로 실천할 수 있는 것인지?', '누가, 언제, 어디서, 무엇을, 어떤 방식으로 이 공약을 진행할 것인지?', '예상되는 어려움이나 걱정되는 점은 없는지?'에 대한 질문을 답변 주문서에 작성하여 제출하면, 이 질문들은 각 후보에게 전달되고, 이에 대한 답변을 공약 토론회에서 후보들에게 직접 들을 수 있다.

2021년도 1학기 답변 주문서 질문 예시

– (화장실 방향제나 디퓨저 설치 공약에 대해) 향기에 민감하거나 싫어하는 향이 놓인다면 더 곤란하지 않을까요? 화장실에서 향이 나게 하는 것보다 깨끗하게 청소하는 게 더 중요한 것 아닐까요?

– (쉬는 시간 음악방송 실시 공약에 대해) 1~3학년과 4~6학년 점심시간이 다른데 언제 음악 방송을 시행할 건가요?

– (정기적인 공동체 놀이시간 갖기 공약에 대해) 코로나로 여럿이 모이는 것이 위험한데, 많은 학생이 함께 안전하게 놀 방법이 있나요?

– (특색 있는 환경 사랑 캠페인 공약에 대해) 특색 있는 캠페인이라는 건 어떤 걸 말하나요? 평소에 하는 캠페인과 어떤 점이 다르다는 것이죠?

예상했던 것보다 훨씬 유권자 학생들의 질문이 참으로 날카로웠다. 공약의 의미와 실천 가능성, 예상되는 문제 등을 짚어내는 매운맛 질문들이었다. 이 답변 주문서를 정리하여 후보들에게 건네면, 후보들은 노리터 공약 맛집답게 주문받은 질문들을 꼼꼼하게 파악하고 성실하게 답변을 준비해야 한다.

투표 하루 전, 유권자 학생들이 직접 후보들에게 각 공약에 대해 질문하여 궁금증을 해결하는 기회로서 공약 토론회를 실시하였다. 후보자들은 긴장감에 덜덜 떨면서도 입에서 단내가 날 만큼 서로 예상 질문과 답변을 주고받으며 공약 토론회를 열심히 준비하였고, 현장에서 바로 들어오는 유권자들의 질문에도 당황하지 않고 자신 있게 답변을 제시하였다.

<공약 마켓>, <공약 답변 주문서>, 그리고 <공약 토론회>까지 이러한 공약 중심의 선거를 통해 후보들이 학생들의 요구나 생각을 반영하여 스스로 실천 가능한 공약을 세워 제시함으로써 자신이 한 말에 책임감을 가지고 실천할 수 있는 바탕이 마련되었다. 또한, 다양한 생각과 질문이 오가는 토론의 과정 중에서 서로의 다른 생각을 존중하고 이해하는 민주적인 의사결정 과정을 경험하고, 학생들이 공동체의 문제에 함께 공감하고 실행할 수 있는 분위기가 조성된 점은 노리터 맛집에서 덤으로 획득한 것으로 생각한다.

공약 답변 주문서

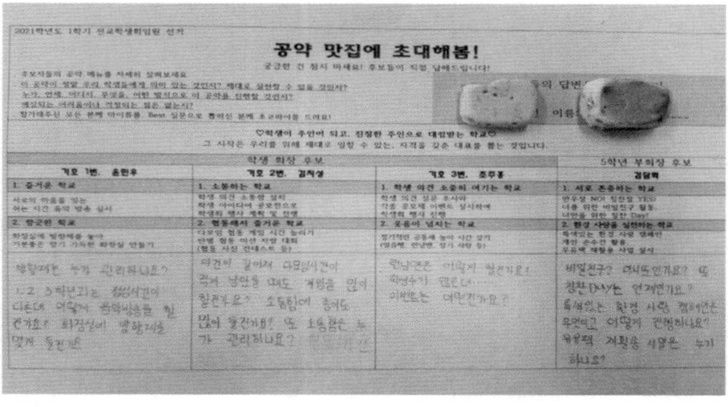

공약 토론회

오늘은 내가 노리터 맛집 요리사!

"제 공약을 믿고 절 학생회장으로 뽑아준 거니까, 일단 약속을 지키는 게 제일 중요한 것 같아요. 어떤 공약을 제일 먼저 실천해 볼까요?"

임원에 선출된 기쁨과 함께 따라오는 것은 강력한 실천 의지와 책임감이다. 이미 공약 토론회를 준비하는 과정에서 공약 실천 계획이 거의 다 수립이 된 것이나 마찬가지라, 중요도와 시급함의 정도에 따라 실천 시기를 결정하고, 세부 계획 수립 및 역할 분담에 들어가야 한다. 신선하고 맛있는 재료가 맛깔나는 요리가 되려면 요리사가 있어야 할 테니까.

노리터 학생 다모임의 큰 세 축은 ①공약 실천, ②문제 해결 협의, ③자체 행사 진행이라 할 수 있는데, 일단 학생회 선거 공약 이행을 학생회 활동의 최우선 과제로 삼고, 이를 실천하려는 방안을 여러모로 협의하여 임기 내에 모두 실천하는 것을 목표로 하였다.

학생회장의 첫 번째 공약은 '학생 의견을 소중히 여기는 학교 만들기'로 이를 위해 각종 설문 조사와 공모제 이벤트 등 학생 의견을 바탕으로 행사 및 규칙 정하기를 그 실천 과제로 삼았다. 두 번째 공약은 '웃음이 넘치는 학교'를 만들기 위해 '정기적인 공동체 놀이시간 갖기'이다.

전교학생회 임원 세 명의 모든 공약을 함께 실천하려면 역할이 분담될 필요가 있었다. 우선, 2020년부터 코로나로 한껏 위축되었던 다모임 부서를 3~6학년 학생들이 무학년제로 참여하는 다섯 개의 다모임 부서로 개편하였다. 또한, 부서 협의가 원활하게 진행될 수 있도록 6학년들이 부서장이 되어 모둠 협의를 이끌고, 하나의 부서는 A팀과 B팀으로 나누어 한 모둠이 6명이 넘지 않도록 인원수를 조절하였다.

일단 6학년 부서장이 각각 부서가 하는 일을 포스터로 만들어 홍보한 후 학년별로 원하는 부서에 자율적으로 가입하도록 하되, 담임 선생님들과 협의하여 부서별로 다양한 성향의 학생들이 고루 분포될 수 있도록 약간의 인원 조정을 하였다. 특색 있는 이름이 돋보이는 2021년 노리터 다모임의 부서는 다음과 같다.

– 기획하리

: 월별 여러 기념일을 챙기고, 특색있는 캠페인 기획(2학기에 '지구하리'로 개편됨)

– 무엇이든 홍보하살

: 학생회에서 진행하는 여러 행사의 진행 과정을 홍보

– 생각 다모아

: 노리터 다모임 운영과 관련하여 학생들의 의견을 묻고 각종 공모전과 설문 조사 진행

– 우정 키움

: 친구들과의 우정을 키울 수 있는 다양한 프로그램 운영

– 해피 바이러스

: 함께 웃으며 즐길 수 있는 공동체 놀이 진행

1학기 공약 내용 및 이행 결과

구분	공약	이행 결과 및 평가
학생 회장	**① 학생 의견 소중히 여기는 학교** • 각종 설문 조사와 공모제 이벤트 등 학생 의견을 바탕으로 행사 및 규칙 정하기 **② 웃음이 넘치는 학교** • 정기적인 공동체 놀이 시간 갖기	• 스승의 날 현수막 문구 공모하여 게시, 실내 공간 디자인, 통학차 이용 규칙 협의하여 스스로 정하기 • 다모임 협의 시간 부족으로 정기적으로 하지는 못했지만 총 2회의 공동체 놀이 시간 갖음
6학년 부회장	**① 즐거운 학교** • 쉬는 시간 음악 방송 실시 **② 향긋한 학교** • 화장실 방향제 설치	• 알쏭달쏭 라디오 주 3회 실시 (월, 수, 금) • 화장실 방향제 향 전교생 설문 후 결정, 모든 화장실에 방향제 비치
5학년 부회장	**① 서로 존중하는 학교** • 비밀 친구 활동 • 다모임 생일 파티 **② 환경 사랑을 실천하는 학교** • 특색있는 환경 사랑 캠페인, 개인 손수건 활용, 우유팩 재활용 사업 실시	• 월별 다모임 생일 축하 및 간식 제공, 생일 파티와 비밀 친구 활동은 학급 별로 활동 내용이 다르고 제대로 하지 못한 학급 있음 • 전 학생에게 운동회 선물 손수건 증정, 5월 기후행동 이벤트 실시 했으나 참여가 미흡했음. 봄 계절 프로젝트 환경 사랑 주제로 실시, 우유팩 재활용 사업은 학기 말에 6학년만 시범 사업으로 시행했으나 2학기 전 학년 대상으로 실시예정, 분리배출과 관련 교육 필요

공약은 실천해야 제맛! ①

"알쏭달쏭 라디오에서 제 사연을 읽어주고, 듣고 싶은 음악도 틀어주니 왠지 위로받는 기분이에요."

1학기 학생회장의 첫 번째 공약은 바로 '학생 의견을 소중히 여기는 학교 만들기!', 이를 위해 각종 설문 조사와 공모제 이벤트 및 학생 자체 협의 등 학생들의 의견을 바탕으로 학교 행사 계획을 세우고 생활 규칙을 함께 세우겠다는 것이 공약의 핵심 내용이었다. 학생회장의 공약뿐 아니라 부회장들의 공약을 실천하고, 노리터 다모임만의 자체 행사를 시행할 때에도 우리는 '우리 스스로 계획하고 실천한다. 모든 학생의 목소리에 귀 기울인다. 최대한 모두가 함께 참여하는 노리터 다모임을 만든다.'라는 원칙을 지키고자 노력하였다.

6학년 부회장의 공약이 '쉬는 시간 음악방송'과 '화장실에 방향제 놓기'였는데, 선거 과정에서 제기되었던 예상되는 문제점들을 보완하여 운영 계획을 수립하고자 했다. 문제는 학생들의 사연을 신청받는 방식을 결정하는 것이었는데, 아이들이 고민하는 것들이 몇 가지 있었다.

라디오 사연함을 1층과 2층에 각각 두어야 해서 관리하는데 약간의 불편함이 있을 것 같고, 또 익명성을 무기로 장난이나 비방의 내용이 담긴 사연들도 나올 것 같다는 것이었다. "그렇다면 내용을 공개하는 방식은 어떨까?"라는 의견이 나왔다. 자기가 쓴 내용을 다른 사람들도 본다고 생각하면, 스스로 의식해서 내용을 가려 쓸 것이라는 의미였다. "내용이 공개된다면 진짜 속마음을 쓰기에는 좀 꺼려지지 않을까?" 이에 대해 반박도 나왔다. "사연이 뽑히면 어차피 공개적으로 사연이 읽히고 방송될 건데, 비밀스러운 내용이라면 처음부터 쓰지도 않겠지.", "그렇긴 하네. 그럼, 이왕 공개될 내용이니 우리 라디오에서는 다른 사람들에게 고마운 마음을 전할 수 있는 사연을 받는 게 어때? 기쁜 일이나 고마운 일은 언제 말해도 또 언제 들어도 서로 좋으니까."

음악방송의 목적과 방향이 설정되자, 이후부턴 각자 자신의 특기에 맞게 역할을 맡아 일사천리로 일이 진행되었다. 우선 이름은 '알려줄 게 달콤한 내 마음, 노래(song)에 담아서'라는 뜻을 가진 <알쏭달쏭 라디오>로 결정되었다. 사연은 평소 교실에서 다양한 의견 수렴을 위해 자주 사용하던 패들렛 사이트를 이용하여 받기로 하고, 각 교실에 참여 가능한 링크와 접속할 수 있는 QR코드를 안내하기로 하였다.

"제가 작년에 방송반을 해봐서 방송기기를 좀 다룰 줄 아니까 라디오 맡아서 해볼게요! 근데 쉬는 시간이 10분뿐이라 사연 두 개 읽고, 음악 두 개 틀기에도 빠듯할 것 같아 걱정이에요. 혹시 선생님이 허락해 주신다면 저희가 2교시 끝나기 5분 전에 미리 방송실에 가서 라디오 방송 준비를 해도 될까요? 사연은 먼저 뽑아서 멘트까지 준비해놓을게요." 나름 방송부 경력직이 모인 <우정키움부>의 지○, 준○, 하○, 주○이가 <알쏭달쏭 라디오> 포스터를 들고, 각 교실을 돌아다니며 홍보 활동에 열을 다하는 모습을 보고 있자니 어찌나 기특한지 무얼 맡겨도 되겠다 싶어 안심되었다.

<알쏭달쏭 라디오>에는 다양한 사연들이 올라왔다. 가족, 친구, 선생님들에 대한 감사의 메시지가 가장 많았다. 연필과 지우개를 빌려준 친구에 대한 고마움, 개그로 늘 웃겨주는 친구에 대한 고마움, 교내 놀이 공간을 만들기 위해 애써 주신 선생님들에 대한 고마움, 수업 시간에 자신의 말에 귀 기울여주고 공감해 준 반 친구들에 대한 고마움, 맛있는 급식을 준비해 주시는 급식실 조리사님들에 대한 고마움, 좋아하는 가수가 쇼미더머니 파이널에 진출하게 된 것에 대한 고마움 등 소소한 감사가 반짝거리며 흐르는 우리 노안남초만의 소통 공간이 탄생한 것이다.

늘 고마움을 전하는 사연만 있는 것은 아니다. 늦게까지 학원을 가는 하루 일정에 지쳐 위로를 받고 싶은 마음, 시끄러운 통학차에서 조금씩 배려했으면 하는 바람, 알쏭달쏭 라디오에 사연이 뽑히길 바라는 동생을 대신해서 뽑아달라고 부탁의 글을 쓰는 간절함, 요즘 부쩍 허리 아프다는 말을 자주 하시는 부모님에 대한 걱정과 애틋함, 다툼이 잦아지는 부모님의 모습을 보고 느끼는 불안함과 외로움, 왠지 자꾸만 신경이 쓰이는 친구에 대한 설렘 등 아이들의 다양한 마음 조각들이 알쏭달쏭 라디오에 모여들었다.

누구나 자신의 글을 볼 수 있고, 또 공개적으로 방송될 수도 있는데도 자신의 꾸미지 않은 속마음을 꺼내 놓게 되는 이유는 뭘까? 내 마음을 읽어주고 공감해 주는 한마디, 나를 위로해 주는 노래 한 구절은 흐트러진 마음을 단단히 안아 세우는데 생각보다 큰 힘을 주는 것이 분명했다.

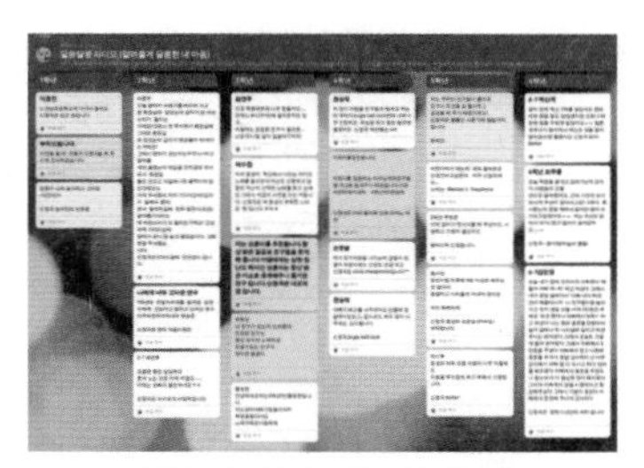

알쏭달쏭 라디오 사연 모음 패들렛

물론 바쁜 학교 일정에 쫓겨 <알쏭달쏭 라디오>의 사연이 뜸하게 들어온 적도 있었고, 한동안 방송 장비가 고장 나 라디오 방송을 못 한 적도 있었다. 하지만 재촉하지 않고 기다려주면 아이들은 늘 스스로 해결 방법을 찾아냈다. 사연이 뜸해지면 다시 포스터를 들고 각 교실을 방문하고, 방송 장비가 고장 난 기간에는 <우정 키움부>의 5학년 학생들이 다모임 시간에 음악 골든벨 게임을 준비하여 운영했다.

라디오 DJ 및 엔지니어 오디션도 <우정키움부> 스스로 준비하여 인원을 구성하고 역할을 분담했다. 학생자치 업무 담당자로서 내가 한 역할은 '질문으로 생각 열어주기'라고 할 수 있다. "알쏭달쏭 라디오를 지금껏 운영하면서 어려웠던 점은 뭐야? 그런 어려움에도 라디오를 계속 운영하고 싶은 이유는? 새로 뽑는 DJ나 엔지니어는 너희의 경험상 어떤 마음과 태도로 참여해야 한다고 생각해?"

오디션에 임하는 학생들의 열기는 뜨거웠다. 무작위로 제시된 사연에 즉석 멘트를 작성해 발표하고, 심층 면접 질문에 답변해야 하는 쉽지 않은 단계를 거치면서도 오디션에 참가하는 학생이나 예리한 눈으로 평가표를 들고 심사보는 학생 모두 그 모습이 어찌나 진지하던지 뒤에서 지켜보는 담당교사인 나도 숨 죽이고 조용히 집중할 수밖에 없었다.

알쏭달쏭 라디오 DJ 및 엔지니어 오디션 면접 질문

1. 왜 알쏭달쏭 DJ(엔지니어)가 되고 싶나요? 내가 이 역할을 잘할 수 있다고 생각되는 장점은 무엇인가요?

2. 화요일과 목요일 중간놀이 시간에 방송하려면 늦어도 월요일과 수요일에는 사연에 대한 대본이 완성되어 있어야 합니다. 그리고 신청곡도 미리 들어보고 어디까지 음악을 내보낼지 결정해야 합니다. 시간에 쫓기지 않고 미리미리 챙겨서 준비할 자신이 있나요?

3. 방송을 준비하려면 2교시 수업 끝나기 5분 전에 나와야 하고 중간놀이 시간도 없습니다. 수업을 5분 일찍 나와도 수업을 따라가는 데 어려움이 없나요?

4. 학기 말까지 중간에 포기하지 않고 꾸준히 음악 담당의 역할을 할 자신이 있나요?

공약은 실천해야 제 맛! ②

"특색 있는 환경 사랑 캠페인이 부회장 공약이었는데, 1학기 때 다모임에서 딱히 실천 활동을 한 게 없지 않나요?"

알쏭달쏭 라디오
오디션 모습

위 이야기는 1학기 마지막 다모임에서 1학기 동안의 다모임 활동과 공약 실천 결과를 돌아보며 좋았던 점, 아쉬운 점, 2학기 때 해보고 싶은 것에 관한 이야기를 나눠보는 노리터 다모임 '좋.아.해.' 회의에서 아쉬웠던 점으로 언급된 내용이다. 공약을 실천하기는 한 것 같은데 솔직히 '다모임에서' 특색 있게 제대로 한 것 같지는 않다는 것이다. 솔직히 업무 담당자와 회장단으로선 억울한 면도 없지 않지만, 꼭 새겨들어야 할 의미가 있는 귀한 의견이었다.

1학기 월별 다모임 활동(2021년)

구분	다모임 협의	공약 실천	자체 행사
3월	• 공약토론회 및 전교임원 선거 • 부서 조직 • 3월 생일 파티		
4월	• 세월호 기억식 및 안전 다짐 • 4월 생일 파티	• 공동체 놀이 1 • 화장실 방향제 놓기	• 세월호 기억식 준비 (추모 협동 리본 만들기)
5월	• 스승의 날 기념행사 • 공간 디자인 협의 • 5월 생일 파티	• 알쏭달쏭 라디오 (5월부터 진행) • 기후 행동 1.5 이벤트	• 스승의 날 이벤트 준비 (감사장, 핸드메이드 카네이션, 라떼는 사진전, 유 퀴즈 온더 스쿨)
6월	• 통학차 규칙 협의 1 • 6월 생일 파티	• 우유팩 재활용 사업	• 나라 사랑 4행시 이벤트
7월	• 통학차 규칙 협의 2 • 7~8월 생일 파티 • 1학기 노리터 좋.아.해	• 공동체 놀이 2	

노리터 다모임 좋.아.해 (1학기)

좋아요. 앞으로도 쭈욱	아쉬워, 조금만 개선해보자	이런 것 해보았으면
• 학생회 공약을 지키는 모습이 믿음이 가고 좋다 • 알쏭달쏭 음악 방송 • 학생회에서 여러 가지 활동을 해서 좋다 • 우유팩 재활용 사업으로 휴지를 공짜로 받을 수 있다니 좋다 • 공동체 놀이 재밌었다 • 실내 놀이터를 우리가 직접 디자인한 게 뿌듯하다 • 생일 축하 파티 • 화장실 냄새가 좋아졌다 • 스승의 날 행사 (라떼는 사진전)	• 공동체 놀이를 더 자주 할 수 있으면 좋겠다 • 회의만 하지 말고 다양한 이벤트나 활동도 함께 하면 좋겠다 • 라디오에 다양한 학년 사연이 소개되면 좋겠다 (3학년 잘 안뽑힘) • 우유팩 재활용 6학년만 한 게 아쉽다 다모임에서 환경 사랑 실천 활동을 한 게 없다 • 건의 사항을 자주 들어주고 해결해주면 좋겠다	• 아나바다 나눔 장터 • 마니또, 친구 사랑 활동 • 학교 공간 예쁘게 꾸미기 (카페) • 실내 놀이터에서 신나게 놀기 • 더 다양한 환경 관련 캠페인 활동 • 장기자랑 • 할로윈 파티 • 포토존 • 보이는 라디오

1학기 5학년 부회장의 두 가지 공약 중 하나는 환경을 사랑하고 아끼는 학교를 만들기 위해 '특색 있는 환경 캠페인'을 펼치겠다였다. 그에 대한 세부 실천 계획으로는 우유팩 재활용 사업과 물티슈나 티슈 대신 손수건 쓰기가 제시되었다. 특히, 올해 교내 교사 전문적 학습공동체의 연구 주제도 '그림책'과 '환경'이었기에, 학급 교육과정이나 학교 행사를 운영할 때 늘 환경 감수성 증진을 염두에 두고 계획을 수립하고 추진하기로 하여 이 공약은 '힘들이지 않아도 교육과

정 속에서 자연스럽게 실천될 수 있겠구나.'라고 생각했다.

4월에 있었던 '봄 계절 프로젝트'에서는 과학·환경·생태를 주제로 하여 '다육 화분 만들기', '천연 염색 손수건 만들기', '태양광 자동차 만들기', '진달래 화전 만들기', '천연비누 만들기' 등 총 12개의 부스가 운영되었고, 5월 운동회에서는 손수건과 천연 수세미 등의 제로웨이스트 물품이 참여 상품으로 제공되었다. 또한, 1학기 자전거 하이킹을 할 때 영산강 일대의 쓰레기를 줍는 플로깅 활동도 하였으며 환경부에서 운영하는 기후행동 1.5℃ 어플을 활용한 스쿨 챌린지 이벤트도 다모임에서 열었다.

이렇게 많은 환경 관련 활동을 꾸준히 실천했음에도 아이들은 왜 한 학기 동안 다모임에서 환경 사랑 실천 활동을 제대로 한 것 같지 않다고 느꼈을까? 일단 봄 계절 프로젝트와 운동회의 계획은 교사 협의를 거쳐 수립되었기 때문에, 운영 내용이나 상품이 환경 사랑 공약과 연결되어 추진되고 학생들이 그 의미를 이해하여 즐겁게 참여했을지라도 이건 말 그대로 차려진 밥상을 맛있게 먹은 것일 뿐 스스로 고민하며 차린 밥상은 아니었다. 그리고 기후행동 1.5℃ 어플을 활용한 스쿨 챌린지는 회원 가입 시 부모 동의가 필요하고, 기후 행동 실천 일기를 각자 작성하는 것이라 관리의 어려움도 있어 그런지 학생들의 참여가 매우 미비했다.

그래서 '다모임'에서 제대로 환경 사랑 실천 활동을 한 게 없지 않나요?"라는 평가는 학생 주도적 계획 수립과 자발적 참여라는 다모임 운영 방향에 따랐을 때 학생들 자신들의 활동을 돌아보며 아쉽고 부족했던 점을 정확하게 진단한 매우 예리한 비판이었다. 또한, 아무리 좋은 목적과 의도를 가졌더라도 수동적인 참여를 벗어나 학생들 스스로 계획하고 실천하고 평가하는 과정을 거쳐야만 진정으로 우리가 해냈다는 자부심을 느낀다는 것을 확인한 귀중한 의견이었다.

기후행동 1.5°C 스쿨 챌린지 포스터

2학기 선거에 출마한 후보들이 1학기 때 아쉬웠던 점으로 지적된 환경 실천을 더욱 구체적으로 강화한 공약을 들고나오는 것은 어쩌면 당연하였다. 당선된 2학기 회장과 5학년 부회장의 공약이 모두 환경 사랑과 관련된 것들이었는데, 2학기 회장단의 공약은 표와 같다.

2학기 전교학생회 임원 공약과 실천 상황

구분	공약	이행 상황
학생 회장	**① 행복이 쌓이는 학교** • 노안남 장기자랑 실시 • 주제별 포토존 설치 **② 환경 사랑을 실천하는 학교** • 학교 물비누 고체 비누로 교체 • 잔반 남기지 않기 학급 챌린지 • 플로깅 챌린지	• 12월에 장기자랑 실시(다모임 협의로 계획 수립), 할로윈, 크리스마스 포토존 설치 • 학교 물비누 모두 사용 후 고체 비누로 교체, 잔반 남기지 않기 학급 챌린지 11월 한 달 동안 실시, 2학기에 플로깅 챌린지를 기후 행동 챌린지로 변경 실시하여 우수 실천자에게 상품 제공
6학년 부회장	**① 즐거운 학교** • 놀이마당 열기 (부스별 협동 놀이 체험) **② 소통하는 학교** • 학생 건의 소통 공간 설치 • 해결 결과 정기적 안내	• 11월 꾸지트 오픈식 날 학생회 놀이마당 실시 • 노안남 소통 우체국 각 층 화장실 앞 복도 벽에 부착하여 건의사항 정기적으로 확인하고 해결, 통학차 이용 불편에 대한 건의 사항과 학교 공간 시설 불편함에 대한 의견 많이 나와 통학차 이용 설문조사와 꾸지트 이용 규칙 제정 협의 실시함. 건의 사항 해결 결과 다모임에서 안내함
5학년 부회장	**① 지구사랑 실천하는 학교** • 아나바다 장터 열기 • 환경 보드 게임 각 반으로 **② 독서를 즐기는 학교** • 도서관 나의 추천 책 코너 마련	• 12월 학생회 주관 알뜰 장터 운영하여 수익금 60여만원은 다모임 협의를 통해 금천면에 있는 아동 복지시설(금성원)에 기부함. 가을 계절 프로젝트 때 환경 관련 보드 게임 구입한 것들 각 반으로 배부함. • 도서관에 '이 책 한 번 읽어볼래?' 코너 마련함. 12월에서야 마련되었으므로 홍보와 참여 활동이 미흡하였음. 다음 해에도 꾸준히 실천될 수 있도록 지속적 관심과 안내 필요함.

2학기 전교회장의 '환경 사랑을 실천하는 학교 만들기' 공약의 세부 사업은 학교 물비누를 고체 비누로 교체하기, 잔반 남기지 않기 학급 챌린지, 플로깅 챌린지로 제시되었다. 일반 플라스틱 용기에 담긴 세정제보다 쓰레기가 덜 나오는 비누가 지구와 나를 위한 더 나은 선택이라며 화장실에 있는 물비누를 모두 비누로 교체해야 한다고 공약 토론회에서 힘주어 외치는 모습이 인상적이었다. 아직 남아 있는 물비누를 버리는 것은 그 또한 환경에 악영향을 끼치니 일단 그 물비누를 다 쓰게 되면, 비누로 교체하기로 하였다.

학생회장의 공약인 잔반 남기지 않기 학급 챌린지와 플로깅 챌린지, 5학년 부회장의 공약인 나눔 장터와 환경 보드게임 보급은 1학기의 환경 캠페인의 아쉬움을 되풀이하지 않도록 계획단계에서부터 학생들의 목소리를 담아 스스로 수립하기로 하고, 이러한 캠페인을 통해 일상 속에서 실제적인 실천을 이끌어내는 방안을 찾고자 하였다. 2학기 <공약 답변 주문서>에서 나온 다양한 질문과 궁금증에 대한 해결 방법을 찾아가다 보니 자연스레 활동 계획이 세워졌다.

"1학기 기후행동 스쿨 챌린지는 회원 가입이 어렵고, 다른 사람이 실천한 내용을 볼 수가 없었잖아. 이번에는 자기가 기후 행동을 실천하는 행동을 서로 자랑할 수 있게 하면 좋겠어. 다른 친구들이 열심히 실천하는 모습을 보면 나도 덩달아 따라 해보고 싶지 않겠어?"

"우와 그거 좋은 생각이다. 각 반에서 제일 많이 실천한 사람에게는 선물도 주자! 물론 제로웨이스트 상품으로 말이야!"

"알쏭달쏭처럼 패들렛에 실천 인증 사진을 올리게 하자. 진짜로 했는지 판단할 수 있는 증거는 있어야지. 다른 친구들 실천 모습을 보면서 자극도 받고 말이야."

"우리 집은 주택인데 '엘리베이터 대신 계단 오르기' 이런 건 실천하고 싶어도 못해. 각자 자기 상황에 맞게 내가 실천할 수 있는 것들을 선택할 수 있게 하면 좋겠어."

"분리배출은 어떻게 해야 할지 잘 몰라서도 못하는 것 같아. 병뚜껑이나 볼펜, 칫솔 같은 이러한 작은 플라스틱은 재활용이 안되는 건데도 플라스틱이면 다 재활용되는 줄 알고 수거함에 넣잖아. 우리가 분리배출 방법을 학생들에게 좀 알려주는 게 어때?"

긴 협의 끝에 10월 한 달 동안 함께 실천할 기후 행동 10가지 리스트를 정하고, 이 중 자신의 상황에 맞는 것을 골라 최소 7가지 이상 실천하여 인증샷을 패들렛에 올리는 것으로 기후행동 챌린지 세부 계획을 세웠다. 그리고 분리 배출하는 방법을 '분리배출, 이렇게 해야 찐이야!'라는 커다란 포스터로 제작하고, 간단한 교육 자료를 마련하여 1~3학년 교실에 찾아가 직접 설명과 시범을 보여주었다. 재활용 분리배출함은 어린아이들도 안쪽을 다 볼 수 있게 높이가 낮은 바구니 함으로 마련하였다. 이전에 있던 커다란 분리 배출함은 넣고 나면 보이지 않아, '비.헹.분.섞(비우고, 헹구고, 분리하고, 섞이지 않게)'이라는 분리배출 원칙에 맞게 재활용 쓰레기가 잘 배출되었는지 스스로 알기 어려웠다고 아이들이 지적해주었기 때문에 분리 배출함을 교체한 것이다. 찾아가는 분리배출 교육 후 각 층 화장실 앞에 종류별 분리배출함과 함께 아이들이 직접 만든 분리배출 안내 포스터가 부착되니 확실히 더욱 정확하게 분리배출이 실천되는 모습을 확인할 수 있었다.

교실로 찾아가는 분리배출 교육　　분리배출 이렇게 해야 찐이야 포스터 만들기

복도 분리 배출함과 안내 포스터

다모임에서 기후행동 챌린지를 소개하고 난 후 각 학년 패들렛 페이지에 속속 기후행동 실천 후기가 사진과 함께 올라왔다. 그런데 각 학년에 약속된 기한이 다가오도록 여전히 하나도 실천 인증이 올라오지 않는 이름들이 많았다. 결국 다음 다모임 협의 때 학년별 최소 기준(기후 행동 실천 인증 7개)에 도달하지 못한 사람의 수를 공개하기로 하였다.

"우리가 정한 기후 행동들은 막상 해보면 어렵지 않은 것들인데, 왜 여전히 실천하지 않는 아이들이 많은 걸까?"

"선생님들에게 알림장에 적어달라고 부탁해 볼까?"

"1~2학년은 패들렛 링크에 사진을 올리는 것이 어려운 친구들이 있을 거야. 아직 핸드폰이 없는 친구들도 사진을 올리는 게 어려울 거고."

"1~2학년은 선생님이나 부모님 도움이 없으면 조금 어렵긴 하겠다. 핸드폰이 없는 친구들은 학교 태블릿을 잠시 빌려줄 수 있으려나?"

"선물을 좀 더 늘려보는 건 어때?"

"선물이 꼭 필요할까? 우리가 기후 행동을 하는 건 지구와 나를 위해 작은 일이라도 함께 실천해 보자고 하는 건데. 사실 장바구니 사용이나 손수건 사용 같은 건 맘만 먹으면 하루에도 몇 번씩 실천할 수 있다고. 막상 해보면 진짜 별거 아닌데 말이야. 귀찮게 생각하는 게 제일 문제인 것 같아."

"우리 다시 챌린지 홍보를 해보자. 그리고 챌린지를 여기서 멈출지 실천 기간을 조금 더 연장할지 이야기해보지 뭐."

다모임 협의 결과 챌린지 기간을 연장하기로 하였다. '지구하리 부'는 기후 행동의 필요성과 실천 행동 목록을 다시 한 번 강조하며, 막상 해보면 절대 어려운 일이 아니니 지구를 위해 우리가 작은 일이라도 꼭 실천해 보자고 아이들을 설득했다. 1~2학년 친구들도 부모님과 선생님의 도움을 받아 기후 행동 실천 후기를 사진과 함께 쑥쑥 올려주었다. 학년별로 기후 행동 최고 실천자에게는 2만 원 상당의 제로웨이스트 선물 세트를 증정하였다. 우리 학교 최고 실천자는 무려 100개가 넘는 실천 후기를 남겼는데, 바로 6학년 지구하리 부장 호○이었다. 솔.선.수.범.! 사실 지구하리 부장으로서 누구보다 먼저 누구보다 열심히 챌린지에 참여한 호○이 덕분에 홍보 효과와 약간의 경쟁 구도가 생겨 6학년에서는 70개 이상의 실천자가 3명이나 나왔다.

다모임 협의를 통해 결정된 사항이라 할지라도 그 모든 행사가 늘 성공적으로 운영된다는 보장은 없다. 여러 가지 이유로 기대보다 참여가 미진하기도 하고, 추진하는 과정에서 예상치 못한 장애물을 만나기도 한다. 다모임에서 추진하는 자체 행사에 학생들의 적극적인 참여를 이끌어내기 위해 꼭 늘 보상을 제공해야 하는가는 늘 고민되는 숙제이다. 그러나 우리가 더 큰 배움을 얻는 것은 언제나 결과보다는 과정에 있다. 어린아이들이 넘어지면서 걷는 법을 배우듯, 계획대로 때론 기대대로 흘러가지 않는 과정을 다시 돌아보고, 이 문제를 어떻게 해결해 나갈 수 있을까에 대해 함께 소통하며 고민하는 과정에서 아이들은 다양한 관점을 이해하고 생각을 구체화하며 스스로 해결책을 얻는 경험을 얻게 되기 때문이다.

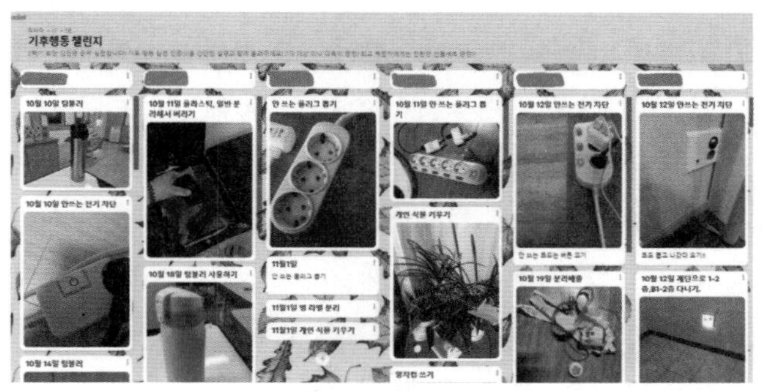

기후행동 챌린지 패들렛 페이지

의미 있는 스승의 날, 우리 손으로

"선생님, 이제 곧 스승의 날이 다가오잖아요. 시간이 촉박하지 않게 미리 준비하는 게 좋겠어요. 감사의 달 홍보 포스터를 저희 '기획하리'에서 빨리 만들어보겠습니다."

아직 4월. 다가오는 목요일에 다모임에서 세월호 추모식을 하기로 하여 각자 맡은 역할에 따라 하나하나 준비하고 있던 차에 기획하리의 부장 지○이가 5월이 다가온다니 마음이 급해지는 것 같다. 열정과 의욕이 가득한 그 모습이 어여뻤지만, 일단은 세월호 추모식을 잘 마무리하고 5월 감사의 달 운영에 대한 전체 아이디어를 모은 다음, 부서별 세부 계획을 세워보자 했더니 지○이가 약간 김이 빠졌는지 실망한 눈치다.

5월은 어린이날, 어버이날, 스승의 날, 운동회 등 굵직한 기념일과 행사들이 모여 있어 늘 바쁜 시기이다. 그 중 스승의 날은 언젠가부터 학교에서 스스로 챙기기도 왠지 부담스러워 아무 일 없는 듯 평소처럼 수업을 하며 조용히 넘어가는 학교도 많다. 나를 낳아주고 보살펴주시는 부모님께 고마운 마음을 전하는 어버이날처럼 스승의 날에 늘 학교에서 나를 위해 애써주시는 선생님께 고마운 마음을 전하는 것은 지극히 자연스러운 일인데도 "감사하다."라는 말 한마디 전하는 것도 왠지 조심스러워진 상황이 안타까워 6학년 우리 반 친구들과 5월 감사의 달을 어떻게 의미 있고 행복하게 보내볼까에 대해 고민하였다.

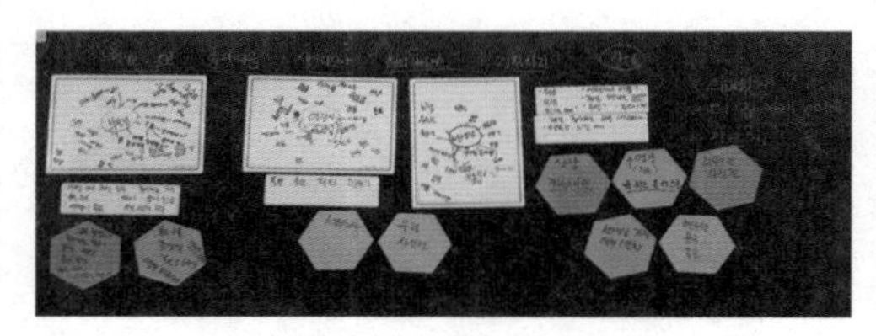

5월 감사의 달 운영 계획 수립

학생자치회 자체 행사 계획을 세울 때 가장 기본으로 두는 것은 바로 "왜 이 활동을 하는가? 이 행사를 통해 무엇을 이루고자 하는가?"이다. '무엇을 어떻게 할까?' 등의 구체적인 방법은 활동의 목적이 바로 섰을 때 더 선명하고 구체적인 방향으로 찾아갈 수 있기 때문이다. 일단 이번 행사의 목적은 아주 명료했다. <선생님께 감사의 마음을 전하고, 서로를 조금 더 이해할 수 있는 행복한 시간 만들기>가 행사의 목적이었다. 목적을 세웠으니 그다음은 어떻게 그 목적을 효과적으로 달성시킬 것인가에 대한 고민이 이어졌다. 아이들에게는 우리가 돈을 들이지 않고도 정성으로 마음을 표현하는 방법을 찾아보자고 안내했다. 모둠별 브레인스토밍 협의를 통해 간추려진 활동은 아래와 같이 크게 두 줄기라고 할 수 있다.

브레인스토밍 협의 결과

선생님께 고마운 마음 전하기	**선생님과 더 가까워지기**
• 카네이션 브로치 만들어 달아드리기 • 맞춤형 감사장 드리기 • 현수막 문구 공모하기	• 선생님께 궁금한 것 묻고 답하는 <유퀴즈 온더 스쿨> • 선생님의 어릴 적 사진과 이야기를 들으며 누군지 맞춰보는 <라떼는 사진전>

막상 정하고 보니 해야 할 일이 한둘이 아니다. 카네이션 브로치 만들기 팀, 감사장 제작팀, 유퀴즈 인터뷰 팀으로 크게 역할을 나누었다. 유퀴즈 인터뷰 질문은 팀 구별 없이 함께 이야기 나누며 정했는데, 자신이 생각하는 자신만의 매력 포인트, 슈퍼 히어로가 된다면 가지고 싶은 능력, 어렸을 때 별명, 직업을 다시 선택한다면? 내가 선생님 하길 잘했다고 생각 드는 순간과 같은 다양한 질문들이 추려졌다. 유퀴즈 팀은 2명씩 짝을 이뤄, 한 사람은 선생님께 질문을 하고 다른 한 사람은 핸드폰이나 카메라로 촬영을 하기로 했다. 나는 아이들에게 역광이 아닌 밝은 곳을 찾아 촬영할 것과,

핸드폰을 가로로 뉘여 촬영할 것, 무엇보다도 선생님들께 예의 바르게 인터뷰 요청을 한 후에 촬영을 시작하되, 잠시 답변을 생각할 시간을 드릴 것을 당부하였다.

선생님들께는 <라떼는 사진전>의 내용을 간단히 설명해 드리고, 선생님들의 어릴 적 사진과 관련 이야기를 비밀스럽게 받아 포스터 형식으로 만들어 복도에 게시하였는데, 그 반응이 가히 폭발적이었다. 아이들은 선생님들의 어릴 적 사진을 하나하나 유심히 살펴보고 이야기를 읽으며, 선생님들의 어릴 적 모습이 정말 귀엽고, 놀기 좋아하는 지금 나의 모습과 비슷해서 신기하고 재밌다는 소감을 남겨주었다. 오고 가는 웃음 속에 아이들과 선생님들의 거리가 한층 가까워지는 순간이었다.

라떼는 사진전　　유퀴즈 온더 스쿨

스승의 날 이벤트의 하이라이트라고 할 수 있는 카네이션 브로치와 맞춤형 감사장은 다른 학년 학생들과 함께 협력하여 제작하였다. 색종이로 카네이션을 접는 방법이 담긴 유튜브 링크를 공유하고, 각자 쉬는 시간을 활용하여 만들기도 하였는데, 방과 후 수업과 학원 수강 때문에 바쁜 일정에 쫓기자 아이들은 집까지 색종이를 가져가 주말 동안 카네이션을 잔뜩 접어오는 열정을 보여주기도 했다. 1~2학년 후배들에게는 6학년 학생들이 카네이션 카드 만들기 부스를 열어, 손수 만든 카드를 부모님이나 선생님께 선물해 드릴 수 있도록 도왔다. 1학년 동생들에게 종이 접는 과정을 하나하나 설명해 주는 게 힘들었다고 투덜대면서도 완성된 카드를 들고 기뻐하는 동생들의 모습이 참 예쁘다며 활짝 웃는 6학년 아이들의 모습이 유독 더 반짝거리는 것 같았다.

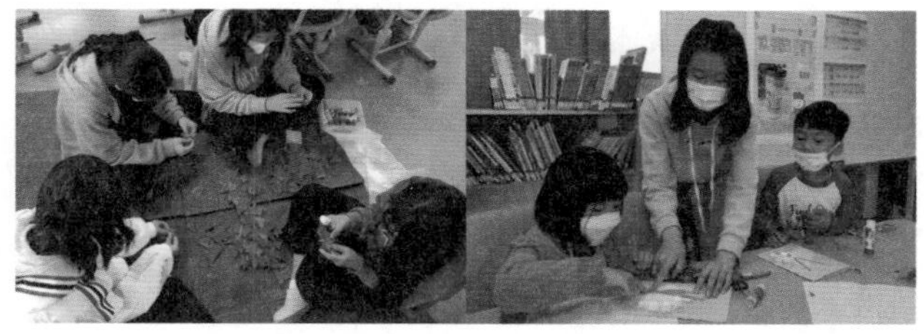

카네이션 브로치 만들기　　　　카네이션 카드 만들기 부스

선생님 감사장의 가장 중요한 사항은 딱 그 선생님만을 위한 이야기로 적어져야 한다는 것과 교무실, 행정실, 급식실을 포함하여 학교에서 애써주시는 모든 교직원을 대상으로 작성되어야 한다는 것이었다. 그래서 <우리 선생님을 소개합니다>라는 학습지를 만들어 아이들에게 주고, 선생님을 설명할 수 있는 꾸밈말, 평소에 강조하시는 것들, 비유 표현, 자랑 등을 적고 이야기하며 아이들이 맞춤형 상장 문구 아이디어를 찾을 수 있도록 도왔다. 각 학년 담임 선생님 소개서는 각 학급에서 개별적으로 작성하고, 1~2학년은 6학년

학생들이 직접 교실로 찾아가 학생들을 인터뷰한 내용을 바탕으로 대신 작성해 주었다.

'너희는 모두 꽃이야'라고 자주 말씀하시는 1학년 선생님께는 '꽃보다 세종대왕 상', 항상 맛있는 급식 메뉴를 준비해 주시는 영양교사 선생님께는 '상상이상 기대이상', 교감 선생님께는 'Cool 라떼상'등 개성 있는 감사장이 만들어졌다. 항상 유쾌한 유머 감각으로 아이들을 친근하게 대해주시는 교감 선생님께서 '나 때는 ~했는데 말이야' 이런 말을 자주 하셨다며 상장 담당 아이 중 하나가 요즘 날도 더운데 '아이스 라떼상'을 드리자고 제안하자 또 다른 아이가 아이스란 말은 너무 차가워 보이니 '쿨'이란 말을 쓰자고 의견을 냈다. 그리하여 교감 선생님 맞춤 감사장은 'Cool 라떼상'으로 최종 결정되었다. 늘 색깔이 다양한 옷에 활기 넘치는 6학년 담임교사인 나는 '저세상 텐션상'을 받았다. 누가 봐도 딱 그 선생님만을 위한, 그 대상에 관한 관심이 없다면 절대로 나올 수 없는 특별한 맞춤형 상장이었다.

5월 13일 중간놀이 시간부터 시작된 스승의 날 기념식. 선생님들과 학생들이 체육관에 모두 모였다. 다모임 회장단의 진행으로 '유퀴즈 온더 스쿨' 영상을 함께 보며, 영상 내용에 대한 퀴즈를 맞히는 코너로 기념식을 시작했다. 일주일 동안 복도에 게시되었던 '라떼는 사진전'의 정답도 공개하며 선생님들께 궁금한 것들을 추가로 묻고 답하는 시간도 가졌는데, 흑백사진이라 누가 봐도 교장 선생님의 어릴 적 사진인 것을 보고 30대인 4학년 선생님이 사진의 주인공이라고 추측하는 학생들도 많아서 한바탕 웃음이 터졌다.

이제 남은 것은 기념식의 하이라이트인 맞춤형 상장 수여식이다. 제일 먼저 교장 선생님께 학생회장이 손수 만든 카네이션 브로치와 맞춤형 상장을 읽어드리며 상장을 드렸다. '미소 천사상'을 받은 교장 선생님께서 그 어느 때 보다 활짝 웃고 계셨다.

"오늘 온종일 선생님들이 모두 웃고 계세요. 그동안 머리를 쥐어짜며 아이디어 내고, 쉬는 시간 없이 행사를 준비하느라 진짜 바빴는데, 선생님들이 기뻐하시는 모습을 보니까 정말 행복해요. 이번 스승의 날은 정말 특별한 것 같아요."라고 준비한 학생들도 스스로 행복해하며 행사의 의미를 배가시켰다. 나로 인해 행복해하는 다른 누군가를 보는 것만으로도 우리 스스로는 행복해진다. 우리의 정성과 애씀이 가치 있었음을 느끼며 우리가 누군가를 행복하게 만드는 힘을 가진 존재라는 효능감을 느끼게 된 순간이었다.

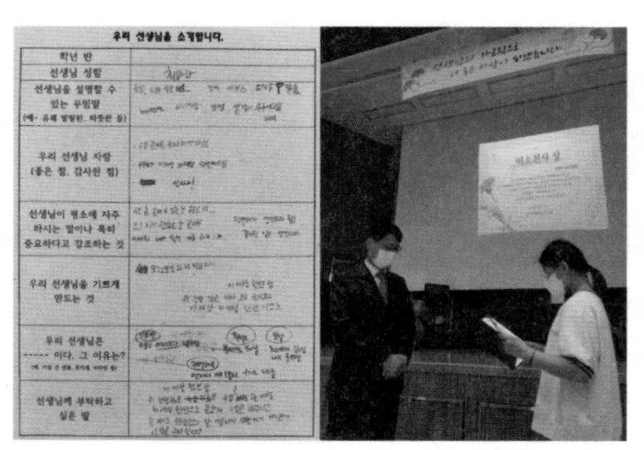

우리 선생님을 소개합니다.

학년 반	
선생님 성함	[illegible]
선생님을 설명할 수 있는 꾸밈말 (예- 유례 발랄한, 따뜻한 등)	[illegible]
우리 선생님 자랑 (좋은 점, 감사한 점)	[illegible]
선생님이 평소에 자주 하시는 말이나 특히 중요하다고 강조하는 것	[illegible]
우리 선생님을 기쁘게 만드는 것	[illegible]
우리 선생님은 ----- 이다. 그 이유는?	[illegible]
선생님께 부탁하고 싶은 말	[illegible]

선생님 소개서 감사장 수여

스승의 날 기념식에 맞춤형 상장과 카네이션 브로치를 전달받으셨던 학교의 많은 선생님께서 의미 있는 스승의 날을 보내게 되어 감격스러움에 울컥하셨다고 뜨거운 소감을 전해주셨다. 몇 주간의 준비 기간 동안 쉬지도 못하고 바쁘게 움직였지만, 행사의 기획부터 준비, 실천까지 스스로 해낸 아이들의 얼굴은 그 어느 때 보다 즐겁고 밝게 빛났다.

흔히 학생회 자체 행사를 학생자치의 꽃이라고 한다. 누군가의 지시로 시작된 일이 아니라 아이들의 목소리에서 시작되어 스스로의 힘으로 행사를 실행해 나가는 일련의 과정에서 아이들은 끊임없이 고민하고, 소통하고, 협력하게 되기 때문이다. 스스로 결정한 일에는 더 큰 책임감을 느끼고 적극적으로 참여하게 된다. 행사의 처음부터 끝까지 스스로 꾸려본 주체적인 경험은 학생들에게 '잘 준비하고 협력한다면 무엇이든 해낼 수 있다'라는 자신감을 키워주고, 애쓴 만큼 잘 해냈다는 보람을 느끼게 한다. 그리고 그 자신감과 보람이 자율과 참여의 학생자치를 이끄는 커다란 원동력이 된다.

머리와 마음을 모아 함께 해결하는 힘

"꾸지트 트램펄린에 애들이 한꺼번에 몰려서 엄청 불편해요. 뛰다가 막 부딪힌다니까요."

"맞아요, 미끄럼틀도 거꾸로 올라타고 빨리 가라고 막 미는 애들도 있어요."

"저는 저번에 클라이밍 하다가 농구공이 날아와서 머리에 맞았어요!"

10월 우리 학교에 드디어 꿈꿔왔던 실내 놀이 시설, 실내 휴식 공간이 생겼다. 1학기 때 학생들이 다모임에서 실내 놀이 시설 디자인을 협의했던 결과를 바탕으로 실내 미끄럼틀, 트램펄린, 클라이밍이 있는 공간이 탄생한 것이다. 학생 이름 공모전을 거쳐 체육관 한쪽에 마련된 놀이 공간은 '꾸지트(꾸러기들의 아지트)', 2층 복도 끝에 마련된 휴식 공간은 '이야기 정류장(잠시 멈춰 정다운 이야기를 나누는 곳)'으로 지어졌다. 꾸지트 오픈식 기념으로 노리터 학생 다모임에서 놀이마당을 열어 함께 신나게 놀아보는 시간도 가졌다.

그런데 협소한 실내 놀이 공간에 많은 학생이 몰리다 보니 여러 가지 불편함이 생겨 학생들 간 불만이 터져 나오기 시작한 것이다. 다음 다모임 협의 시간에 공간 이용 수칙을 함께 정해야겠다고 생각하고 있던 찰나, 트램펄린에서 뛰어놀던 학생 둘이 머리를 부딪혀 크게 피가 나 구급차에 실려 가는 사고가 생겼다. 더 협의를 미루면 안 될 것 같았다.

우선 '꾸지트(실내 놀이 시설)'와 '이야기 정류장(휴식 공간)'을 이용하면서 겪었던 불편한 점이나 걱정되는 점에 대해 학생들이 자유롭게 의견을 적도록 포스터와 포스트잇 메모지를 두었다. 공간을 오며 가며 학생들은 자신의 생각을 남겨주었다. 의견 수렴 결과를 정리하여 다모임 시간에 해결 방안을 함께 찾아보고 이용규칙을 정해보기로 하였다.

꾸지트는 놀이 시설을 위험하게 타거나 좁은 장소에 너무 많은 사람이 몰리는 것에 대한 우려의 의견이 많이 나왔고, 이야기 정류장은 사용한 물건을 정리해 두지 않거나, 지저

분하게 이용하는 것에 대한 불만 의견이 많이 나왔다. 각 불편, 위험 사항에 대해 모둠별로 협의하여 실천 가능한 해결 방안을 찾아보게 하고, 모둠 협의 내용을 종합하여 공통의 이용규칙을 수립하였다.

부딪힘 사고가 일어났던 트램펄린에 대한 규칙을 정하는 것이 가장 까다로웠다. 가장 인기 있는 공간이기도 하고, 이용 시간이 중간 쉬는 시간이나 점심시간으로 한정되어 있었기 때문에 최대 이용 인원과 이용 시간에 대한 이견을 좁히는데 많은 시간이 들었다.

꾸지트 이용규칙 다모임 협의 모습

트램펄린은 최대 7명까지 한 번에 들어갈 수 있으며, 한 번 탈 때 5분씩만 타고 다음 사람을 위해 장소를 양보하는 것으로 최종 결정되었다. 또한, 시간 약속을 스스로 지킬 수 있도록 타이머를 마련하여 입장할 때 타이머를 누르고 트램펄린을 이용하기로 하였다. 미끄럼틀은 한 방향으로만 타고, 올라가는 행동을 금지하며, 앞사람이 끝에 도착할 때까지 기다렸다가 타기로 규칙이 세워졌다.

농구 골대와 가까이에 있는 클라이밍 공간에서는 클라이

밍을 한 사람이라도 하고 있으면 공을 던지지 않고, 잠시 기다려주기로 하였다. 그동안 그물망 사이로 먼지가 쌓여가던 꾸지트 놀이 공간은 모든 반이 일주일씩 돌아가며 청소하기로 하였다. 그리고 이야기 정류장에는 보드게임이나 놀이 도구를 정리할 수 있는 바구니를 마련하기로 하였다.

다모임에서 모두 함께 서로의 의견을 이야기하며 정한 이용규칙이지만 이 규칙들이 잘 지켜지려면 무엇 보다 잊지 않도록 하는 것이 중요하다. 스스로 이용규칙 안내 포스터를 만드는 활동을 하면 규칙을 잊지 않을 수 있으리라 판단하여 포스터 만들기 활동을 진행했다. 전교생이 모두 이용규칙 중 하나를 선택하여 안내 포스터를 만들도록 하고, 그 중 우수작을 뽑아 벽면에 게시하였다.

6학년 친구들은 국어와 미술 교육과정과 연계하여 「꾸지트 소.확.행: 소소하지만 확실한 안전 행동 수칙」이란 공익 광고 영상을 직접 만들었다. 그 영상은 오징어 게임이란 드라마의 아이디어를 빌려 다양한 꾸지트 이용 수칙을 점검하고, 안전하게 이용하는 사람이 가장 잘 노는 사람이라는 주제가 담긴 재치 있는 공익 광고이다.

꾸지트 이용규칙 홍보 포스터 모습

다모임을 통해 학생들 스스로 놀이 시설 이용규칙을 정했지만, 규칙을 어기는 사람이 나올 수도 있고, 또 이전에는 생각해보지 못한 새로운 문제가 생길 수도 있다. 그때는 또 함께 모여 무엇이 문제를 일으키는지 우리가 스스로 해결할 방법은 있는지, 어떤 지원이 필요한지에 대해 이야기하며 개선해가면 될 것이다.

학교생활 중에 우리가 겪는 대부분의 문제는 다른 사람들과 원인과 결과 면에서 연결되어 있다. 그래서 혼자만 고민하고 애쓰기보다는 서로 이야기 나누며 공동의 문제를 함께 바라보고 생각을 보태 더 좋은 해결 방안을 찾아가는 것이 중요하다. 이러한 소통의 경험은 아이들이 공동체의 일원으로서 더욱 주체적인 삶을 살아가게 하는 데 도움을 준다. 일단 스스로 불편함과 문제를 인식하는 것이 모든 해결의 시작이며, 소통하며 함께 문제를 해결하는 과정이 곧 배움이자 성장으로 이어지기 때문이다.

눈물 모아 웃음 모아 모두가 주인공이 되는 졸업식

"긴급 공지! 코로나 확산 방지를 위해 졸업식에는 6학년 학생들만 모여 강당에서 실시합니다. 학부모님들은 식장에 들어오실 수는 없고, 밴드 라이브로 졸업식을 시청할 수 있습니다."

"선생님, 저희가 원래 졸업식 때 노안남초 모든 선생님께 편지랑 작은 간식을 드리려고 역할 나눠가며 준비했는데⋯. 이제 이건 못 드리는 건가요? 카톡 확인하시면 답 주세요."

이게 웬 마른하늘에 날벼락! 1월로 예정되어 있던 졸업식이 이틀을 앞두고 교내 코로나 확진 발생으로 2월로 미뤄졌는데, 2월이 되어도 코로나 확산세가 꺾이지 않자 교육청 지침에 의해 6학년 졸업생만 졸업식 참석으로 긴급하게 계획이 또 수정되었다. 재학생들은 전면 원격으로 전환되어 졸업식 참석이 안 되고, 심지어 부모님의 참석도 안 된다고 한다. 아이들이 계획했던 졸업 축하 락밴드 공연도 갑자기 취소되고, 이것저것 한꺼번에 우르르 취소되어 졸업을 앞두고 뒤숭숭한 하루다. 그래도 종업식도 원격으로 해야 하는 다른 학년 학생들에 비하면 졸업식 날에라도 얼굴 보고 헤어질 수 있는 게 어디냐며 아쉽기만 한 마음에 위로를 건넸다.

지금까지 근무했던 많은 학교에서 봐온 졸업식은 내용이나 형식 면에서 조금씩 차이는 있었지만, 늘 한 가지 아쉬웠던 것은 졸업식의 주인공이 졸업생(학생)임에도 불구하고 졸업식에 대한 여러 가지 선택의 과정에서 학생들의 목소리가 반영되지 않았다는 것이다. 6학년 담임 혹은 부장 선생님과 교무팀의 계획하에 정해지고 추진되는 졸업식이었다. 내가 결정한 것이 하나도 없는 행사에서 과연 우리가 진정한 주인공이라 말할 수 있을까? 하는 생각이 들었다. 그래, 우리가 주인공이 되는 진짜 졸업식, 우리가 만들어보자!

올 한 해 노리터 다모임에서 세월호 추모식, 스승의 날 기념식, 놀이마당, 알뜰 장터, 장기자랑까지 다양한 자체 행사들을 기획부터 세부 계획 수립, 실행, 평가까지 모든 과정을 자신의 목소리로 스스로 해냈던 아이들이 함께 있으니 졸업식도 스스로 만들 수 있으리라 생각했다. 많은 자체 행사들을 성공적으로 치러내며 우리가 생각과 마음, 그리고 힘을 모으면 뭐든지 해낼 수 있다는 자신감을 충분히 얻은 터였다.

우선 아이들에게 "졸업식에는 어떤 마음이 오가야 할까?"에 대해 질문을 했다. 아이들은 축하, 고마움, 신남, 행복, 격려, 아쉬움의 마음이 오갈 것 같다고 했다. "그럼 축하와 고마움을 전하고 또 받아야 할 사람은 누구일까?"하고 다시 물었다. 아이들은 졸업생, 선생님, 부모님께 축하와 고마운 마음을 전해야 한다고 하였다. 그렇다면 졸업식의 주인공은 정해졌다. 그동안 열심히 학교에 다니며 배움을 닦고 새로운 출발을 앞둔 졸업생을 축하하고, 아이들 하나하나 마음을 살펴 가며 의미 있는 배움을 키워나갈 수 있도록 이끌어주신 선생님께 감사의 마음을 전하고, 13년 동안 건강하게 자라날 수 있도록 정성과 사랑으로 키워주신 부모님께 고마운 마음을 전하는 것! 이렇게 모두가 주인공이 되는 졸업식 만들기 프로젝트가 시작되었다.

첫 번째 미션, 졸업생이 주인공이 되는 졸업식은 어떻게 만들어야 할까? 일단 상장은 성적에 상관없이 학생 개개인의 특성이 드러나는 1인 1 행복 상장을 수여하기로 하고, 13명 어여쁜 제자들의 일 년 동안의 성장 모습을 생각하며 6학년 담임인 내가 고심하며 문구 하나하나를 채웠다.

친구의 장점을 두루 잘 살피고 명랑하게 어울려 지내는 채○에게는 '함께 빛나는 스타상', 무슨 일이든 먼저 발 벗고 나서는 적극적이고 자율적인 태도를 갖춘 주○에게는 '꺼지지 않는 불꽃상', 지구환경 문제에 진심으로 다가가 기후 행동 실천에 늘 앞장서는 호○에게는 '온 지구가 널 사랑해 상', 유머를 겸비한 솔직하고 담백한 시선으로 시의 순간을 잘 포착하여 매력 만점 시를 쓰던 하○에게는 '솔직 담백 장원급제상', 매력 만점 반달 눈으로 주변에 늘 웃음꽃을 피워내던 은○에게는 '네가 있는 곳이 꽃밭 상'. 모두 다르지만 다르기에 모두 행복한 맞춤형 상장이 준비되었다.

부모님께 드리는 맞춤형 상장도 마련하였다. 이미 스승의 날 때 선생님 맞춤형 상장 문구를 정해 본 경험이 있으니 부모님에 대한 문구를 적는 것은 그리 어려운 일이 아니었다.

– 부모님(어머니, 아버지 각각)의 특별한 점

– 나를 위해 특히 노력하시는 점

– 본받고 싶은 점

– 내가 부모님의 사랑을 느끼는 순간

위의 네 가지 질문에 대해 적은 답을 바탕으로 부모님께 드리는 맞춤형 상장을 준비했다. 코로나로 인해 이번 졸업식장에 부모님들이 직접 참석하지는 못하지만, 식장에서 한 명 한 명 정성껏 상장을 읽어드리고, 상장은 집에 가서 직접 수여하기로 하였다. 졸업식장에 들어가기 전 아침에 각자 자신이 마련한 상장을 몇 번이나 읽어보았는데도, 막상 졸업식장에서 읽어드리려니 눈물이 앞을 가려 차마 읽지 못하는 아이도 있었다. 그 따뜻한 눈물이 고맙다고 사랑한다고 마음에만 품어두고 차마 자주 표현하지 못한 수많은 말을 감싸주는 애틋한 순간이었다.

학생이 스스로 만드는, 학생이 주인공이 되는 졸업식의 하이라이트는 이제부터 시작이다. 우리는 보통 교무부장이 진행하는 졸업식의 순서를 조금 비틀어 졸업생이 직접 진행하는 코너를 만들기로 하였다. 이름하여 「알쏭달쏭 라디오 졸업식 특별 라이브!」 마침 2학기 국어 「4. 효과적으로 발표해요.」, 「6. 정보와 표현 판단하기」단원에서 영상 발표하기, 관심 있는 내용으로 뉴스 원고를 쓰고, 우리 반 뉴스 발표하기 내용이 있어 이 시간을 활용하여 졸업식 프로젝트를 운영하였다. 올 한 해 우리 반 한해살이를 날씨로 풀어보는 '서로바라반 일기예보'와, 졸업생 대상 인터뷰, 올 한 해 무엇이 특별했는지를 퀴즈 형식으로 풀어보는 '2021. 서로바라반 BEST 10' 코너를 알쏭달쏭 라이브에 담았다.

"우리 3월 2일 첫날 만두가 쑥스럽다고 선생님 악수 피한 거 기억나지? 지○이는 처음부터 계속 선생님께 고양이 이야기만 하고 말이야! 아하하 벌써 일 년 지났는데도 진짜 완전 생생하다!"

"우리 다모임 하면서 진짜 뭐 많이 한 거 같아."

"우리 올해 진짜 바쁘고 재미있었다, 그치?"

모둠별로 올해 우리 반 한해살이를 어떤 날씨에 비유할까 논의하는데 추억을 되짚어가는 수많은 이야기가 커다란 웃음소리에 섞여 함께 오갔다.

알쏭달쏭 라디오 특별 라이브 '일기예보' 내용

안녕하십니까? 서로바라반 기상캐스터 OOO입니다. 2021년 한 해 동안 서로바라반은 그 어느 때 보다 알차고 바쁘게 지냈는데요, 3월 2일, 6학년이 되는 첫날, 설렘 안개가 자욱하게 깔린 가운데, 어떤 선생님을 만나게 될지 기대감이 잔뜩 올라갔었습니다. 이윽고 저세상 텐션 최바라 선생님의 등장과 함께 우리 서로바라반에는 종일 햇볕 짱짱한 맑고 화창한 날씨가 유지되었습니다.

학생회 프로젝트 진행과 관련하여서는 오전 중에는 우리가 정말 잘 해낼 수 있을지 막막하여 걱정 구름이 잔뜩 몰려오고, 때론 학생회 일을 보느라 쉴 틈이 전혀 없어 거센 폭풍이 휘몰아치기도 했지만, 오후가 되면서 자신감이 붙어가며 다시 맑게 개었습니다.

또한, 함께 시의 순간을 찾아 쓰며 13살 사춘기 감성이 메마를 틈 없이 연중 촉촉하게 높은 감성 습도가 유지되었습니다.

다만, 눈·비 없이 연중 맑고 화창했던 서로바라반은 오늘 제60회 졸업식을 맞아, 처음으로 호우 주의보가 내릴 것으로 예상합니다. 오늘이 초등학교 생활의 마지막 날이라는 것이 정말 믿기지 않는데요, 서로 끈끈한 우정을 자랑해온 친구들과 또 저세상 텐션의 최바라 선생님과 이별을 해야 한다니….

아쉽고 또 아쉬운 마음이 들어, 오늘 졸업식이 진행되는 동안 눈물비가 촉촉하게 내릴 것으로 예상하오니 손수건 준비하시기 바랍니다.

이상으로 서로바라반의 여신, 기상 캐스터 OOO였습니다.

이어지는 코너는 알쏭달쏭 라이브 특별 기획 「2021. 서로바라반 무엇이 특별했는가?」이다. 졸업식에 앞서 6학년 아이들을 대상으로 올 한 해 있었던 일 중 가장 기억에 남는 순간에 대해 설문 조사한 내용과 동영상 인터뷰한 내용을 살펴보는 코너였다. 설문 조사 결과 BEST 10은 추려졌지만, 각자 개인적으로 기억에 남는 순간을 따로 인터뷰했는데, 동물복지 관련하여 공개수업을 했던 일(선생님의 연기력에 놀랐고, 평소에 접해보지 못한 수업 방식과 활동이었지만 주제와 딱 맞물려 동물의 처지를 생각해 볼 수 있었던 것이 신선하고 특별했다는 반응이 많았다), 선생님이 어릴 적 일기를 읽어주셨던 일, 동○이가 영국에서 전학 왔던 일, 수학여행 갔던 일, 시 쓰기 학급 프로젝트, 학생회 프로젝트 등이 기억에 남는 순간이라고 했다. 스쳐 지나가는 교사의 작은 말도 귀 기울이고 마음에 큰 자리를 내어 준 아이들의 모습이 어여쁘고 참 고마웠다.

두 번째 인터뷰는 '나에게 최바라 선생님이란?'이란 질문에 대한 은유 표현으로 답하기였다. 아이들은 만화 속 주인공, 양파, 햇빛, 열정, 도마뱀, 멋진 사람, 카멜레온, 해바라기, 환경 지킴이, 마트, 하늘 등으로 표현했다. 쉴 틈 없이 일을 꾸미는, 그리고 끊임없이 스스로 생각하고 생활 속에서 직접 실천하기를 요구하는 선생님 때문에 늘 바빴을 텐데도 담임교사를 열정과 활력이 넘치는 '멋진 사람'으로 말해주는 제자들이 있다는 것이 가슴 벅차게 고맙고 참으로 행복한 순간이었다.

서로바라반[3] 10대 사건을 소개하는 서로바라반 BEST 10의 대망의 1위는 의심할 여지 없이 당연히 '처음부터 끝까지 우리 힘으로 해냈던 학생회 활동'이었다. 아이들은 다모임 회장단의 공약을 하나하나 다 지켜가며 다모임에서 우리 스스로 수많은 프로젝트를 멋지게 해내는 과정에서 자신감과 보람을 느꼈다고 말했다. 나 하나를 위한 일이 아니라 우리 모두를 위한 일이라서 바쁘면서도 즐거웠노라 말해주는 아이들을 보며 참으로 대견함을 느꼈다.

서로바라반 BEST 10을 소개하는 사이 막 간 코너로 우리가 수업 시간에 만들었던 공익 광고를 상영하고, 졸업식장에 있는 학생들이나 선생님들에게 질문을 던지는 돌발 인터뷰도 진행되었다. 일기예보는 우리 반 여신으로 불리는 신○가, 알쏭달쏭 라이브 진행은 발랄한 주○와 민○영이가, 그리고 지○이가 김고양 기자로 활약하여 돌발 인터뷰를 진행해 주었다. 지○이가 교감 선생님께 무작정 다가가 서로바라반 BEST 10의 3위가 무엇일 것 같은지 여쭤보자 교감 선생님께서도 당황한 기색이 역력하셨지만, 힌트를 드리자 곧 답을 알아채셨다. 정답은 바로! 인터뷰를 하고 있는 김고양 기자인 지○이가 체육 시간에 피구를 하다 발뼈가 부러진 일이었다. 다리를 다친 지○이의 학교생활이 조금이나마 덜 불편하도록 휠체어를 마련해 주시며 물심양면 도와주셨던 교감 선생님이시니 답을 곧 알아채셨다.

담임인 나에게 온 돌발 질문은 평소에 옷을 화려하게 입고 다니는 선생님에게 "옷을 고르는 특별한 기준이 있는가?"였다. 예상은 했지만, 갑자기 질문을 받으니 생각이 조금 막히는 듯했지만 나는 일단 색깔이 다양한 옷이면 다 좋다고 답하였다. 그리고 "솔직히 나에게 잘 어울리지 않나요?"라고 물었더니 다들 인정의 웃음이 터졌다.

---

3 '서로바라반'이란 6학년 반 공모전을 통해 뽑힌 6학년 반 이름으로 '바라 선생님과 함께 서로를 바라보며 늘 서로를 존중하는 우리 반'이란 뜻을 지녔다.

알쏭달쏭 라디오 졸업식 특별 라이브 모습

서로바라반 BEST 10 코너를 지나, 우리의 한해살이 사진을 영상으로 보며 추억에 젖어 드는 동안 나는 슬며시 단상에 나가 아이들에게 전하는 마음이 담긴 편지를 읽었다. 첫 한 줄을 읽을 때부터 그간의 고마움과 이별의 아쉬움이 울컥 올라와 목이 메었다. 나에게 노안남초에서의 2021년은 참으로 좋은 해였다. 아이들에게 '서로바라반'이란 더할 나위 없이 좋은 반 이름을 선물 받고, 아쉬움 없이 도전하고, 서로를 격려하며, 아낌없이 사랑했던 참 특별한 해였다. 많은 부분에서 얼마나 부족한 사람인 줄 스스로 알기에 담임교사를 멋진 선생님으로 여겨주며 단단한 지지를 보내주는 제자들과 선생님들, 학부모님에 대한 고마움으로 좀 더 나은 사람이 되고자 나를 곧게 세울 수 있었던 한 해였다.

졸업식 마지막 순서로 담임인 나에게까지 비밀로 하고 학년별 선생님들을 비롯하여 통학차 운전 기사님까지 모든 교직원에게 직접 쓴 소담한 편지와 달콤한 간식을 선물로 준비한 우리 반 친구들의 고운 마음에서 올 한 해 우리가 여러 다모임 프로젝트를 거치며 참 많이 성장하였음을 느꼈다. 우리가 성장할 수 있도록 각자의 자리에서 최선을 다한 서로를 축하하고, 고마움을 전하며 밝은 웃음과 뜨거운 눈물로 모두를 주인공으로 세우는 뜻깊은 마지막 날이 되었다.

졸업식 날 전 교직원에게 감사 편지와 간식을 준비한 아이들

우리 반 아이 중 하나가 언젠가 선생님은 왜 이렇게 다모임 활동에 진심이냐고 물어본 적이 있다. "선생님도 힘드실 때가 있어요?" 늘 활기차 보이는 나이지만, 어찌 힘들 때가 없겠는가? 하지만 나는 바로 대답하는 대신 그 아이에게 그럼 너는 쉬는 시간도 쪼개가며 하느라 이렇게 바쁜데도 왜 이렇게 다모임 활동을 열심히 하느냐고 되물었다.

"보람 있잖아요!"

나도 그렇다. 학생자치는 나와 다른 사람의 마음과 생각이 닿는 지점에서 시작한다. 처음에는 서툴더라도 다모임의 시작부터 끝까지 하나하나 스스로 해결해가며 조금씩 변화하고 성장하는 아이들을 곁에서 지켜보는 즐거움과 그 보람의 맛이 너무나 달콤해 오늘도 함께 꾸려나간다. 공감으로 시작하고 보람으로 크는 학생자치의 선한 영향력이 아이들의 삶과 배움을 연결해주는 단단한 끈이 될 것이리라!

●●●

노안남초 텃밭이 탄생했던 순간의 이야기부터,
아이들과 교사들의 수고와 땀이 어우러져 수확한 농산물을
기부한 이야기까지 정리해 보았습니다.
그리고 텃밭에 대한 열정을 갖고 쓴 텃밭일기도 실었습니다.

어린 농부들의
학교 텃밭 이야기

나눔과 기부로 더욱 빛나는 '스쿨팜 프로젝트'

노안남초 텃밭의 역사

전남 농산어촌의 작은 학교이면 어디에서도 볼 수 있는 텃밭. 하지만 노안남초의 텃밭은 조금 특별하다. 노안남초 텃밭은 낡은 학교 관사를 허문 공터에 2017년 학부모회의 적극적인 관심과 지지로 조성되었다. 학부모님들은 주말까지 반납하며 텃밭의 터를 닦고 퇴비를 뿌리고 울타리를 치는 등 친환경 텃밭 만들기에 발 벗고 나섰다. 매실나무를 심고, 고추와 가지, 방울토마토를 가꾸며 혁신학교를 찾아서 온 도시의 아이들에게 농작물을 키우는 소중한 배움을 주기 위해 힘썼다.

학부모회에서 만든 친환경 텃밭(2017년 4월)

2018년 당시 박장규 교감은 학교 텃밭 가꾸기에 더욱 열정을 가지고 학년별로 텃밭 구역을 정하여 학생들이 키우고 싶은 모종을 심을 수 있도록 수요조사까지 직접 했다. 학생노리터(학생 자치회)에서 텃밭 이름을 학생들에게 공모하였고 '생명의 땅'이라는 이름이 붙여졌다. 이렇게 만들어진 노안남초 텃밭은 학생, 학부모, 교직원의 애정이 깃든 소중한 곳이다.

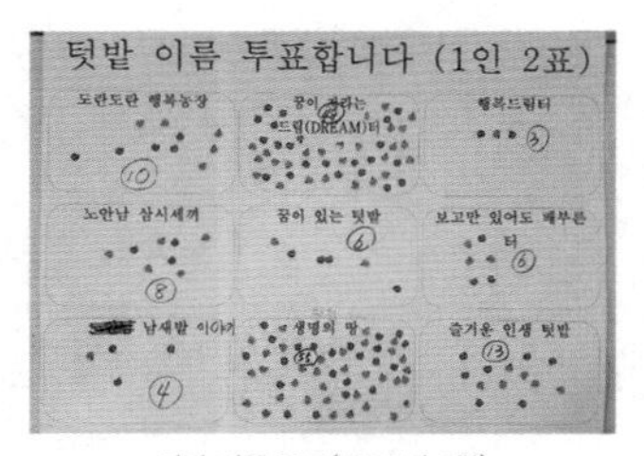

텃밭 이름 공모(2018년 4월)

교감 : 오늘은 학급에서 신청한 텃밭 모종을 심는 날입니다. 텃밭 모종 심기 체험을 희망하는 학급은 교무실로 연락 주세요. 선착순입니다.

교사 : 교감 선생님, 저는 도시의 큰 학교에만 근무하여 텃밭에 모종을 심어 본 적이 없어 걱정하였는데 교감 선생님께서 직접 아이들을 지도해 주신다니 너무 좋습니다. 저도 잘 배우겠습니다. 아이들이 방울토마토가 잘 크기를 벌써 기대하고 있어요.

해마다 상추와 배추를 키우고 고추, 방울토마토, 가지, 옥수수 같은 열매채소도 심었다. 옥수수를 수확하여 쪄서 나누어 먹으며 수확의 기쁨을 누리기도 했다. 아이들은 스스로 지지대도 박고, 잡초를 제거하고, 끈으로 단단하게 고정하는 등 어린이 농부가 되어보는 경험을 하였다. 아이들은 생태 텃밭 활동을 통해 흙을 직접 밟아 보면서, 자연 현상과 연계된 활동을 통해 정서적으로 안정되고 인성과 창의성을 함양할 수 있다고 여러 연구[4] 결과에서는 이야기하고 있다. 또한, 협동하며 함께 하는 텃밭 활동으로 성숙한 공동체 의식의 기틀을 마련해 주므로 텃밭 활동의 경험은 아이들에게 의미 있고 중요하다고 나는 확신했다.

세○ : 선생님 옥수수 껍질 처음 까봐요. 옥수수수염이 이렇게 자라나 있는지 처음 알았어요. 껍질이 이렇게 여러 겹 있는지도 몰랐어요.

현○ : 껍질이 왜 이렇게 많이 나오는 거죠? 옥수수야 너 언제 나오니? 빨리 먹어보고 싶어요.

텃밭 활동의 의미 찾기

해마다 아이들에게 어떤 작물을 심을 것인지 조사하여 씨를 뿌리거나 모종을 심어 가꾸고, 시기가 되면 농작물을 수확하였다. 수확량이 꽤 많을 때도 있었다. 그러나 텃밭에 잡초가 무성히 자라기 시작하면 아이들은 텃밭 가기를 꺼렸다.

4 <흙놀이 활동이 유아의 자연친화적 태도와 감성에 미치는 영향>(2009), 황해익. <청소년 문제행동 완화를 위한 도시농업 체험활동의 효과분석>(2016), 정남식 등.

교사 : 애들아, 오늘은 텃밭에 방울토마토가 얼마나 자랐는지 관찰하고 늘어진 줄기 묶어주러 가자.

현◯ : 헉! 선생님 모기가 많아서 싫어요. 오늘 너무 더워요.

예◯ : 악! 거미가 너무 무서워요.

시간이 흐를수록 학생들은 텃밭을 돌보거나 농작물의 자람에 관심을 가지기보다 농작물을 수확하는 일회성 행사로 끝나 텃밭 활동에 아쉬움이 남았다. 텃밭 관리는 교감 선생님과 행정실 주무관님들의 일거리가 되어갔다. 물론 텃밭 활동에서 아이들의 손길이 미치지 않는 곳은 선생님의 몫이긴 했으나, 아이들이 조금 더 관심과 책임을 느끼고 텃밭 활동에 참여해주기를 바랐다.

마을 학교 선생님에게 모종 심기 방법 배우기(2021년 4월)

텃밭 활동의 중요성과 의미를 알고 있으나, 농사 경험이 없는 교사들에게 텃밭 활동은 어려웠다. 무성히 자라는 잡초는 행정실 주무관님의 손을 빌리기에도 한계가 있었다. 방법을 찾아보기로 했다. 2021년에는 인근 마을 학교의 선생님과 주민들의 손을 빌려보기로 했다. 마을 학교에도 텃밭 가꾸기 활동이 있으니 학교의 텃밭도 관리해 주기로 한 것이다. 마을 학교 교사는 농작물 심기를 아이들과 함께해 주었고, 친환경 표지판을 아이들과 같이 만들어서 꽂았다. 아이들이 만든 표지판의 이름은 창의적이었고, 텃밭에 생동감이 도는 것 같았다. 마을 주민들이 가지치기와 잡초 제거에 도움을 주기도 했다.

마을 학교 선생님에게 모종 심기 방법 배우기(2021년 4월)

아이들에게도 텃밭 활동에 대한 사회적인 목적의식을 심어주고 싶었다. 나의 작은 손길이 다른 사람에게 큰 도움이 될 수 있다는 것을 실감하게 해 주고 싶었다. 그래서 텃밭 농작물을 기부활동으로 연계하는 '스쿨팜 프로젝트'를 계획하고 실천해 보기로 하였다. 학교 텃밭 농작물을 전교생과 교직원에게 나누는 것은 일반적인 일이다. 하지만 이번 프로젝트는 색깔이 조금 다르다. '스쿨팜 프로젝트'는 내가 기른 농작물을 판매하고 그 수익금을 기부해서 사회에 환원하는 것이다.

교사 : 학생들이 기른 농작물을 로컬푸드에 판매할 수 있을까요? 많은 금액의 돈을 벌려고 하는 것은 아니고요. 아이들이 기른 농작물을 판매해서 그 수익금을 사회 복지기관에 기부하면 좋을 것 같아서요. 아이들이 기른 농작물은 무농약 채소입니다. 텃밭 활동에 교육적 의미를 살리고 싶어서요.

로컬푸드 관계자 : 네. 교육적으로 의미 있는 일입니다만 조금 어려움이 있습니다. 저희도 내부적으로 협의해서 방법을 찾아 보고 연락을 드리도록 하겠습니다.

며칠 후 로컬푸드 관계자에게 전화가 왔다. 로컬푸드 매장 판매대에 올라오는 농작물은 무농약 재배 인증 농가만 가능하므로 학교에서 재배한 채소는 판매대에 내놓을 수 없다고 했다. 하지만 친환경 농업의 공익적 가치확산을 위해 학교에서 재배한 농작물을 로컬푸드 자체에서 매입하고 그 매입금을 학교로 주겠다고 했다. 로컬푸드에서 매입한 농작물은 매장에 전시하지 않고 바로 나주시 사회복지기관 3~4군데에 식재료로 나누어 준다고 했다. 노안남초 텃밭 농작물이 모양은 볼품없었지만, 무농약 채소에 맛도 좋다고 사회복지기관에서 반긴다는 후문이 들려오기도 했다. 사회복지기관은 농작물도 기부받고 나중에 판매 수익금도 기부받는 일거양득이 되는 것이다. 로컬푸드는 마을 농민회와 연계하여 농작물 재배기술과 관리에 대한 조언을 학교에 해 주기로 약속도 했다. 농작물 나눔과 판매 수익금 기부 실천으로 농업의 공익적 가치를 학생들이 실질적으로 체험하는 기회를 갖게 되는 것이다.

나주 이화영아원에 농산물 판매 수익금을 기부

얼마 후 나주농업진흥재단과 MOU를 체결하고 서로 돕기로 하였다. 나주농업진흥재단에서 텃밭 농산물의 공급과 기부에 관한 사항, 지역 농산물과 건강한 식문화의 교육에 관한 사항, 기타 지역 농산물 교류 활성화에 관한 사항 등을 도와주기로 하였다.

7월에 접어들어 농작물 수확할 때가 되었다. 모양이 예쁘지 않았지만 싱싱한 오이고추와 가지가 꽤 많이 열렸다. 주 2회 수, 금요일에 텃밭 농작물을 수확하여 로컬푸드에 보냈다. 로컬푸드는 학교에서 가져간 농산물을 지역의 나주 사회복지관 세 군데(백민원, 금성관, 이화영아원)에 공급하였다. 판매금의 많고 적음을 떠나 텃밭 활동에 나눔과 기부라는 교육적 의미에 중점을 두었기 때문에 수익금은 얼마 되지 않을 것이라고 예상했다. 그런데 판매 수익금이 623,300원이나 되어 아이들도 나도 깜짝 놀랐다. 수익금 전액을 학생회 임원들과 함께 이화영아원에 기부하였다. 기부금은 이화영아원 아이들이 사용할 바디로션과 손 세정제 구입에 사용되었다는 소식을 듣고 나와 아이들은 모두 뿌듯해하였다.

나주 이화영아원에 농산물 판매 수익금을 전액 기부

민○ : 우리가 열심히 농작물을 심고, 물도 주고 잡초도 뽑고, 수확해서 그 농작물을 아동복지시설에 기부하니 정말 보람차요.

서○ : 텃밭 활동을 하며 땀도 많이 나고, 특히 모기를 싫어해서 힘들었지만, 열심히 고추와 가지를 키웠어요.

또한, 농약 제로! 친환경 농업으로 지구 살리기, 우리 농산물 로컬푸드 이용 캠페인, 주 1회 채식 급식 도입에 대한 찬반 토론, 음식물 잔반 줄이기 챌린지 등 2050 탄소중립 실현과 관련된 친환경 프로그램을 실천한 사례를 '2022. 제2회 친환경 농업 가치확산 경진대회'에 제출하여 좋은 결과를 얻었다. 대회 수상금 중 일부를 또 기부하면 좋겠다는 학생들의 의견에 따라 사회복지법인 나주 백민원에 백만 원을 기부하여, 한 해를 보람차게 마무리할 수 있었다.

"나눔과 기부 실천으로 훈훈한 한 해를 보냈어요."

교사 임미희

노안남초는 면 단위 농촌학교이지만 학생들의 70% 이상이 빛가람동 혁신지구에 거주하여 도시 생활권에 살고 있습니다. 그래서인지 텃밭을 통한 생태환경교육에 대한 학생, 학부모 만족도는 95% 이상입니다. 텃밭에서 흙을 밟고 모종을 직접 심어 가꾸며 농작물의 성장을 관찰하고 수확하는 것은 학생들에게 보람되고, 학교생활 중 큰 기쁨이기 때문입니다. 올해는 텃밭 농작물을 잘 길러 판매하여 수익금을 기부하자고 제안하니 아이들이 동의해 주었고, 더 적극적으로 텃밭 활동에 참여해주었습니다. 나눔과 기부의 실천으로 더욱 빛나는 '스쿨팜 프로젝트' 덕분에 학생들과 의미 있고 훈훈한 한 해를 보냈습니다.

"텃밭 농작물을 기부한다니 기쁨이 2배가 되었어요."

5학년 최○림

더운 여름 텃밭 활동을 하면서 모기도 물리고 땀도 많이 나고 했지만, 텃밭 활동이 끝나면 바구니에 한가득 쌓여있는 오이고추와 가지를 보며 우리 반 친구들은 서로 뿌듯해 했어요. 키운 농작물을 우리가 먹지 못해도 기부한다고 하니 기쁨이 두 배가 되었어요. 처음으로 모종을 텃밭에 심고 '이 친구들이 언제 크지'라는 생각을 했는데, 우리 어린이 농부들의 관심과 사랑을 받으며 쑥쑥 잘 자라 준 오이고추와 가지에게 고맙다고 해 주고 싶어요.

요술 텃밭

5학년 김○희

7월 햇볕이 쨍쨍해요
머리가 뜨끈뜨끈해요
이마에는 땀이 송글송글

7월 햇살 먹고 생명의 땅 텃밭
핫얼얼로오이 고추
큼직큼직 쑥쑥

7월 햇살 먹고 생명의 땅 텃밭
가지가지 예쁜 가지
탱글탱글 쑥쑥

아삭아삭 된장친구 오이고추될래
보라보라 맛난 가지볶음될래
오이고추와가지가
익어가요

어린 농부들의 학교 텃밭 이야기

어느 교사의 텃밭 일기

노안남초 텃밭은 본관 건물 뒤편에 있다. 정확하게는 학교 담을 넘어 골목길을 하나 건너 왼편으로 조금 걸어가면 텃밭을 만날 수 있다. 그곳에 텃밭이 언제부터 있었는지는 모르겠다. 분명한 건 텃밭 이전에는 관사가 있었고 지금은 관사 대신 텃밭이 자리하고 있다는 것이다.

많은 혁신학교에서 이런저런 이유로 텃밭 가꾸기 활동을 하고 있다. 아이들의 노작교육을 위해, 생태교육의 목적으로 혹은 또 다른 이유로 텃밭 가꾸기 활동을 한다. 하지만 많은 경우에 텃밭 활동의 의미와 필요성을 꼼꼼하게 살펴보지 않고 그동안 해왔으니까, 텃밭에서 수확물을 얻으면 좋을 것 같으니까 텃밭 활동을 하는 경우도 많은 것 같다.

도심 속에 자리한 학교에서 텃밭 활동을 한 경험이 있었다. 학교 운동장을 둘러싼 화단을 텃밭으로 개조해서 만든

거라서 넓기는 무척 넓었으나 땅은 별로 좋지 않았던 것으로 기억한다. 학급별로 토마토, 상추, 감자 등을 심었었다. 심을 때는 모두 신기하고 즐거운 경험으로 여겨 꽤 적극적으로 참여했던 기억이 있다. 어서 싹이 트고 열매가 열리기를 기대하면서 모종을 심은 뒤에 얼마 동안은 매일 찾아가서 물도 주고 관심을 가졌다. 학급의 아이들은 당번을 정해 돌아가며 아침마다 물을 주었다. 몇몇은 애정을 갖고 열심히 물도 주고 자세히 관찰하면서 "조금 자랐어요." 씨앗을 뿌려둔 경우엔 "싹이 텄어요."라며 심은 작물이 자라는 모습을 신기해하며 관찰하고 이야기꽃을 피우기도 했다.

하지만 대부분 아이들은 식물에 물을 주기 위해 교실에서 꽤 먼 텃밭까지 무거운 물조리개를 들고 가는 것을 힘들어했고, 식물이 자라는 모습에 심드렁했던 것으로 기억한다. 토마토를 따는 수확을 즐겼던 것 같기는 하나, 텃밭을 돌보고 아이들이 관심을 두도록 만드는 것은 언제나 교사인 나의 몫이었다. 텃밭을 가꿔본 경험도 전혀 없었던 터라 텃밭 활동은 실수의 연속, 힘든 과정의 연속이었다. 힘들게 가꾼 뒤, 수확의 기쁨을 기대하며 주말이 지나 학교에 갔을 때, 수확물이 사라진 것을 보는 것도 고단함을 배가시키는 요소였다. 그 속에서 나는 재미를 느낄 수 없었다.

하지만 아이들에게는 딱딱한 책상에 앉아있지 않고, 지루한 교실 수업을 벗어나 뭔가를 손에 들고 흙을 다지고 파는 과정들이 하나의 즐거운 놀이였던 것 같다. 텃밭 가꾸기의 고단함. 수확의 즐거움, 보람은 모를지라도 새로운 체험을 한다는 것만으로도 아이들은 행복해했었다.

노동의 보람과 수확의 기쁨을 기대하며 호기롭게 시작한 텃밭 활동은 한 달 두 달이 지나, 여러 체험학습과 교실 활동으로 차츰 잊혀갔다. 그러는 사이 교장 선생님과 행정실 주무관 선생님이 열심히 물을 주고 돌본 덕에 작물들은 무럭무럭 자라났고, 토마토는 덩굴 형태로 뻗어 나가 정글 숲을 이루고 아이들이 텃밭에 쉽게 들어갈 수 없는 상태가 되어갔다. 이렇게 힘든 텃밭 가꾸기 활동, "왜 해야 할까?"라는 의문이 조금씩 생기기 시작했다.

도심 속 학교를 벗어나, 면 소재지에 있는 현재의 노안남초등학교에 발령받아 근무하게 되었다. 그리고 이곳에서 다시 텃밭을 만났다. 하지만 이때 다시 만난 텃밭은 예전에 알고 경험했던 텃밭이 아니었다. 나주로 이사를 와서 가족 텃밭 활동을 3~4년 경험한 터라 자신감과 기대감으로 만나게 된 텃밭이었다.

가족 텃밭 활동을 통한 성공의 경험을 얻었고, 관심과 애정을 쏟아 준 만큼 작물이 예쁘고 튼실하게 자라준다는 것을 알게 되었다. 학교 텃밭 활동을 통해 아이들도 작물에 대해 조금 더 알게 되고 사랑하게 되기를 바라면서 학교 텃밭을 바라보았다.

그런데도 2019년 텃밭 활동은 아주 어설펐다. 어설픈 상태에서도 여러 가지 시도들을 해보았다. 방울토마토가 튼실한 열매를 맺기를 바라는 마음에 달걀 껍데기를 아이들과 함께 모으고, 비료 대신 달걀 껍데기를 가루로 만들어 뿌리면서 아이들이 기뻐할 만큼 토마토가 잘 자라주기를 바랐다. 그러면서 비가 내리면 텃밭에 물을 주지 않아도 되니 안도하고, 멀리서 바라본 토마토가 키가 훌쩍 크는 걸 보면서 혼자 잘 자라는 토마토에 감사하기도 했다.

2019년 그해는 어설프게 관심쏟은 것 이상으로 수확이 좋았다. 사실 내가 관심을 쏟지 않아도 손, 발 걷고 텃밭을 가꾸는 우렁각시가 있었음을 뒤늦게 알고 그 덕에 수확물이 그만큼 있었음을 깨달았더랬다.

2022년 텃밭 일기

감자 심기

1학년 프로젝트 활동으로 '감자 프로젝트'를 하자고 마음먹고 계획했다. 감자 프로젝트는 씨감자를 구해서 3월 말경 심는 것에서 시작해야 한다. 아니 그보다 '감자 프로젝트'에 대해 아이들에게 설명하고 계획을 함께 세워야 한다.

그런데 학교에서 3월은 제정신으로 뭔가를 준비하고 계획하도록 내버려 두지 않았다. 마음만 있었지 실행을 못 하고 있던 중에 다른 학교 선생님의 도움으로 씨감자를 얻을 수 있었다. 얻은 씨감자를 네 도막 낸 뒤 감자 싹이 위로 향하게 하여 씨감자를 아이들과 함께 심었다. 3월 말에 심어야 하는데, 보름 정도 늦은 4월12일에 심게 되었다. 보름 정도 늦은 심기라서 감자 수확에 대한 기대는 접고 꽃이라도 보자는 생각으로 심었다. 그러다가 조그마한 감자라도 얻게 되면 더욱 좋겠다 싶은 마음도 있었다.

그러던 것이 싹이 돋고, 점점 커가니 감자 잎이 그렇게 예뻐 보일 수가 없었다.

텃밭에 씨감자를 심는 아이들

모종 심기(2022. 5. 2.)

'어린이 농부들의 행복한 나눔'이라는 목표로 텃밭 활동을 시작했다. 나주 농가에서 도움을 주기 위해 나온 한 농민으로부터 모종을 심는 방법, 주의해야 할 점 및 작물의 특성에 관해 설명을 들었다. 어린이 농부들은 조심스럽게 땅을 파고 모종을 심은 뒤, 잘 자라길 바라는 마음을 담아 작물을 응원하는 말을 남기는 등 텃밭 활동에 진지한 모습을 보여주었다.

어린이 농부들이 텃밭 활동을 통해 수확한 고추, 가지 등의 농작물은 나주시 로컬푸드에 판매하고 수익금을 나주 지역 복지시설에 기부하는 등의 나눔 사업을 2021년에 진행한 바 있었다. 2022년에도 작년에 이어 수확 농작물 판매 수익금을 기부할 예정이다. 노안남초 어린이들은 작년에 이은 스쿨팜 활동에 기대감을 보이며, 어린이 농부들이 직접 심은 가지, 고추 등이 잘 자라 올해도 잘 판매하여 기부를 많이 할 수 있기를 바라고 있다.

텃밭을 가꾸는 1학년 아이들

자동급수기(2022.5.6.)

텃밭 활동을 하다 보면 아이들은 모종을 심을 때만 잠깐 활동을 하고, 학교 주무관님들이 주로 텃밭을 돌보게 된다. 일반적으로는 그렇다는 이야기다. 아이들이 심은 모종을, 주무관들이 힘들게 물주고 지주 끈을 묶어줘 가며 키우고, 그 모종이 자라 열매를 맺으면 그때 아이들은 열매 따는 활동을 하러 온다. 물주기, 김매기, 순 따기, 지주 끈 묶기 등 작물을 일상적으로 돌봐주는 활동은 어른의 몫이고 열매를 따는 활동은 아이들이 차지하는 것이다.

텃밭 활동의 모순을 느끼면서 '텃밭 활동의 목적이 무엇인지?'에 대해 생각해보면서 텃밭 활동의 수준을 정리해 보았다.

첫째, 텃밭 활동 시간에 교사가 아이들을 데리고 다니면서 활동방법을 알려주고 간단한 작업을 하도록 안내하는 것은 초보적인 수준의 텃밭 활동으로, 아이들은 작물을 심고, 심은 작물의 열매를 수확하는 것이 대부분의 텃밭 활동을 차지한다.

둘째, 여러 작물을 심고 관찰하여, 고추, 호박, 토마토 작물 등 다양한 채소에 대해 알게 되는 수준의 텃밭 활동은 초보적인 수준의 텃밭 활동이지만 여러 해 반복하다 보면 열매가 보이지 않아도 잎만 보고도 고추인지 호박인지 구별하게 된다.

셋째, 작물을 심고 키우면서 직접 가꾸는 작물에 대해 애정을 갖고 수확한 작물을 소중히 여기며, 채소를 잘 먹게 되는 수준의 텃밭 활동. 아이들은 자주 살펴보고 가꾸면서 직접 가꾸는 작물이 어느 정도 자랐는지, 꽃은 피었는지, 첫 열매는 언제 맺는지 지켜보면서 열매를 소중히 여기고, 심은 작물에 관한 관심과 애정을 갖게 된다.

넷째, 작물을 심고 키우는 과정에서 작물의 특성을 이해하고, 작물을 조심히 다루고 돌보면서 생명의 소중함을 일깨우는 수준의 텃밭 활동. 아이들은 작물을 키우며 관찰하는 중에 새순, 꽃, 벌레 등을 보고, 작은 생명을 직접 대하면서 생명의 소중함에 대해 생각해보게 된다.

다섯째, 작물을 심고 가꾸면서 작물의 소중함뿐만 아니라 모든 생명이 소중하고 너와 내가 모두 소중한 존재임을 깨닫는 텃밭 활동. 사람의 성장 과정까지 연결 지어 함께 살펴보고, 우리의 사소하지만 무심한 행동 때문에 작물이 영향받고 상처받는 것을 보게 되면 우리 모두를 소중히 여기고 상처 주지 말아야 함을 알게 된다. 이것은 교사의 의도적인 교육 활동이 매개되는 것을 전제로 한다.

여섯째, 작물을 심고 가꾸는 활동이 지구의 온도를 낮추고 기후 위기 대응 활동임을 이해하고 반려 식물을 가꾸는 활동에 적극적으로 임하는 텃밭 활동. 열매 수확의 목적을 넘어 식물을 심고 가꾸는 활동이 탄소중립 실천 활동임을 이해하며, 텃밭 활동, 노작 활동의 의미를 깨닫게 되고 적극적으로 텃밭 활동에 임하게 된다.

일곱째, 작물을 심고 가꾸면서 기후 위기 대응 활동을 적극적으로 하면서 비건을 실천하는 텃밭 활동. 아이들은 탄소중립 실천을 넘어 수확한 작물을 활용한 요리로 비건을 실천한다. 일곱째 텃밭 활동의 목적은 상당한 수준과 의식을 필요로 한다.

우리 아이들은 어떤 마음에서 텃밭 활동을 할까? 몇 년간 꾸준하게 해오던 활동이니까, 담임 선생님이 하라고 하니 텃밭 활동을 하는 것은 확실하다.

그렇더라도 심은 뒤 가꾸지 않고 열매를 수확하는 활동만 하는 것은 아니다 싶어 아이들이 직접 물을 주는 방법을 고민했다. 그러다 찾은 것이 페트병 자동급수기다. 플라스틱으로 만든 제품인 것이 못내 아쉬웠다. 플라스틱을 남용하는 것만 같아 찝찝했지만 그래도 아이들이 직접 작물을 가꾸는 방법이라고 생각했다. 500mL 페트병에 물을 채운 뒤 자동급수기에 거꾸로 끼우고 작물이 상하지 않도록 작물 옆에 급수기를 꽂는다. 그러면 급수기 아래쪽에 살짝 열어둔 밸브를 통해 페트병 물이 사라질 때까지 물이 한두 방울씩 계속 떨어져 작물에 천천히 물을 주게 된다. 두어 번 사용하면 요령이 생겨 물주기가 수월해진다. 다만 아쉬운 것은 500mL 페트병 입구에만 맞는 급수기라서 물을 그 이상은 줄 수 없다는 것이다.

자동급수기 사용법을 충분히 설명해 주지 않으면 익숙하지 않아, 요령이 없는 아이들은 물주기를 어려워한다. 그래도 아이들이 자주 찾아가 물을 주면서 토마토가 어느 정도 자랐는지, 땅은 말랐는지 확인할 수 있다는 것이 좋은 점이라고 생각했다.

텃밭에 꽂아둔 자동급수기

딸기밭

딸기는 여러해살이풀이다. 노안남초 뒷마당에는 딸기가 심겨 있다. 언제 딸기를 처음 심었는지는 모른다. 2019년에만 해도 딸기밭이 크지 않았던 것으로 기억하는데 지금은 뒷마당 한쪽 땅을 거의 잠식한 상태이다.

텃밭을 오갈 때마다 보는 딸기밭은 5월에 딸기 향을 잔뜩 내뿜으며 아이들을 유혹한다. 비료를 준 것도 아니고 특별한 관리를 한 것도 아니라 딸기가 작은 편이다. 그래도 따서 먹어본 아이들은 "딸기가 무척 달다."라고 이야기하곤 했다.

이 딸기밭도 관리하려고 하면 손봐야 할 것이 여러 가지이지만, 딸기밭은 특별히 관리하지 않고 자라는 대로 그대로 두고 보고 있다. 가끔 아이들이 들어가 딸기를 따 먹는 것이 전부이다.

1, 2학년 아이들에게 이 딸기밭은 특히 인기가 있다. 종이컵 하나씩 들고 조심조심 딸기밭의 잘 익은 보물 딸기를 따기 위해 딸기밭을 누비는 아이들은 1, 2학년 아이들일 경우가 많다. 특히 1학년 연○는 딸기와 사랑에 빠졌다. 급식실 가는 길 복도에서 왼쪽 창밖을 내다보면 딸기밭이 보이는데, 초록색 딸기 잎 사이에 새빨간 딸기들이 비쳐 보이면 "딸기 따러 가요."라며 딸기 수확 노래를 부르고는 했다.

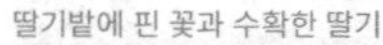
딸기밭에 핀 꽃과 수확한 딸기

딸기를 따는 아이들

고추 순 따기(2022. 5. 20.)

어느 날, 고추 생장점이 사라졌다. 고추 꽃과 열린 고추를 따야 한다고, 방아다리 아래 새순을 따야 한다고 했더니 고학년 아이들이 텃밭 활동을 하면서 고추 새순을 무참하게 잘라버린 것이다. 그것도 아주 열심히 잘라버려서 3~6학년 오이고추가 모두 생을 마감했다.

서둘러 오이고추 모종과 가지 모종을 주문해서 다시 심어야 했다. '어쩔 수 없는 일이지 뭐', 자세히 설명하지 못한 담당자 책임이 컸다.

고추순 정리하는 아이들

고구마 포대에 심기(1)

고구마 순이 남아서 보내주실 수 있다는 학부모님 이야기를 전해 듣고 냉큼 받고 싶다고 말씀드렸다. 사실 학교에는 고구마를 심을 곳이 없다. 고구마도 그렇고 감자도 물 빠짐이 좋은 푸석푸석한 땅에 심어야 한다는데, 학교에는 그런 땅이 없다.

토마토, 고추, 호박 등을 심어 놓은 땅엔 뭔가를 더 심을 수 있는 공간이 없다. 화단에도 마땅한 자리가 없다. 여기저기 돋아난 풀들을 뽑고 심기에는 일이 크고, 꼭 그래야 할까 싶은 것은 고구마를 심기에 적당한 흙이 아니라는 생각도 있다. 그래서 생각한 것이 포대 심기이다.

팻말 만들기(2022. 5. 25.)

텃밭을 학년별로 분양했다. 그리고 텃밭 이름을 직접 만들고 꾸며 보았다. 텃밭 팻말 우수작 심사를 조리사님과 보건 선생님의 주도하에 진행했다.

학급별 텃밭 팻말

수확이랄 수 없는 첫 수확 이야기(2022. 6. 1.)

화요일 저녁때 텃밭에 들러 웃자란 고추를 따고, 시들어버린 감자 줄기를 뽑다가 달려 나온 아주 조그만 감자를 수확했다. 수확이라고는 할 수 없지만….

시들어버린 감자 잎을 안타까워하면서 뽑다가 아주 조그만 감자 두어 알을 발견했다고 하니, 아이들이 오히려 기뻐했다. 시들어 버린 감자 줄기에 감자가 생겼으면 싱싱한 감자 잎에서는 더 많은 감자가 자라고 있을 것이라고.

장마가 오기 전에 수확하는 것이니 장마 소식에 귀를 쫑긋 세우자고 해놓고, 그전에는 감자에 물을 조금씩만 주기로 했다. 물이 많으면 썩을 수도 있으니….

그런데 아이들은 조그만 감자도 집에 가져가고 싶어 했다. 감자 양이 많지 않아서 가위바위보로 가져갈 사람 정했는데, 수○이가 당첨되었다. 그런 아이들의 마음이 예쁘고 귀여워서 감자를 봉지에 담아 보냈다. 건○는 제 책상 위에 놓인 고추를 눈여겨보다가, 집에 가져가고 싶다고 조용히 와서 이야기하기에 가져가라고 했다. 우리 아이들의 첫 수확물인 고추와 감자가 이렇게 사랑받게 될 줄은 정말 몰랐다.

감자와 고추 사진 찍어놓지 못한 것이 조금 아쉽다.

물주기

학교 텃밭은 교실 한 칸 크기 규모의 땅을 텃밭으로 조성한 것이라 6학급의 작은 학교엔 크다고도 작다고도 할 수 없는 텃밭이다. 학교와 이면도로를 사이에 둔 텃밭은 주위에 다른 밭들은 없고, 농촌주택들 사이에 있다.

관사가 있었을 때는 어땠는지 모르지만, 텃밭 가꾸기에 필요한 물을 댈 수 있는 수도와 물 빠짐을 도울 수 있는 배수로가 없는 상태이다. 수도가 없다 보니 학교에서부터 호스를 연결해서 물을 주고 있다. 호스가 도로를 통과해 텃밭으로 연결되다 보니 지나가는 자동차가 호스를 밟을 때 물이 끊길 수도 있고 자동차에 호스가 혹 걸릴까 염려하면서 물을 주게 된다. 배수도 쉽지 않아 비가 이틀 연속 온다거나 장마철일 경우에는 물 빠짐이 거의 되지 않아 땅이 무척 질어진다.

하지만 우리가 농업을 본업으로 하는 농부도 아니고, 가르치는 일과 학교 업무가 우선이기에 텃밭을 개보수하는 일은 행정실의 일로 미뤄두거나 당장 해야 할 바쁜 일에서 밀려나 항상 뒷전에 있었다.

그러나 이제는 텃밭을 아이들이 편하게 드나들고, 아이들이 조금이라도 쉽게 텃밭 활동을 하게 만들고 싶다는 생각에 개보수에 욕심을 내 보고 있다. 그 욕심을 채우기 위해 생각을 거듭하는 중에 물탱크도 생각해보고, 관사 시절 있었음 직한 수도시설도 생각해 본 것이다.

풀베기

김매기란, 작물을 키우는 곳에 자생적으로 생장하는 잡초를 없애는 일'

텃밭 활동의 90%는 풀베기와 물주기일 것이다. 풀베기는 바로 김매기이다. 한 달에 한두 번씩은 김매기를 해줘야 텃밭 작물이 자라는 데 필요한 양분을 잡초에 빼앗기지 않는다.

가족이 함께 돌보는 집 텃밭은 일주일에 한 번씩 잡초 제거를 하고 있다. 호미를 들고 쪼그리고 앉아 작은 잡초도 다 없애겠다는 일념으로, '잡초, 네가 살아남느냐? 내가 살아남느냐?'라는 생각으로 잡초와의 전쟁을 벌인다. 그런데 학교 텃밭의 잡초는 건드리지 못하고 있다.

혼자 감당하기에는 그 규모가 크고, 김매기 방식의 수동적인 작업으로는 힘들다고 생각하여 애초에 다른 방식으로 접근하고자 했다. 바로 잡초매트를 깔기로 한 것! 그러나 잡초매트를 까는 것도 대대적인 작업이라 차일피일 미루다 잡초들이 무성해지는 시점에 이르렀다.

잡초는 자연 상태에서 무한한 생명력과 번식력을 갖고 자라고, 뿌리도 깊어 쉽게 근절되지 않는다. 그렇다고 그냥 놔두니 장마철이 되면 가히 밀림 수준으로 자라게 된다. 이때는 작물인지 잡초인지 구별이 쉽지 않다. 물론 과장이지만!

옛말에 상농(上農)은 풀을 보지 않고 김매기를 하고, 중농(中農)은 풀이 자란 것을 보고 그때 김매기를 하며 하농(下農)은 풀을 보고도 김매기를 하지 않는다고 했다. 나는 중농(中農)이라도 되어야겠다. 오늘내일 비가 좀 온다고 하니 잡초 뽑기가 조금 수월하겠지? 비 온 뒤에 텃밭에 가서 풀과 한 판 전쟁을 벌어야겠다.

조롱박, 작두콩, 수세미(2022. 5. 3.)

다양한 생태환경을 조성하고 싶었다. 관찰할 수 있는 작물의 일종으로 덩굴식물이 우리 학교 건물을 덮고 있다면 좋겠다 싶어 심기로 정한 것이 조롱박, 작두콩, 수세미이다.

'어디에 심을 것인가? 얼마나 심을 것인가?' 고민 끝에 우리 반 운동장 창가에 심기로 했다. 화단 흙은 상태가 좋지 않으니 상자 텃밭을 이용하기로 했고, 끈은 녹화 끈을 이용해서 옥상까지 올리기로 했다.

봄 프로젝트에 맞추어 아이들이 직접 자신의 손으로 심었다. 조롱박 5주, 작두콩 3주, 수세미 3주, 총 11주를 심었다. 그런데 이 녀석들이 너무 예쁘다. 심은 지 한 달 정도 되었는데 하루가 다르게 쑥쑥 크고 있다. 조롱박은 살짝 기대된다. 조롱박이 열리면 어떻게 할지 생각도 해보고 지금은 살짝 들뜬 상태이다.

상자 텃밭에 심어놓은 덩굴식물들

고구마 포대에 심기(2)

학부모로부터 고구마순을 얻어 심었다. 상토 포대를 뜯지 않고 바닥에 놓은 뒤 네 군데 구멍을 뚫고, 구멍 하나에 고구마순 한 개씩 심었다. 가운데에는 물을 주기 위해 구멍을 뚫고 페트병을 거꾸로 꽂아 깔때기 기능이 가능하도록 했다.

심고 난 후 바로 물을 듬뿍 주었다. 한 포대에 20L씩 물을 주라는 블로그 글을 읽은 터라 정확하지는 않지만, 꽤 많이 물을 준 듯하다. 마침 심은 날 밤에 비가 시원하게 쏟아졌다. 다음 날 보니 고구마 순이 비를 맞고 포대 흙 속에 자리를 잘 잡은 듯했다.

6월7일에 심었으니 2주 정도 지났다. 초기에는 수경재배 하듯 물을 많이 줘야 한다고 해서 금요일 퇴근 전에는 한 포대에 10L 정도씩 물을 주고 있다. 칼륨이 고구마 성장에 도움 된다고 해서 칼륨수용액도 만들어 2L 정도 부었다.

무성하게 자라기를 기대하며 매일 출퇴근하며 살펴보는데. 정말 잘 자랐으면 한다.

상토 포대에 심은 고구마순

벌레와의 싸움

2022년 봄은 무척이나 가물었던 때로 기억될 것 같다. 시원하게 비 내리는 날을 무척이나 기다리고 있다. 아니 조금이라도 비가 뿌린다 싶으면 얼마나 반갑던지….

가뭄이 심해서인지 벌레가 갑자기 많아졌다. 특히 진딧물! 토마토가 잘 자라는지 살펴보러 갔다가 토마토 줄기에 새까맣게 달라붙어 있던 진드기를 보게 되었다. 학교 텃밭뿐만이 아니라 가족 텃밭에도 까만 진딧물이 토마토에 달라붙어 있는 것을 보았다. 이건 학교 텃밭만의 문제가 아니구나 싶어 해결 방법을 찾아보았다.

우선, 목초액! 목초액을 300~500배 정도로 희석해서 뿌려주는 것, 그러나 이것은 벌레를 퇴치하는 방법이 아니었다. 목초액은 벌레 기피제로 사용된다고 한다. 뿌려줄 때뿐, 다시 벌레가 찾아온다는 것.

둘째, 난황유액을 사용하는 것이다. 난황유액은 마요네즈 20g을 2L의 물에 넣고 희석해서 만든다. 난황유액을 뿌리면 진딧물의 숨구멍이 막혀 진딧물을 잡을 수 있다는 것이다. 작물의 줄기에 마요네즈를 바르는 방법도 있다. 마요네즈를 바르면 벌레가 줄기에서 미끄러진다고 한다. 하지만 이것도 임시방편일 뿐이었다. 빗물에 난황유액이나 마요네즈가 씻기면 벌레는 다시 찾아올 수 있다고 한다.

셋째, EM 용액을 희석해서 사용하는 방법이다. 아직 이 방법은 써보지 않았다.

넷째, EM 용액이 효과가 없으면 시판 중인 '바이오킬 용액'을 구매해서 써볼 생각이다.

다행히 비 온 뒤에 진딧물이 좀 줄어들었다. 아니면 무당벌레 덕일 수도 있겠다. 무당벌레가 많아진 것을 보니 확실히 그 덕일 수 있다.

다시 정리해 본 텃밭일지

1. 밭 갈기, 퇴비 주기, 멀칭(mulching)하기

비닐멀칭은 고민을 많이 해야 한다. 생분해 비닐을 사용했으나 더 친환경적인 방법이 있는지 고민해야 한다.

(2022.04.18.)

2. 지주대 세우기

학교에 남아 있던 지주대를 주무관님이 세워주셨다. 지주대가 코팅된 것이었으면 좋았겠다. 코팅이 안 된 것은 작물이 지주대가 받은 열을 고스란히 전달받아 작물이 뜨거워진다고 한다. 쇠막대보다는 대나무막대가 좋겠으나 그것을 어디서 구할 수 있을까?

(2022.04.20.)

3. 심기

호박 심기(2022.04.20.) 모종 심기(2022.05.02.)

4. 물주기

(2022.05.02.)

5. 자동급수기 설치

(2022.05.04.)

6. 지주 끈 묶기, 곁순 따기

(2022.05.20.)

7. 팻말 만들기

8. 수시로 작물 관찰하기, 관심 두기

모든 텃밭 활동에 앞서 아이들과 텃밭 활동의 목적을 세우고, 어떤 작물을 심을 것인지 토의하는 것이 먼저다. 이 과정이 없으면 텃밭 활동의 주인으로 아이들을 세울 수 없다.

학교 텃밭에서 가꾼 작물들

감자 수확 (2022. 6. 20.)

장마가 온다는 소식에 주말 동안 고심을 거듭했다. 장마 전, 하지에 수확하는 감자를 하지 감자라고 해서 '감자를 캐야 할 때'가 왔다고 전해주는 사람들이 있었다. 그렇다면 우리 반 감자도 캐야 하나? 감자는 보통 90일은 키워야 크기도 적당하고 맛이 든다고 하는데, 우리 반 감자는 70일 정도 되었다. 그리고 올해는 가뭄이 심해 감자 농사가 다들 잘 안되었다고 하던데…. 어찌해야 하나 고민하던 끝에 비가 정말 오는지 일기예보를 매일 확인하면서 최대한 수확 시기를 늦춰야지 생각하고 있었다.

아이들도 별 이야기가 없기에 '아직 장마에 대해 들은 바가 없구나'라고 생각하고는 아이들에게 감자에 대해서 한마디도 하지 않고 오전 수업을 마쳤다.

텃밭 사랑에 빠진 연○가 점심 먹고 토마토를 보러 가자고 해서 방울토마토 구경을 하러 점심시간에 텃밭에 가기로 약속했다. 그리고 오전 수학 시간에 아이들이 '십몇'과 '십씩 묶어 세기'를 배운 터라 방울토마토를 키울 때 알아두면 좋은 것을 수 세기를 빌려 설명했다.

방울토마토가 열리면 토마토를 12개까지만 남겨두고 한 가지에서 13개 이상의 토마토가 열리지 않도록 잘라주는 것이 좋다고 알려주었다. 점심시간에 토마토를 함께 보러 간 아이들은 한 가지에 매달린 방울토마토의 개수를 열심히 세고는 끝부분을 잘라냈다. 수를 정확히 세지 않으면 토마토가 자칫 맛이 없어질 수 있다고 협박 아닌 협박을 해놓으니 텃밭에 찾아간 아이들 모두 방울토마토 개수 세기에 열심이었다.

그러다 더 셀 방울토마토 가지가 없게 되자 교실로 돌아가려고 하던 중, 잎과 줄기가 모두 사라진 감자밭을 보게 되었다. 감자가 주말 동안 모두 시들어버린 것인가 하고 갸우뚱하던 차에 주변의 잡초가 모두 정리된 것을 보았다. 잡초를 정리하신다고 누군가 예초기를 사용하신 것 같은데, 그 예초기 칼날에 감자 잎과 줄기가 모두 베어진 것 같았다.

가슴이 아팠지만, 이왕 이렇게 된 것, 감자를 캐야겠다고 생각하고 교실에 남아 있던 아이들까지 모두 데리고 와서 감자 캐기를 했다. 아이들 주먹만 한 것에서부터 메추리 알보다 작은 감자알까지 다양한 크기의 감자가 흙 속에 있다가 아이들 손에 하나둘 땅 밖으로 나왔다. 더워서 땀방울을 흘리면서도 감자를 캐는 즐거움에 잠시 빠졌다. 감자 옆에 비트도 함께 수확했다.

감자는 일주일 정도 보관해두었다가 아이들하고 구워 먹기로 했다. '혹 비트가 필요하신 분은 신청해주세요'라고 부모님들께 알려드렸다. 한 분 정도 보내드릴 수 있을 것 같았다.

텃밭에서 감자를 캐는 1학년 아이들

조롱박 만들기(2022. 7. 20.)

우리 반 녹색 커튼(조롱박, 수세미 덩굴)에서 드디어 수확물을 얻었다. 방학 동안 돌보지 못할 것을 염려해 조금 단단해진 조롱박을 수확했다. 손톱으로 꾸욱 눌러보니 단단하게 익은 듯하여 아이들과 조롱박을 열두어 개 수확해서 집에 가져가고 싶은 아이들에게 나눠주고, 남은 것은 집으로 가져왔다.

그 이틀날 예○이 어머님으로부터 연락이 왔다.

"어제 가져간 조롱박으로 예○이가 바가지 만들었습니다."

연락을 받고는 조롱박을 어떻게 만드셨는지 여쭈어 나도 따라 만들어봤다. 흥부가 박을 가를 때 왜 톱을 사용했는지 이해할 수 있을 정도로 박 자르기가 쉽지 않았다. 심지어는 박을 자르다가 손가락을 칼에 베이는 상처를 입기도 했다. 박을 반으로 쪼갠 뒤, 속을 긁어내고 냄비에 담아 한 시간 넘게 삶았다. 삶은 뒤 살펴보니 박이 어느새 갈색으로 변해있었다. 삶아진 박을 숟가락으로 살살 긁어 껍질을 벗겨냈다. 그리고 그늘에 두고 일주일 이상을 말렸다.

조롱박 만들면서 박 속에 있던 씨앗(박씨)은 '내년에 다시 학교에서 심을 수 있겠지'라는 기대감을 갖고 따로 담아놓았다.

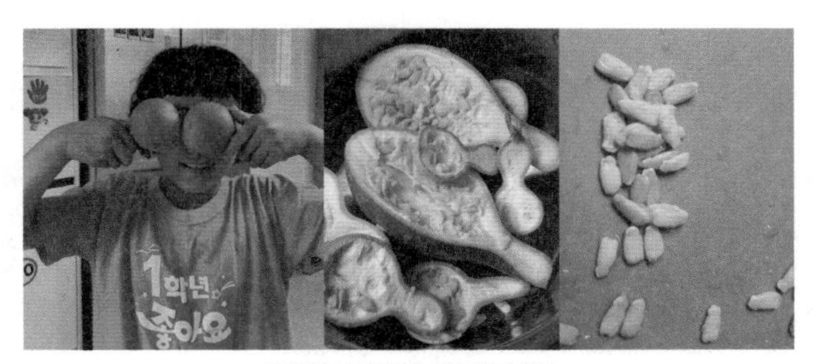

조롱박으로 바가지를 만든 1학년 학생

수세미 수확(2022. 9. 26.)

이번엔 수세미다. 어느새 갈색으로 변해 덩굴에 매달린 수세미를 보며 언제 수확해도 되는지 궁금했었다. 만져보니 푸석푸석하게 껍질이 부서지고 그 안에 그물처럼 자리 잡은 속이 보였다.

'아! 수확해도 되겠구나!'

잘 익은 수세미 한 녀석을 교실로 가져와 아이들과 함께 껍질을 벗겨냈다. 벗겨내니 그 속에 있는 검은 씨앗이 우수수 쏟아진다. 씨앗이 무척 많았다.

수세미 수확을 두 개밖에 하지 못했으나, 수세미가 워낙 크기에 자르면 열두 명의 아이들 모두 나눠 가질 수 있을 것 같았다. 작게 자른 수세미를 비닐에 하나씩 담아 나눠주는데, 아이들 모두 씨앗도 담아달라고 성화를 하기에 씨앗도 넉넉하게 넣어주었다. 이렇게 자른 수세미를 그냥 쓰다가 혹 문제가 생길까 염려가 되어 부모님들께는 한 번씩 삶아서 쓰시도록 부탁드렸다.

껍질을 벗겨낸 수세미와 수세미 씨앗

가을 농사 시작

수세미와 조롱박을 심었던 상자 텃밭을 정리하고 쪽파, 적환무, 완두콩을 심었다. 작두콩은 아직도 영그는 중이라 수확을 미루고 있다. 뒷마당 수세미도 아직 자라는 중이고 11월쯤에 수확할 수 있을지 기대해보고 있다.

상자 텃밭에 쪽파, 완두콩 등을 심는 1~2학년 아이들

상추씨

상자 텃밭에 완두콩, 적환무, 쪽파를 심은 후 그림책 「상추씨」를 함께 읽었다. 상추씨를 심고 키우며 한 장 한 장 따서 요리해 먹는 모습과 상추가 꽃을 피운 후 씨앗을 얻는 모습이 나온다. 책 끝부분에 상추씨를 곱게 접은 색종이 속에 담아 선물로 건네는 장면이 나오기에, 상추씨를 준비해서 아이들에게 직접 나눠주었다.

아이들이 집에서 상추씨를 심고 키우는 경험을 해봤으면 좋겠다고 생각하며, 교사인 내가 먼저 상추 키우는 모습을 보여주고 함께 이야기 나눌 수 있기를 바라며 집안에서 '상추 키우기'를 직접 시도해보았다.

그림책과 상추씨 선물

겨울무, 쪽파 수확(2022. 12. 8.)

늦게 심은 탓인지, 품종 탓인지 겨울무의 크기가 알타리무 크기 정도로밖에 자라지 않았다. 그래도 더는 두면 추위에 얼어버릴까 염려가 되어 수확하기로 하고 아이들과 함께 텃밭으로 갔다.

흙 속에서 고개를 빼꼼 내밀고 있는 녀석들을 잡아당기니 쑥 뽑힌다. 수확 전에 아이들에게 읽어준 그림책 [커다란 순무]의 내용이 무색하다. 우리 아이들은 무 뽑기가 '세상에서 제일 쉽다'라며 의기양양해서는 밭을 종횡무진하며 무 수확을 끝냈다.

텃밭의 무 뽑기를 끝내고 상자 텃밭에 심은 쪽파, 빨간 무도 수확을 해서는 사이좋게 나눠서 집으로 가져갔다. 민○이의 어머니로부터 소소한 후기도 전해 들을 수 있었다.

"민○이는 남은 쪽파를 자기가 몽땅 가지고 왔다며 너무나 의기양양한 모습으로 하교하였고, 쌍둥이 민○이는 귀여운 빨간 무를 소중하게 꺼내서 보여주었답니다. 무는 제 요리 실력이 부족한 탓에 생식으로 먹어보려고 하였으나, 동치미 무는 너무 매워서 그대로 다시 냉장고에 넣어 두었어요. 넉넉히 가지고 온 쪽파로는 해물파전을 해서 할머니네랑 넉넉히 나눠 먹을 수 있었습니다. 아이들도 직접 기른 채소라서 그런지 잘 먹어 뿌듯하였답니다."

직접 수확한 쪽파와 무로 요리해 먹는 아이들

●●●●

실내놀이터 공간조성, 다목적실 공간 개선 등의
학생, 보호자, 교직원들의 아이디어와 노력이 담긴
공간혁신에 대한 이야기를 정리하였습니다.

우리들의 공간주권 이야기

어린이들의 놀 권리 보장을 위한 실내 놀이터 완공

2021. 11. 8.
전남교육 통

어린이들의 놀 권리 보장을 위한 실내 놀이터 완공

포르쉐코리아 후원 및 초록우산어린이재단 지원으로 실내 놀이터 마련.

노안남초는 2021년에 포르쉐코리아로부터 6천3백만 원을 후원받아 실내 놀이터를 건립하였다. 이 사업은 초록우산어린이재단이 주관하는 '드림플레이 그라운드' 실내 놀이터 조성사업으로 날씨와 환경의 구애를 받지 않고 어린이들이 자유롭게 놀 수 있는 권리를 보장하기 위한 것으로 초록우산어린이재단이 주관하고 포르쉐코리아가 후원하는 사업이다.

노안남초는 2021년 5월 초에 초록우산어린이재단의 '실내 놀이터 공간 조성사업'에 선정되어, 학생·학부모·교사 3주체가 적극적으로 실내 놀이터 공간조성에 참여하여 실내 놀이터를 만들었다. 안 쓰는 책상과 의자 등 사무집기 등이 놓여있던 창고와 다름없는 자투리 공간을 어린이들의 놀이공간으로 변모시키기 위해, 인근의 멋진 실내 놀이터를 탐방하고, 공간 혁신 연수도 함께 들으면서 어린이들이 원하는 실내 놀이터를 만들기 위해 연구를 거듭하였다. 어린이들과 학부모들은 디자인 공모 및 놀이터 공간 이름 만드는 과정에 참여하였으며, 교사가 직접 현장감독을 맡아 아주 사소한 부분까지 살펴 가며 놀이터를 완성했다.

노안남초 어린이들은 디자인 설계 과정에서 저학년 어린이들과 고학년 어린이들의 놀이터 공간에 대한 다른 욕구를 보였다. 저학년 어린이들이 원하던 놀이터는 트램펄린, 미끄럼틀, 정글짐 등이었으나 고학년 어린이들은 만나서 이야기 나눌 수 있는 오붓한 카페 공간을 바라는 전혀 다른 모습을 보였다. 이에 노안남초에서는 트램펄린과 미끄럼틀이 갖춰진 실내 놀이터 공간과 만나서 이야기 나눌 수 있는 이야기 공간을 마련하여 저학년과 고학년 어린이들의 욕구를 모두 만족시킬 수 있도록 했다. 또한, 강당 벽면을 활용하여 암벽오르기 활동을 할 수 있는 공간을 마련하여 저학년, 고학년 구별 없이 마음껏 신체활동을 할 수 있도록 하였다.

또한, 놀이터 작명 과정에도 어린이들이 직접 참여하여 실내 놀이터 공간으로는 '꾸.지.트.(꾸러기들의 아지트)'와 이야기 나눔 공간으로는 '이야기 정류장'이라는 이름을 탄생

시켰다.

위와 같은 과정으로 만들어진 노안남초 실내 놀이터가 지난 11월 1일 드디어 '완공식'을 가지고 어린이들의 품으로 돌아왔다. 1학년 허○원 학생은 "놀 수 있는 곳이 더 많아져서 학교생활이 더욱 즐겁다."라고 했으며, 6학년 김○성 학생은 "놀 수 있는 환경은 마련되었으니 코로나가 어서 끝나서 놀 수 있는 '시간'이 많이 보장되었으면 좋겠다."라고 했다.

이번 실내 놀이터 조성 사업의 현장감독을 맡은 담당교사 박숙현은 "잘 노는 어린이들이 자신감 있게 잘 살 수 있다." 라면서 "어린이들의 놀 권리를 보장하기 위해 창의적인 놀이터가 곳곳에 많이 만들어져야 한다. 어린이들의 놀이터뿐만이 아니라 청소년들이 쉴 수 있는 공간도 많이 만들어져야 한다."라고 밝혔다.

교장 정정하는 "노안남초 어린이들이 맘껏 뛰어놀 수 있게 되어 흐뭇하고, 노안남초가 더욱 좋은 학교로 거듭나고 있어서 자랑스럽게 느껴진다."라고 말했다.

실내 놀이터(꾸지트) 완공식

실내 놀이공간 만들기에 도전!

'드림플레이그라운드' 공모사업에 도전

실천교육교사모임 공지로부터 시작되었다. 포르쉐코리아가 후원하고 초록우산재단이 놀이공간을 조성할 수 있도록 지원한다는 것이었다.

공모에 응하긴 했으나, 전국에서 몇 개 안 되는 학교를 선정하여 지원하는 것이기 때문에 별로 기대는 안 하고 있었다.

실천교육교사모임에서 학교 놀이공간 사업 신청해주신 부분관련해서 전화드렸어요 ~ 통화가능하실때 전화부탁드립니다

공모사업 관련 문자

아직도 그 문자를 저장하고 있다. 설마 하면서 연락을 했더니, 우리 학교가 사업대상자로 선정되었다는 것이었다. '포

르쉐드림플레이그라운드'라는 명칭의 사업으로 우리 학교는 6천3백만 원을 지원받아 놀이공간을 만들 수 있게 되었다.

운동장에 변변한 놀이시설이 없어 야외 생태 놀이공간을 만들고 싶었으나, '드림플레이그라운드'사업은 실내 놀이시설 마련으로 사업의 제약이 있었다. 그렇더라도 학교에 아이들을 위한 시설과 공간이 턱없이 부족했기에 감사한 마음으로 사업을 진행할 수 있었다.

공모에 응하면서 바꾸면 좋겠다고 생각해 둔 공간이 두 군데 있었다. 강당 입구(탁구대와 사용하지 않는 스툴 등을 보관해둔 자투리 공간)와 본관 계단 통로(1~2층 연결 통로)를 개선하면 좋겠다고 의견이 모아진 상태였다.

강당 입구 빈 공간　　　계단 연결 공간

우리 손으로 직접 놀이공간 디자인하다!

우선 아이들이 바라는 놀이공간에 대한 조사가 이루어졌다. 저학년 아이들은 주로 트램펄린, 미끄럼틀, 그네 등 키즈카페에서 볼 수 있는 시설들을 원했고, 고학년 아이들은 자기들끼리 옹기종기 모여 이야기 나눌 수 있는 공간을 원했다.

그래서 강당 입구 공간은 저학년 아이들의 바람대로 트램펄린, 그네를 포함한 정글짐을 설치하기로 했고, 계단 연결 통로에는 이야기 공간을 마련하기로 했다.

전문가를 촉진자로 섭외해서 디자인과 설계를 진행할 수도 있었으나 6천3백만 원이라는 빠듯한 예산으로 진행하는 사업이라 우리만의 아이디어로 진행할 수밖에 없었다.

학부모회장, 행정실장, 학생대표, 교감 선생님과 업무 담당 교사들로 구성된 TF팀의 선진시설 견학을 통해 우리는 놀이공간에 대한 아이디어를 구체화 시킬 수 있었다. 그리고 어디까지 공간을 혁신하는 것이 가능한지 상상할 수 있었다. 특히, 나주 영강초의 실내 놀이시설과 함평 손불서초에서 보았던 다양한 놀이기구와 대형 트램펄린은 잊을 수 없었다. 우리가 만들 놀이공간에 꼭 반영하고 싶었다. 그리고 우리 학교 놀이공간에 반영하기 위한 방법들을 찾아내기도 했다.

영강초 실내놀이시설　　　　함평 손불서초 대형 트램펄린

학생대표는 선진시설 견학 경험을 바탕으로 학생 다모임 자리에서 디자인 논의를 이끌었고, 교사들은 디자인 수업을 진행했다.

학생 노리터 다모임　　　　학생자치회 부서별 회의

학생들과 교사들에게서 그치지 않고 보호자들에게도 알려 디자인에 대한 아이디어를 모았다. 우리가 원하는 놀이공간의 모습은 디자인 공모를 통해 학생과 보호자, 교직원들의 아이디어를 통해 구체화하여갔다.

놀이공간에 대한 디자인 논의가 마무리되어 갈 즈음 시공업체를 선정하고 본격적인 설계작업을 시작했다.

영강초에서 보았던 실내 놀이시설 클라이밍 시설을 강당 벽면을 활용해서 설치해보자는 의견이 추가되어 우리 학교에도 클라이밍 존을 만들기로 했고, 더불어 강당 입구를 꾸며서 번듯한 놀이시설 입구가 되도록 했다.

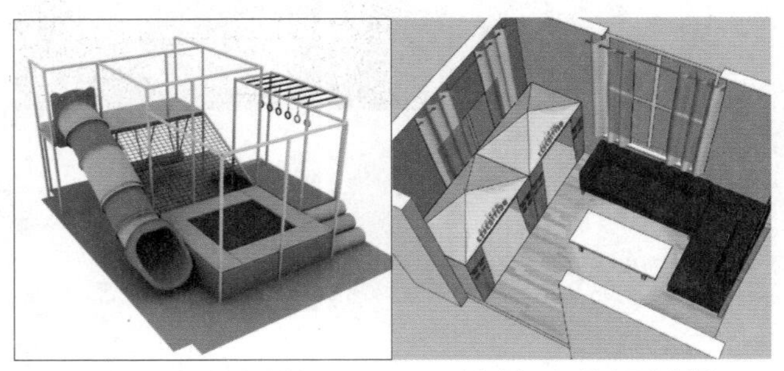

강당 입구 놀이시설 설계안　　　　계단 연결 공간 이야기 공간 설계안

클라이밍 존 설치 예정 강당 벽

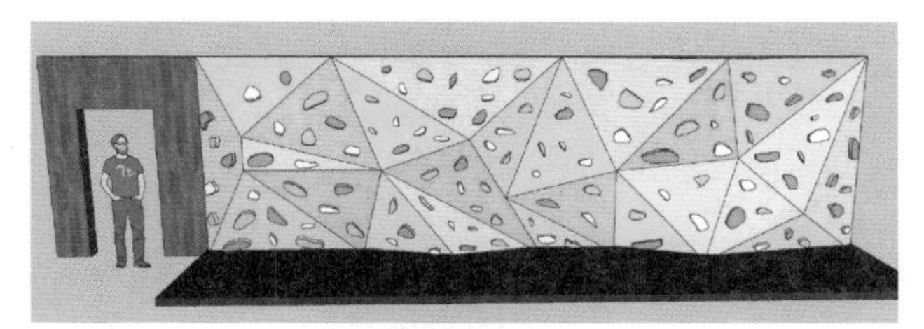

강당 벽면을 이용한 클라이밍 존 설계안

강당 입구 – 놀이시설 현판

놀이공간 이름 공모

놀이공간이 서서히 모습을 드러냄에 따라 놀이공간의 이름을 짓자는 의견이 모여 학부모와 학생들을 대상으로 놀이공간 이름 공모를 진행했다. 그 결과 강당 입구 쪽 놀이공간은 '꾸러기들의 아지트'라는 뜻을 담은 꾸.지.트.로 결정되었고, 계단 연결 통로에 마련된 이야기 공간은 '이야기 정류장'으로 결정되었다.

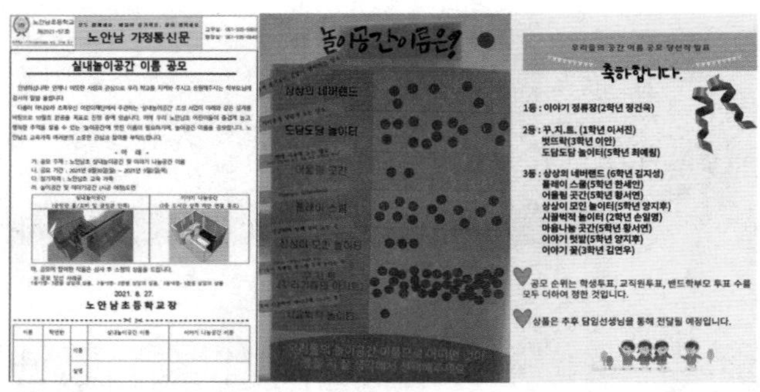

놀이공간 이름 공모 안내문　　놀이공간 이름 학생 투표　　공간 이름 공모당선작 안내

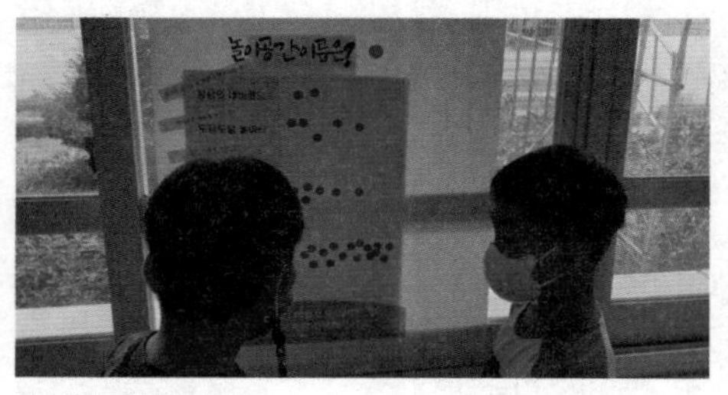

공간이름 투표하는 모습

공사 진행 과정

놀이공간 공사는 여름방학 동안 진행되었지만, 공사 기간이 부족해서 개학하고 한참이 지난 11월에 개관할 수 있었다. 개관이 늦어진 데에는 안전에 대한 우려도 한몫했다. 안전진단을 하고, 여러 번의 놀이시설 체험을 거친 후에야 놀이시설은 아이들의 품으로 돌아갔다.

강당 입구(공사 전)

강당 입구 모습(공사 전)

계단 연결 공간(공사 전)

클라이밍 존(공사 중) 강당 입구(공사 중)

놀이공간 완공의 기쁨!

4월 '드림플레이그라운드' 공모사업을 신청한 후 6개월이 지난 11월 1일. 드디어 놀이공간 완공식을 진행하고, 더불어 학생자치회가 진행하는 놀이마당 행사를 하기로 했다.

완공식은 조촐하게 진행되었지만, 두 시간 동안 진행된 놀이마당 행사를 통해 아이들은 놀이공간 완성의 기쁨을 마음껏 누리고, 놀이공간을 즐겨 찾아 놀이 활동을 즐길 것을 다짐하기도 했다.

놀이공간 조성 사업을 통해 노안남초 교육공동체는 놀이공간을 갖게 되었다는 성과 이외에 얻은 것이 많았다. 원하는 것을 직접 디자인하고 설계하는 과정에 참여했다는 것, 학교 공간을 직접 혁신하면서 공간의 주인이 우리 자신임을 깨달았다는 것이 진정한 성과일 것이다.

꾸.지.트 이야기 정류장

위. 클라이밍 존 / 아래. 놀이기구를 즐기는 모습

우리가 얻은 것

놀이공간 조성 경험이 우리로 하여금 공간을 새로운 눈으로 바라보고, 바꾸고 싶은 곳에 대한 의견을 적극적으로 내게 했다. 그리하여 2021년 하반기 예술공감터 공간 혁신 사업을 기획하여 진행하였고, 2023년 운동장 공간 혁신 사업을 진행하게 되었다.

우리가 있는 공간인 노안남초등학교는 학생, 학부모, 교사들 모두가 주인이다. 그러므로 그 속에서 불편함을 겪는 교육공동체가 직접 고치고, 만들어가면서 행복한 터전을 만드는 것이 스스로 삶을 개척해나가는 모습일 것이다. 그리고 그 속에서 삶의 주인으로 거듭나는 진정한 교육이 이루어지는 것일 것이다. 우리 아이들은 그 과정에서 민주시민으로 성장해 나갈 것이라 믿는다.

예술공감터 만들기 솔루션

'예술교육실' 어떤 공간이면 좋을까?

2019년 급식실이 증축되면서 2층에 교실 2.5칸이 새롭게 생겨났다. 1칸은 다목적실(현재는 보건실)로 주로 학생, 학부모, 교사 노리터 다모임으로 활용하고 1.5칸은 예술교육실이라고 이름 짓고, 문화예술 강사 수업, 방과 후 피아노부, 보건 수업, 외부 강사 특별 수업 등이 이루어졌다.

학생 수가 늘어나고 특별실도 부족한 터라 여유 교실이 생겨서 아이들과 교직원들은 반가웠다. 그런데 예술교육실은 방과 후 피아노부 운영으로 14대 디지털 피아노가 꽉 차 있어서 사실 방과 후 학교 운영 교실 외에는 활용도가 낮았다.

시간이 지날수록 아이들의 불만이 들려왔다.

"선생님, 예술교육실에 피아노가 너무 많아요."

"방과 후 시간에 피아노를 칠 때 옆 사람 피아노 치는 소리 때문에 방해돼요."

"책상 높낮이가 달라서 너무 불편하고 교실이 좁아요."

예술교육실을 바꿔보고 싶은 마음이 컸지만, 큰 예산이 들 것이라 예상되어 시작할 엄두도 내지 못하고 있었다. 그때 마침 전라남도교육청 체육건강예술과에서 추진하는 문화예술 복합 공간 만들기 공모사업 신청 공문이 왔다. 예술교육실을 공간혁신할 수 있는 기회가 될 것 같아 교직원 협의를 거쳐 신청서를 보냈더니 다행히 선정되어 사업을 추진하게 되었다.

그 당시 전라남도교육청에서는 학교 공간을 사용자인 학생과 교사들의 요구에 따라 바꾸어 가는 사업들이 활발하게 시행되고 있었다. 또한, 문화예술 복합 공간 만들기도 학교의 유휴공간을 활용하여 학교 구성원의 자유로운 참여와 소통이 이루어지는 공간, 학생 개성과 특성을 고려한 맞춤형 예술교육 공간 구축 조성을 목적으로 추진되는 사업이었다. 촉진자(건축사)와 함께 학생, 교직원 등 사용자 참여 설계로 추진되었다. 학교 공간 개선 사업이 갖는 중요한 교육적 의미는 학교 구성원 스스로가 자신들이 필요한 공간을 탐색하고 개선 방법을 함께 고민하면서 공동체 안에서 자기결정권을 갖는 주체적인 시민으로 참여하도록 하는 것이다.

우리 손으로 바꿔보는 예술공감터 만들기 프로젝트

2021년 1학기에 학생노리터 다모임에서 실내 놀이터 만들기 공간 혁신에 참여해 본 아이들은 우리가 상상한 대로 공간이 만들어지는 것을 눈으로 지켜보고 체험해 본 터라 예술교육실 개선 프로젝트에도 기대가 컸고 활동 참여에도 의욕적이었다.

우선 미술, 실과 교과와 연계하여 학교 공간 혁신의 배경과 목적, 학교 공간 혁신의 유형과 사례, 건축설계의 이해 등 촉진자(건축사) 선생님과 함께 이야기 나누는 시간을 가졌다. 촉진자 선생님은 초등학생의 눈높이에 맞추어 쉽고 재미있게 공간 혁신에 관해 설명해 주었고, 아이들은 다른 학교 공간이 바뀌는 과정을 지켜보며 강의 시간 내내 '와우!'를 외쳤다. 아이들은 강의가 끝나고 상상의 나래를 펼치며 예술교육실을 바꿀 야심 찬 계획을 세웠다.

촉진자(건축사) 선생님의 강의와 질의응답

학생, 교직원, 학부모의 의견을 듣는 설문 조사를 하였다.

설문조사 결과 공유

1. 우리학교 예술교육실의 이름은 "__________" 이다.

아트브릿지, 꿈채울곳, 예술놀이터(3), 꿈창작실, 노래방, 꿈드림, 꿈누리, 상상피어라, 꿈을 키우는 새싹, 만들기, 꿈놀이, 꿈키공, 예술교육터(2), 너도나도공감, 배움공간, 놀이공간(2), 상상놀이터, 오케의 천국, 즐기자 예술, 예술공감터, 음악왕국, 꿈이 자라는 곳, 자예(자랑스러운 예술교육실), 꿈빛놀이터, Dreamroom, 예지터, 우리의 소통 교실, 꿈나무방, 음악의 나라, 예술공부터, 음악방, 아트룸, 우리들의 천국놀이터, 우리의 예술, 노안남공감터, 음악의 세계, 도레미레, 우리터(우리들의 놀이터), 취미동물원, 예술활동터, 예술은하수, 공감터, 빛나는 음악이룸, 드림센터, 아트플레이스, 예술감성터, 문화누리, 인조이 아트룸, 노안예술터, 다목적공간, 재능+, 예술의 전당, 놀래공간, 예술누리, 다목적예술교육실, 예술가실

예술교육실 이름 공모

설문 조사 결과 예술교육실의 새로운 이름으로 '예술공감터'가 당선이 되었다. 예술교육실에서 가장 중요한 활동은 '국악 수업', 가장 중요하지 않은 활동은 '락밴드' 방과 후 학교 수업이었다. 예술교육실에서 주로 국악 수업을 하여 전교생이 이용하므로 아이들은 가장 중요한 활동이라고 생각했었던 것 같다. 락밴드 수업은 방과 후에 강당에서 하고 있었는데, 강당에서도 너무 시끄러워 다른 부서 활동에 방해가 되기 때문에 옮길 교실이 있는지 고민하고 있던 차였다. 그런데 아이들은 락밴드부가 예술교육실로 오는 것을 반대하였다. 가장 불편하다고 응답한 것은 역시나 교실 한쪽을 차지하고 있는 피아노였다. 멋진 예술교육실이 되기 위해서는 벽에 거울 설치, 이동하기 쉬운 가벼운 책상과 의자라고 답하였다.

학생들의 의견과 아이디어를 모으는 과정에서는 허무맹랑한 생각이라도 허용적인 분위기를 조성하는 것이 중요하다. 물론 사용자 참여형 공간 혁신이라고 하여 학생들의 모든 의견을 모두 받아들일 수 없었다. 하지만 학생들이 '받아들일 수 없음'을 '받아들이는 것'도 활동의 중요한 과정 중에 하나라고 생각하였다. 또한, 학생들은 상상의 가치를 스스로 발견하고, 공간 디자인 설계, 아이디어 상호 제안과 설득, 아이디어 발표와 표현 등의 제반 과정에서 능동적 공간 설계자의 입장이 되어 볼 좋은 기회가 되었다.

공간 아이디어 스케치

학교 공간 혁신은 학생 중심의 새로운 문화로 바뀌어 가는 과정을 의미하기에 학교의 세세한 공간 하나하나가 학생들의 성장과 배움에 이바지할 뿐만 아니라 문화와 예술적 관점에서 높은 심미성도 갖도록 하는 것이 학교 공간 개선이 지향해야 할 길이다.

– 행복한 학교를 만드는 공간 혁신

촉진자 선생님이 준비해 오신 공간 구성도에 설문 조사에서 나온 아이디어를 모아 스케치를 해보니 머릿속에 상상으로만 존재하고 있던 것들을 좀 더 구체화 시킬 수 있었다. 이어서 스케치한 것을 모형으로 제작하고 발표하며 아이디어를 공유하고 공간 활용의 효율성에 대한 토의과정을 가졌다.

"선생님, 예술공감터가 어떻게 바뀔까 너무 기대돼요."

"6학년이 졸업하고 완성된다니 저희는 사용할 수 없어서 아쉬워요. 동생들이 부러워요."

스케치한 공간을 모형으로 제작하는 모습

"피아노를 이렇게 배치하면 수업은 어디서 하면 좋을까? 책상은 어디에…"

"예술공감터에서 여러 가지 활동을 하니 공간을 구분할 수 있는 이동식 벽이나 커튼이 있으면 좋겠어."

"나는 교실이 조금 아늑하고 편안했으면 좋겠어. 푹신하고 편한 소파를 설치하고 싶어."

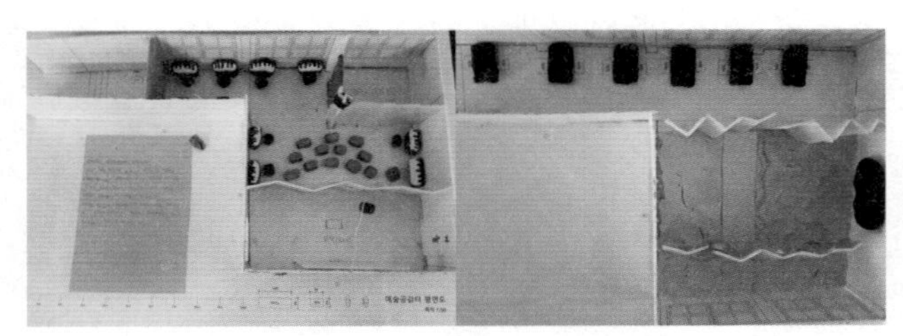

채택된 아이디어

"우리 모둠이 설계한 디자인이 채택되어 예술공감터가 만들어진다니 고생한 보람이 있네요. 뿌듯하고, 기대돼요."

아이들은 무한한 상상력으로 기존의 피아노를 어디로 배치할 것인가, 국악 수업.협의실.댄스연습실 등 문화예술복합공간으로 어떻게 변모시킬 것인가 등에 대한 기상천외한 아이디어를 내놓았다. 공간 혁신 사업은 학교의 한정된 공간을 대상으로 하고, 많은 예산이 들기 때문에 설계 적용 단계에서 학생들의 시안들이 채택되지 못하고 개별 활동지로 남는 경우가 대부분이라고 한다. 하지만 이번 프로젝트에서 제안한 아이디어들은 최대한 반영하려고 촉진자(건축사) 선생님과 협의하였다.

노안남초 예술공감터는 크게 세 부분으로 구성되었다. 예술공감터 진입 공간인 복도, 고정된 용도의 피아노 연습 부스 및 통로, 그리고 다양한 용도(수업, 댄스연습실, 회의실 등)의 다목적 공간이다. 복도는 보건실과 공용으로 사용하고, 예술공감터와는 벽을 신설하여 구분하였다. 피아노 연습 부스 및 통로는 피아노(또는 바이올린) 연습만을 위한 공간으로 칼라 흡음재와 아치 모양 디자인을 적용한 벽을 신설하여 아이들이 즐겁게 악기 연습을 할 수 있도록 하였다. 다목적 공간은 학생회 활동, 국악 수업, 보건 수업, 댄스 연습, 연극공연 등 다양한 예술 교육 활동을 지원할 수 있도록 가변형 공간으로 구성하였다. 책상 또한 활동 목적에 따라 다양하게 배치할 수 있는 육각형 벌집 모양으로 구입하기로 하였다. 학생동아리 댄스부가 활동할 수 있도록 창가 쪽에 접이식 거울을 설치하였으며 악기 정리장을 설치하고 악기를 깔끔하게 정리하여 공간 활용도를 높였다.

학생, 교직원의 마지막 워크숍(4차)

최종 디자인 설계도면

피아노 연습 부스 공사 중(좌), 완공(우) 모습

다목적 공간 공사 중(좌), 완공(우) 모습

학교 공간 혁신 프로젝트가 남긴 교육적 의미

학교 공간을 바꾸는 일은 나와 아이들에게 모두 낯설었다. 교직원이 주도하는 일반적인 시설 리모델링 사업으로 그치지 않을까, 사용자 참여 설계가 과연 실현 가능한가에 대한 의구심으로 첫발을 내딛기 쉽지 않았다. 하지만 이번 프로젝트를 통하여 학교 공간 개선 과제를 교육공동체 공동의 관심사로 삼아 모두가 함께 아이디어 내어 협력하면 더 멋진 공간으로 탄생 될 수 있다는 것을 배웠다.

학생들은 공간의 사용자이자 주인으로서 자신이 머무르고 있는 공간을 새롭게 인식하고, 심미적 감수성을 길러 삶을 개선하는 방안을 찾으며, 공동체에서 서로 협력하고 조화를 이루는 방법을 배우게 되는 뜻깊은 시간이었다.

작은 학교이자 혁신학교인 노안남초등학교에
재직했던 교사들이 교육 활동을 펼치면서 느꼈던 감정과
혁신학교, 혁신 교육에 관한 생각 등을 모아 정리하였고,
더불어 아이를 보내면서 직·간접적으로
노안남초 교육에 함께했던 보호자 두 분의 글을 실었습니다.

두근두근
혁신학교에서 살아보기

작은 학교라서 좋다!
혁신학교라서 참 좋다!

박숙현

내가 근무하는 학교는 전교생 79명으로 코로나 19 상황에서도 전교생이 등교해서 수업할 수 있었고, 박물관들이 모두 입장이 허락되지 않아 학교 밖 체험이 어려운 상황에서도 찾아가는 체험 등을 활용해서 여러 활동을 할 수 있었다.

그런데도 학교생활 속 거리두기 때문에 함께 어울려 노는 것이 안 되고, 칸막이 쳐진 답답한 책상에 앉아 공부하는 것이 일상이 되어 아이들의 자유로움은 사라져버린 것만 같았다.

이러한 답답함과 헛헛함을 풀기 위해 동료 선생님들과 의논하여 가을 계절학교를 기획, 운영했다.

가을 계절학교는 아이들이 온몸, 온 마음으로 경험하고 느끼는 체험활동, 강연 등으로 구성해서 진행했다. 코로나 극복을 위한 천연비누 만들기, 일일선생님(보호자 재능기부)과 함께 과자 집 만들기, 일일선생님과 함께 미니 할로윈

축제 참여하기, 동화작가/그림책 작가 강연 듣고 싸인 받기 등 4개의 프로그램을 진행했다. 마스크는 벗을 수 없고 손 소독도 틈틈이 해야 해서 번거로웠지만, 아이들이 오랜만에 크게 웃고 즐기면서 자유로울 수 있는 시간이었다.

저녁에 남아 일하던 중, 밤하늘을 배경으로 반짝이는 할로윈 부스에서 사진 한 컷을 남길 수 있었다. 행사 당일, 철거하기 전에 몇몇 가족이 모여 할로윈 분위기를 만끽하고 계셨던 것!

할로윈 부스에서 찍은 사진

2020년 마지막은 교육지원청 지원 사업으로 우리 반 아이들의 그림책을 펴내고 전시하는 것으로 마무리했다. 처음에는 어설프게 시작했고, 어영부영 책 만들기를 마무리했다. 그런데 책이 나오고서야 그림책 만들기가 어떤 일인지 알겠더라. 쉽게 시작할 수 없는 일이지만, 결과물만큼은 무척 뿌듯한 그것!

아이들 틈에 끼어 아이들의 이야기를 담은, 세상에 단 한 권밖에 없는 내 그림책도 펴냈다. 내용은 별거 없지만 소중한 내 책이다. 이렇게 내 책을 갖고 보니 다른 작가들의 그림책이 더욱 위대해 보인다.

아이들의 그림책 전시

코로나 감염병 위기 상황 속에서도 즐겁게 교육 활동을 펼칠 수 있었던 학교, 자발적으로 가을밤 할로윈 부스를 찾아와 흥겨운 시간을 보내던 노안남 교육 가족들, 새로운 도전으로 우리만의 이야기를 담아 펼쳐냈던 그림책과 학급 시집들 모두가 혁신학교를 운영했던 노안남초에서 펼칠 수 있었던 꿈의 교육 활동들이었다. 이런 것이 가능했던 노안남초가 혁신학교인 것이 좋고, 아이들 한 명 한 명의 이야기를 자세히 들으며 활동할 수 있는 작은 학교인 것이 좋다.

소통으로 함께 성장하는
노안남초등학교

김부양

나의 두 번째 학교였던 노안남초등학교. 2019년 당시 노안남초등학교는 '무지개 학교'라고 불리는 혁신학교였고 전교생이 60명 정도인 작은 시골 학교였다. 무지개 학교? 혁신학교? 사실 난 그런 거 잘 모른다. 나와는 별개의 일이라고 생각했다. 특수교사인 나에게는 특수 이외의 처음 해보는 업무도 낯설고 자주 모여서 회의하고 소통하는 일이 적응되지 않았다. 특수교사가 일반 초등학교에서 근무하게 되면 전체적인 행사나 일정에서 해당 업무가 없어서 제외되는 경우가 많다. 하지만 노안남초에서 근무하는 내내 '모두 함께하는 학교'라는 느낌을 받았다.

나는 근무하는 내내 "우리 학교 너무 좋아요."라고 주변에 말하고 다녔다. 사실은 내가 초등학생이 되어 우리 학교에 다니고 싶었다. 자전거 하이킹, 봄 프로젝트, 가을 프로젝트를 통한 작가와의 만남 등 노안남초만의 행사들이 1년을 풍요롭게 하고, 무엇보다 학생들이 즐길 수 있는 판이 벌어진다.

아이들이 커서 모든 것을 기억하기는 쉽지 않다. 하지만 5학년의 기억은 6학년 때의 자신이 기억한다. 이렇게 순간순간의 감정이 켜켜이 쌓이고 행복했던 굵직한 사건들이 추억으로 남아 아이는 성장할 것이다.

그리고 프로젝트를 준비할 때 학교 전체 구성원이 모여 고민함은 물론, 학부모도 아낌없이 지원한다. 학생, 학부모, 교직원 모두가 하나의 마음으로 준비하는 것은 당연한 일이었다.

발령 받고 난 3월 어느 날 연구부장님께서 "특수교사도 좋은 수업 실천 연구해야지? 같이 신청한다."라고 말씀하셨다. 처음엔 다 의무적으로 해야 하는 것으로 생각했다. 얼떨결에 시작되었지만, 결과적으로 근무하는 4년 동안 좋은 수업 실천연구는 나에게 많은 힘이 되었다. 특수교육대상 학생이 2명이었던 그때, 모든 선생님 앞에서 그것도 40분 동안 비좁은 반쪽짜리 교실에서 공개적으로 수업을 한다는 것은 정말 부담스러운 일이었다. 하지만 돌이켜보면 4년 내내 공개수업을 하면서 학생에 대해 함께 고민하고 위로받는 시간이었다. 수업에 물론 부족한 점도 많을 것이다. 하지만 지적하는 시선보다는 고민의 나누고 해결책을 찾아가는 시간이 되었다. 그리고 더욱더 좋았던 것은 우리 반 학생들을 전체 선생님들께 보여드릴 수 있었다는 점이다. 내가 근무하면서 가장 속상한 점은 특수교육대상 학생을 바라볼 때 못하는 부분에 초점을 두는 시선과 이들의 성장을 나만 알고 지나가는 경우가 많다는 것이었다. 공개수업은 우리 아이들도 빛나는 부분이 있다는 것을 모두에게 자연스럽게 알릴 기회가 되었다. 그럼으로써 한 명 한 명의 학생에 대해 깊이 고민해보고 이해하고 받아들이는 시간이 되었던 것 같다. 반대로 내가 통합학급 공개수업에 참관하여 우리 반 학생들을 보면서 새로운 모습도 발견하기도 하고 배움의 모습에 안도하기도 했다. 그리고 나 또한 다른 선생님의 수업에 참관하고 반성하며 고민하는 시간을 가져왔다.

노안남초등학교는 소통이 정말 잘 되는 학교였다. 학교가 작다 보니 오가며 자주 만났고 무언가 결정을 할 때도 짧게라도 모여 협의를 하였다. 그 과정은 배움의 연속이었다. '옆 반 선생님은 오늘 이런 수업을 하셨네', '4학년은 저런 프로젝트를 하는구나!', '학생회에서는 이번에는 이런 행사를 진행하네' 이런 사실을 아는 것만으로도 내가 무엇을 해야 하는지, 어떤 것을 더 배우면 좋을지를 판단하는 길잡이가 되었다. 자주 모여 협의하고 소통하는 문화 자체가 학교가 나아가고자 하는 방향으로 구성원들이 함께 갈 수 있도록 만들어 주었다.

지나고 나서 보니 근무하는 내내 행복했다. 또 이런 학교를 만날 수 있을까 싶다. 혁신학교가 아니어도 노안남초는 함께 소통하고 학생, 학부모, 교사의 행복을 우선으로 생각하는 학교로 나아갈 것이라 믿는다.

어느 특수교사의 이야기

이유광

2022년 9월 노안남초등학교, 2년 6개월 만의 특수교사로서 내가 가르칠 학생들이 있는 교육 현장으로 복귀했다. 지난 2년은 교육지원청 특수교육 지원센터에서 근무했고, 6개월은 육아휴직을 했다. 오랜만에 학생들을 가까이서 마주하고 가르치며 부대낄 생각을 하니 설레기도 했지만, 마음 한편에는 여러 생각으로 부담도 되고 두렵기도 했다.

특수교육이라는 곳에 발을 내딛고 특수교사가 본업이 된 지 9년이 되어간다. 특수교사로서 9년이라는 시간이 어떻게 흘렀는지 잠시 생각해보았다. 오래된 과거 일처럼 까마득하기도 하고, 바로 얼마 전의 일 같기도 한 묘한 마음이다. 특수교사로서 나름의 경험이 생기고 시간이 흘렀지만, 아이들을 만나는 일은 늘 새로운 도전이다. 아이들 한 명 한 명이 모두 다르니, 같은 내용이라도 매번 다르게 접근하고 새롭게 적용해야 하기 때문이다.

내가 가르치고 있는 노안남초등학교 특수학급 보람반 학생들은 모두 5명이다. 특수교사인 내 기준에 노안남초 보람반 학생 5명은 모두 에이스이고 지적 능력이 좋은 편이다. 그렇기에 생활연령에 맞는 교과 학습에 최대한 다가갈 수 있도록 학생들을 지도했다. 5명 학생의 수업 준비를 하려면 시간이 제법 걸린다. 개별화 교육계획에 따라 학생들의 수준에 맞추어 단계별로 수업자료와 학습지를 준비한다. 학생들에게 한글 해득과 글 읽기, 수 세기, 덧셈과 뺄셈 연산 등 국어와 수학 교과를 중심으로 공부만 시키는 수업을 했다.

그러던 어느 날 "선생님 공부가 너무 힘들어요." 하고 4학년 여학생이 울었다. "보람반[5]에 오기 싫다."라고 표현할 때도 있었다. 내 욕심이 과했나 보다. 곰곰이 되돌아보니 학생이 어려워하고 잘하지 못하는 내용의 공부만, 그것도 국어와 수학 과목을 중심으로 공부만 시킨 나의 수업이 재미있지도 않고 힘들었을 것이다. 나는 학생들 각자의 수준과 가르쳐야 할 교과 내용만 생각했지, 학생들의 흥미와 수준에 맞는 수업 형식과 내용에 대한 고민은 잠시 잊고 있었다. 그 이후로 학생의 흥미와 수준에 따라 수업 형식을 다양화하고자 했다. 학생이 좋아하는 교구를 이용하고 때로는 게임을 활용하여 수업을 진행했다. 수업 형식만 바꿨을 뿐인데 전보다 수업에 즐겁게 참여하고 가끔 웃는 모습도 보였다. 학생이 좋아하는 그림책과 동화책을 준비하여 함께 읽었다. 그림책을 보면서 주인공과 등장인물은 누구인지, 어떤 일이 생겼는지 함께 찾아보고, 등장인물의 심정은 어떨지 생각하기도 했다. 엉뚱한 대답을 하거나 매끄럽게 표현은 못 할 때도 있지만, 집중해서 나와 함께 책을 읽고 자신이 느낀 바를 말하기도 한다.

학생들에게 공부는 재미있어야 한다. 재미있어야만 스스로 공부를 하고 싶은 마음이 생기고 집중해서 열심히 할 수 있다. 이는 특수교육 대상 학생도 마찬가지이다. 특수교육 대상 학생은 지적 능력이나 장애 등의 이유로 학습에 대한 반복된 실패를 경험하는 경우가 많다. 이는 실패에 대한 두려움과 학습된 무기력으로 이어져 공부에 대한 거부감이 커진다.

공부에 대한 거부감을 제거하고 흥미를 느끼게 하는 열쇠는 학생들 안에 있다고 생각한다. 나에게 "공부가 너무 힘들어요."라고 말했던 학생은 자신이 좋아하는 학습활동을 하면서 자기 마음속 이야기도 하고 나에게 마음을 열고 있다. 학생이 관심 있는 것, 학생이 배우고 싶은 것이 무얼까 생각하며 내가 가르쳐야 할 것들을 고민했더니 뜻밖의 길이 보였다. 학생들로부터 시작하는 것, 진심으로 다가가는 것, 이것이 진정한 특수교육에서 말하는 개별화 교육이 아닐까 생각해 본다.

5 노안남초등학교 특수학급은 보람반이라고 부른다.

기억 속의 한 장면

오장현

내가 노안남초등학교에서 가장 기억에 남는 한 장면은 4학년 학생이 두발자전거를 처음으로 타면서 행복해하던 장면이다. 일반적으로 사람들은 '4학년이 두발자전거를 타는 게 그렇게 인상적일까?' 싶겠지만 최소한 담임교사인 나와 우리 반 친구들에게는 가장 기억에 남을 것이다.

이 일화에 대한 배경 설명을 하자면 우리 학교는 혁신학교이며, 학교를 대표하면서도 아이들이 가장 자랑스럽게 생각하는 활동이 바로 '자전거 하이킹'이다. 하이킹은 학기별로 1회, 1년에 총 2회를 하는데 학년별 수준에 따라 15~50km까지 다양한 코스를 경험하는 도전활동이다. 학교에는 아이들을 위한 자전거가 70대 이상 갖춰져 있고, 노안남초 하면 '자전거 하이킹'일 정도로 시그니처 활동 중 하나이다.

이 아이는 평소에 체육활동에 즐겁게 참여하며 곧잘 하는 친구이다. 그런데 4학년이 되었는데도 여전히 자전거에만 올라타면 얼어버리는 듯한 표정과 몸짓을 자주 보였다. 모든 친구가 두발자전거나 성인용 자전거(하이브리드 자전거, 우리 학교 친구들은 줄여서 '하브'라고 한다)를 타는 상황에서 본인만 여전히 네 발 자전거를 타는 데 무언가가 이유가 있어 보였다. 그래서 이것을 해결하기 위해 물어보았다.

"자전거에만 올라타면 무엇이 널 힘들게 하니?"

"…."

"네가 무엇이 어려운지 선생님에게 알려줘야 도와주지."

"사실…. 자전거에 올라타면 속도가 나는 게 무서워요. 그리고 균형을 잡는 것도 어려워요."

이 대화 이후 다른 친구들에게는 좀 미안하지만 다른 친구들은 안전하게 타는 것만 보고 거의 이 아이의 '두발자전거 타기'에만 신경을 썼다. 그래서 점심시간에도 나가서 따로 가르쳐주는 '특별훈련'이 시작되었다.

"오늘은 점심 먹고 자유롭게 하고 싶은 보드게임 하세요!"

"…."

그 아이는 '저도 하고 싶은데요?'라는 표정으로 나를 바라보았지만 애써 외면했다. 그리고 특별훈련을 진행하는 도중 무엇이 문제였는지 조금씩 알아가기 시작했다.

"일단 두발자전거에 성공하려면 혼자서 두 발로 밀어서 출발하고 난 뒤 자전거가 멈추기 전까지 페달 위에 발을 올려두고 중심을 잡아야 해."

"네, 해볼게요."

담임을 한 이래로, 이 아이에게서 이렇게 열심히 하려는 눈빛이 반짝이는 것을 이때 처음 보았다. 신기하기도 하면서도 '내가 너무 학습이라는 영역에만 치우쳐 아이들을 바라보았구나.'라는 생각이 온몸을 휘감으며 부끄럽기까지 했다.

하지만, 4학년이 되도록 내내 두발자전거를 타지 못했던 이유 또한 확실했다. 결과는 여전히 실패. 그래도 소기의 성과는 이뤘다. 바로 '목표'를 이루기 위한 동기부여가 시작된 것이다.

점점 1학기 자전거 하이킹 날짜가 다가왔다. 담임이자 업무 담당자인 나로서는 아이의 의견도 중요했지만 '안전'이 가장 중요했다.

"두발자전거로 도전해 볼 거야?"

"이번에는 그냥 네 발로 갈래요."

다행이기도 했지만, 평소 성격이 진취적이고 적극적인 나로서는 이것을 참아내는 게 꽤 힘들었다. 하지만, 주위에서도 다들 나를 말렸다. 혹시 가다가 넘어지거나 다쳐서 힘들어하는 것보다는 이번까지는 네 발로 도전 활동을 할 수 있게 하자고 했다. 나는 다짐했다. '2학기 때는 반드시 두 발로 도전할 수 있게 하자!'

여름방학이 끝나고 2학기 자전거 하이킹 계획을 세우며 중간점검을 해보았다. 방학 때 자전거 연습을 열심히 한다던 아이는 이전과는 많이 달라졌지만, 여전히 어려워하는 무언가가 있었다.

"자전거를 회전할 때는 내가 가고자 하는 방향으로 옆으로 무게중심을 보내야 갈 수 있어."

"네!"

"괜찮아. 계속해봐."

그러다 교감 선생님께서 이런 제안을 하셨다. 학교 자전거를 빌려주고 연습을 해보라고 말이다. 이 제안은 이 아이를 완전하게 변화시키는 큰 사건이었다. 일주일 지나고 이 아이가 웃으면서 말했다.

"선생님, 저 이제 잘 타요!"

"정말? 조금 있다가 선생님한테 꼭 보여줘! 뭐든지 노력하면 할 수 있어!"

그렇게 노력해도 어렵던 두발자전거 타기를 성공하기 시작하더니 일주일이 더 지나자 어느새 능숙하게 자전거를 타고 있었다.

그 이후 이 아이의 태도가 조금 바뀌었다. 전에는 개인적인 과제를 주면 가만히 손가락만 만지작거리고 회피하는 모습만 보였지만 어느 순간 자리에 앉아 과제를 마주하고 있는 모습을 보여줬다. 그 외에도 학습 속도, 수업에 참여하는 정도가 달라지고 있었다. 모든 면에서 180도 달라지진 않았지만, 이 작은 변화가 이 아이를 얼마나 바꾸고 있는지 담임으로서 느꼈다.

이 일을 계기로 '두발자전거'라는 남들에게 사소하다면 사소할 수 있는 물건이 이 아이를 한 단계 성장시키지 않았나 생각을 했다. 그 어렵던 관문을 넘어가면서 이 아이가 느끼는 세상에 대한 성취의 힘은 정말 어마어마하게 컸다. 이 일은 아이에게도 인상 깊은 경험이었고, 나에게도 앞으로 이 아이가 자라면서 '어려움이 생기더라도 이를 극복하기 위해 노력하지 않을까?' 하는 기대감이 생겼다. 이 기대감이 나를 또다시 교단에 서게 하는 이유가 되지 않겠냐는 생각이 든다.

교사라는 직업이 무엇보다도 소중하고 행복한 이유는 바로 이런 순간들이 존재하기 때문이다. 내가 가르치는 학생이 성장하는 것을 흐뭇하게 지켜보는 것, 아직 만나지 못한 다른 아이들에게도 성장의 기회를 주고자 하는 것이 나의 목표이다.

우리 학교가 매력적인 이유 또한 이런 점이다. 학생들에게 도전 활동을 경험하게 하고 어려움을 이겨내는 방법과 성취감을 전달하는 것은 정말 멋지고 뿌듯하다. 앞으로도 더 많은 아이들이 우리 학교에서 교육을 통해 성장했으면 하는 소망이다.

권범희

노안남초등학교로 발령을 받았다. 새로운 학교로 가는 것은 항상 떨림의 연속이다. 어떤 구성원과 어떤 활동을 할지 걱정도 되고 기대도 되었다. 노안남초등학교는 혁신학교로서 다양한 활동을 한다는 말에 특별히 혁신적이지 못한 마인드를 가진 나로서는 도대체 무엇을 해야 혁신적인 학교생활을 하는 것인지 궁금하기도 했다.

노안남초등학교에 와서 느낀 첫 감정은 '다채롭다'였다. 그동안 규모가 있는 학교에서 근무했던 나는 정형화된 교육활동을 지향하며 교직 생활을 해 왔었다. 학급수가 많고, 학생 수가 많아서 활동을 구상할 때 장소선정, 일정 조율 등 여러 가지 고려해야 할 점이 많았었다.

하지만 노안남초등학교에서는 내가 구상하는 활동을 상대적으로 쉽게 구체화하여 진행할 수 있었다. 자전거 하이킹, 다모임 활동, 알뜰장터, 계절프로젝트, 작가와의 만남 등의 활동을 마음먹은 대로 구상하여 진행할 수 있었고 학생들은 이러한 활동에 호기심을 가지고 적극적으로 참여해주었다. 학교가 끝나면 휴대폰만 쳐다보던 아이들의 모습을 보다가 활동하고 교감하는 것을 즐기는 아이들의 모습을 보니 나 역시도 무엇인가를 더 하고 싶고, 열심히 활동에 참여해야겠다는 생각을 하며 2년을 보낸 것 같다.

시대가 변하면서 우리의 공부 방식도 많이 변한다. 교과서는 학생들을 지도하는 아주 효율적인 수단이지만 그 외에도 학생들을 지도하는데 이용할 수 있는 수단은 다양하다. 올해는 태블릿도 보급이 되면서 고학년 학생들이 전자필기를 하는데 쉬운 환경이 되었다. 2학기에 과학 교과 전담으로 과목이 변경되어 수업하면서 전자필기를 하여 수업 내용을 정리하면 학생들이 더 효율적이겠다는 생각이 들었다. 수업필기와 과제 정리를 태블릿으로 하면 더 간편하지 않을까. 이러한 생각으로 교과서 없이 태블릿을 통해서 과학 수업 내용을 정리해 보았다.

처음 진행되는 방식이라 어색해했지만, 학생들은 금방 적응하여 수업 내용을 정리하였다. 나 역시도 학생들이 정리한 내용을 컴퓨터로 바로 확인할 수 있어 편했고, 서로의 필기 내용을 전자칠판을 통해 공유하니 수업이 더 간편하게 진행된다는 느낌이 들었다.

어린 시절부터 태블릿을 사용한 경험이 있는 아이들은 역시 나보다 훨씬 더 좋은 사용성을 보여주었다. 영상을 만들어 제출하는 과제 역시 학생들은 바로 제작하여 프로그램을 이용하여 공유하였고, 전자펜임에도 불구하고 자기 생각을 그림을 그려 공유하는 것에 좋은 능력을 보여주었다. 전자펜을 이용한 필기 방식은 아직 걸음마 수준이지만 충분한 시간 동안 익숙해진다면 더 좋은 교육적 효과를 누릴 수 있다는 생각이 들었다.

고인 물은 썩게 마련이다. 새로운 방식에는 새로운 마인드로 접근하는 것이 좋고, 교육의 방식이 달라지는 지금 새로운 것을 학생들과 함께 적용하는 것에 두려움을 가질 필요는 없다고 생각한다. 혁신학교라는 타이틀이 붙으니 이러한 것에 대한 거부감이 별로 없다. 새로운 것에 호기심을 가지며 탐구하려는 정신이 매우 인상 깊었다. 변화하고 성장하는 모습을 보여 나 역시 함께 성장하는 것을 느낀다. 이러한 긍정적인 시너지야말로 우리가 혁신학교에서 근무하는 최고의 장점이라는 생각이 들었다.

내가 경험한 혁신학교

나효정

나는 노안남초등학교가 혁신학교인지 잘 모르고 오게 되었다. 사실 혁신학교에 대해 별 고민해 본 적이 없는 것 같다. 혁신학교가 무엇이고 어떤 활동을 하는지 노안남초등학교를 오기 전에는 나에게 와 닿지 않았던 것 같다.

내가 겪어 본 노안남초는 학생들이 주인이 되어 운영하는 학교였다. 다모임 시간에는 학생회가 주축이 되며, 학교 구성원들이 모두 모여 공동의 일에 대해 토의를 하였고 다모임 시간에 나왔던 의견들은 실제로 실현되었다. 학생회 학생들이 공약으로 걸었던 알뜰장터, 장기자랑은 아이들이 제일 만족해하던 행사였다.

노안남초는 학부모회도 활성화되어 있어 학교 교육 활동에 많이 도움을 주신다. 교육 활동 반성회에도 교사만 모여 이야기를 나누는 게 아니라 학부모, 학생회 아이들까지 같이 모여 앞으로의 노안남초의 교육에 대해 함께 이야기를 나눈다. 학생, 교사, 학부모 모두가 학교 교육 주체로서 힘을 합쳐 노안남초를 만들어가고 있다는 생각이 들었다.

이렇게 한 학기를 지나고 나니 나도 하고 싶은 게 많아졌다. 다른 학교에 비해 교사가 할 수 있는 자율성이 보장되고 항상 지지해주는 동료 선생님들과 잘 따라와 주는 학생들이 있으니 학생들과 같이 해보고 싶은 것들이 마구 떠올랐다. 나도 그들의 열정에 물든 것처럼 시도해보지 않는 것들도 도전해보고 싶다는 생각이 들었다.

특히 동료 선생님들과의 수업 나눔은 많은 도움이 되었다. 수업을 볼 때 교사의 발문이나 행동을 보는 것보다는 아이를 관찰했다. 아이의 눈으로 수업을 보는 것이다. 수업이 끝난 후 수업 나눔을 할 때도 각자 관찰한 아이를 중심으로 이야기를 나눴다. 어디에서 아이의 배움이 일어났는지, 왜 집중을 못 하고 있는지를 파악하고 같이 고민을 나누었다. 수업 시간에 보지 못했던 부분들을 알게 되니 나중에 수업할 때 도움이 되었다. 작은 학교다 보니 옆 반 선생님들이 아이들을 다 파악하고 계셔서 같이 교육을 하고 있다는 생각이 들었다.

혁신학교에 있으면서 바쁘고 힘들었던 1년이었지만 교사로서 한 단계 더 성장하고 있다는 생각이 든다. 아이들과 함께 소중한 추억들을 노안남초에서 더 많이 만들어나가고 싶다.

혁신학교에서 내가 배운 점

정원선

처음 혁신학교라는 곳으로 와서, 그렇게 몇 년을 살아가다 보니 '지난 시간 동안 난 정말 많이 성장하고 배웠구나'라고 절로 생각이 들었다. 혹자들은 혁신학교에 대해 '일을 만든다', '선생님들이 고생한다', '교육과정 운영이 어렵다' 등의 많은 부정적인 의견들을 제시하기도 한다. 물론 모든 선택에는 어려움도 따르기 마련이다. 하지만 난 이곳에서 '가족의 따스함, 공동체의 힘'을 보았다. 갈수록 개인화되고 있는 요즘 학교 현장에서 이렇게 학교라는 공동체로 서로 접하여 관심을 가지고 함께할 수 있는 공간이 또 있을까? 함께 해보고 싶은 활동이 있으면 선생님들은 항상 함께 이야기 나누었다. 또한, 수업의 고민이 있다면 가감 없이 나누고 자신의 경험과 생각을 나누며 그렇게 매일 성장해갔다.

또한, 아이들에 대한 애정이 담임으로 국한되지 않았다. '오늘은 누가 어떤 일이 있었다', '누구네가 아파서 오늘 결석을 했는데 동생도 아픈지 걱정이 된다' 등, 마치 한 동네 골목에서 옆집의 소식을 걱정하고 생각해주는 것처럼 우린 그렇게 하나의 공동체였다.

또한, 많은 활동을 접하는 것이야말로 혁신학교의 큰 장점이라 생각된다. 학교 특색으로 꾸준히 하는 자전거 하이킹, 텃밭 가꾸기 뿐 아니라 매년 선생님들만의 재치와 재능, 아이들의 도전 정신과 호기심이 더해져 우리의 성취는 갈수록 다양해져 갔다.

혁신학교에서 다양한 경험을 하고 졸업을 앞둔 학생들

아이들은 감각을 통해 배운다. 경험을 통해 학습한다. 책상에 조용히 앉아 책만 들여다본다고 해서 인생의 경험이 올바르게 쌓이지만은 않는다. 많은 경험과 그 안에서의 대처, 반응 등을 경험하면서 나의 세계를 넓혀가는 것이 중요하다. 그 성장에 혁신학교처럼 최적의 공간이 또 있을까?

나의 노력이 부족하지 않았나 싶을 정도로 많은 선생님께 배움과 사랑을 얻는 경험을 했다. 이런 감사함을 잊지 않고 나 또한 많은 이들에게 감사와 사랑을 전할 수 있는 사람으로 성장해가야겠다는 생각을 한다. 우리는 서로 다른 색이지만, 이 공간에서 그 색이 어우러져 하나의 무지개로 재탄생했다. 비가 오고 바람이 부는 어려움이 있을지라도, 빛나는 무지개가 주는 황홀함은 그 모든 힘듦을 따스하게 감싸 안아주리라 믿는다.

혁신은 사랑의 열정으로부터

*
나를 잘 알고 나를 사랑할 수 있을 때
다른 사람을 잘 알아갈 수 있고,
사람을 사랑할 수 있는 힘을 가지게 된다.
사람을 사랑할 수 있을 때
행복을 알 수 있게 된다.

자신을 찾아주는 키다리 아저씨
학부모회장 최재덕*

노안남초에 오게 된 이야기

2016년 경기도 과천에서 살다가 전라남도 나주로 이사를 오게 되었다.

경기도 과천에서 첫째를 초등학교에 보내며 방과 후 공동육아 공동체인 '두근두근 방과후'에 참여하여 활동했었다. 집을 전세로 빌리고 선생님들을 채용하여 공동육아[6]하는 곳으로 아이를 보냈다.

첫째 아이는 학교에서는 여러 가지 일들로 힘들어했지만 '두근두근 방과후'[7] 공동체에서는 즐겁게 생활했다. 학교 친구들과는 친한 아이가 거의 없었지만, '두근두근 방과 후' 공동체의 아이들과는 친하게 즐겁게 지내는 모습이 행복해 보였다.

'두근두근 방과후'에서의 생활이 참 좋았기에 나주에도 방과후 공동체가 있었으면 좋겠다는 생각을 했다. 나주로 이사 온 첫해, 일 년간은 빛가람동의 학교로 아이들을 보냈다. 첫째는 5학년으로 전학했고 둘째는 1학년 입학이었다. 나주 빛가람동에서 만난 선생님들과 아이들 그리고 반 친구들은 참 좋은 선생님, 좋은 친구들이었다. 그러나 '두근두근 방과후'에서처럼 함께 자전거 일주를 하고 놀이 활동을 통해 배우는 활동 등을 기대하는 것은 어려운 일이었다. 그리고 빛가람동 인구가 늘어가며 입학할 때 21명이던 반 인원은 2학기에는 30명을 넘어갔고, 교육은 보육이 되어가는 것을 보았다.

노안남초를 알게 된 것은 나주에 온 지 1년이 되는 2017년 2월이었다. 아는 사람이 아이를 노안남초에 보내려 한다고 이야기하기에 나주의 작은 학교 노안남초에 관심을 두게 되었다. 노안남초 교사들이 만든 홍보영상과 임은영 교감과의 상담을 통해 교사들의 열정을 느낄 수 있었다. 가장 매력적이었던 것은 한 반 인원이 15명 미만이라는 것이었다.

그러나 첫째는 6학년으로의 전학이어서 1년 후 중학교 입학하는데 전학 가는 것이 괜찮은가? 둘째는 이제 1학년을 마친 상태인데 전학을 가는 게 좋을까? 여러 가지 걱정이 앞섰다. 노안남초로의 전학은 아이들의 선택에 맡겼다. 첫째 아이는 흙이 있는 운동장을 좋아해서 노안남초를 선택했고 둘째 아이는 수업은 안 하고 놀이만 하는 학교로 잘못 생각하여 노안남초를 선택했다. 우리 아이들은 노안남초가 혁신학교인지도 모르고 노안남초를 선택했다.

노안남초는 수업이 없는 학교가 아니라 기존 학교보다 즐겁게 수업하는 학교였다. 경기도 과천에서 경험했던 '두근두근 방과후' 공동체의 활동을 공교육 속에서 구현하고 있는 것을 보며 너무도 좋았다. 공교육에서 이러한 것이 가능하다는 것이 너무도 감사했다. 5년간 혁신학교인 노안남초에 아이를 보내며 아이들도 행복하고 부모로서도 행복한 시간을 보냈다.

노안남초의 장점

내가 본 혁신학교 노안남초의 장점은 다음과 같다.

첫째, 학생을 학교의 중심으로 만드는 적정한 학급별 학생 수이다. 빛가람동의 교사들도 참 좋은 선생님이었다. 그러나 반 인원이 늘어나다 보니 한 명 한 명 아이들에 맞추어 교육을 진행하는 것은 불가능했다. 그곳에서도 한 반의 인원이 15명 정도로 줄어든다면 더 좋은 교육들을 진행할 수 있으리라 생각한다. 노안남초에서는 한 반 인원이 너무 적지도 않고 많지도 않은 적정인원을 유지할 수 있었기에 교사들은 학교의 중심인 한 아이 한 아이에 맞추어 수업을 진행할 수 있었다고 생각한다.

둘째, 열정적인 교사들과 교사들에 대한 신뢰이다. 교장 선생님과 교감 선생님이 선생님들이 하고 싶어 하는 수업을 진행할 수 있도록 지원해 주셨다. 교사들은 자신들의 장점을 살려서 각자의 방법으로 아이들을 가르치고, 아이들은 매년 만난 새로운 선생님들에게서 새로운 것들을 새로운 방식으로 배워 갔다. 아이들을 향한 사랑과 열정이 있는 선생님을 만나는 것은 참 좋은 일이다. 대한민국에 많은 좋은 선생님들이 계시고, 그 좋은 선생님들의 좋은 점을 잘 부각해주는 것이 혁신학교 노안남초였다고 생각한다. 시켜서 하는 일은 하기 싫은 것이 인지상정이다. 싫지는 않다고 하더라도 좋아하는 일도 시켜서 하면 흥미가 떨어진다. 노안남초는 교사들을 신뢰하고 교사들이 자신의 장점과 열정을 살려 자신만의 수업 방식으로 아이들을 교육할 수 있도록 지원하는 학교이기에 교사들의 열정을 끌어낼 수 있었다고 생각한다.

방학에도 학생들과 함께 제주도 자전거 일주를 함께하는 선생님, 학생들이 주도적으로 학교에 참가하고 목소리를 내고 함께 더 좋은 학교로 만들어갈 수 있도록 학생회가 학교 행사를 기획하고 운영해 볼 수 있도록 도와주는 선생님, 아이들 한 명 한 명 소외되지 않도록 신경 써주며 한 명 한 명에 맞추어 글을 적어주고 앨범을 만들어 주는 선생님. 열정적으로 가르치고 학생 한 명 한 명을 사랑으로 대해주는 선생님들이 있기에 지금의 노안남초가 있을 수 있었다고 생각한다.

작은 학교이기에 행정적인 일들이 많다고 들었고 출장이 잦은 교사들을 볼 때 안타깝기도 했지만, 주어진 환경 속에서 행정적으로도 최선을 다하여 교사들이 수업에 집중할 수 있도록 지원해 주는 시스템이 갖춰진 학교였다. 행정실과 급식실 그리고 교장 선생님과 교감 선생님, 학교의 모든 교사가 학생들의 성장에 초점을 맞추어가는 학교였다. 더불어 혁신학교의 초빙교사제도는 함께 했던 좋은 선생님들과 더 오래 함께할 수 있도록 만들어 교육의 흐름을 이어갈 수 있도록 돕는 정말 좋은 제도라고 생각한다.

셋째, 중심을 잡아주는 학부모들이다. 홍보영상에서 보았던 선생님, 입학 상담을 해줬던 선생님, 담임 선생님으로 아이들이 참 좋아했던 좋은 선생님들이 다른 학교로 전근 가는 것을 보며 당황스럽기도 했다. 선생님을 보고 전학을 시켰는데 아이들을 맡아주리라 기대했던 선생님들이 다른 학교로 전근을 가는 상황을 보고 깨달은 것은 학교에 가장 오래 있는 사람은 선생님이 아니라는 것이었다. 둘째 아이가 졸업할 때까지 교장 선생님은 세 번 바뀌었고 교감 선생님도 세 번 바뀌었다. 둘째 아이가 졸업하며 네 번째 교감 선생님께 인사드리고 왔다. 세 분의 교장 선생님들이 바뀌는 과정에서 리더십의 변화를 지켜보기도 했다. 여러 가지 상황으로 아직 더 남아 있을 수도 있는 교사들이 학교를 떠나는 것을 보게 되었다.

작은 학교이기에 교사들의 이동은 학교 분위기를 완전히 바꿔놓는다. 새로 오는 선생님들도 좋은 선생님들이지만 지난해에 좋았던 일들과 연계하여 더 좋게 만들어가는 것은 어려워질 수 있다고 본다. 좋은 교사들이 가능한 오래 함께할 수 있도록 교사들을 지지하고 선생님들과 소통하는 학부모들이 있을 때 리더십의 변화 속에서도 의미 있는 교육활동들은 오래 지속할 수 있을 것이다. 학교에서 교육은 선생님들이 하지만 선생님들이 교육을 잘할 수 있는 환경을 만들어가는 것은 학부모들의 역할이라 생각한다.

여러 가지 상황으로 선생님들은 근무하는 학교가 바뀌게 된다. 전남의 선생님들은 한 학교에 길어야 4년 근무하고, 그 이후에는 다른 학교로 가야 한다. 참 좋은 선생님이셔서 더 함께하고 싶은데 보내야 하는 것이 공교육의 상황이다.

학교에 가장 오래 있는 것은 학생도 아니다. 학생도 6년이면 졸업하게 된다. 학교에는 학부모가 가장 오래 남아 있다. 아이가 세 명인 사람은 15년 넘게 초등학교 학부모로 활동하는 때도 있었다. 그래서 학교가 어떻게 변화해 왔는지는 학부모가 가장 잘 알게 된다. 학교의 역사를 알고 있기에 함께 세워가는 학교의 전통을 이어갈 수 있도록 중심을 잡는 학부모들의 역할이 가장 중요하다고 생각한다. 노안남초에는 열정적인 교사들과 내 아이에게만 초점을 맞추는 것이 아니라 모든 아이를 돌아볼 수 있는 학부모들이 있다. 학교의 전통을 이어갈 수 있도록 중심을 잡는 학부모들이 있는 곳이 노안남초이다. 이것이 노안남초가 혁신학교로 자리 잡게 만든 한 축이 되었다고 생각한다.

익숙함과 편안함을 넘어 혁신으로

노안남초의 장점을 생각해보며 혁신에 대해 다시 생각해보게 된다. 혁신학교인 노안남초에서는 일반 학교에서 경험하지 못한 것들을 경험했다. 학부모들이 참여하는 봄/가을 계절프로젝트, 봄/가을 영산강 자전거 일주, 다문화 가정 아이들과 함께 어우러지는 생활. 그리고 일 년의 교육 활동 속에 주제를 가지고 다양한 시도와 체험을 하며, 놀이까지도 성장을 위한 교육의 시간으로 만들어가는 학교생활, 이 모든 것이 교육이 되는 경험을 했다. 방과후 공동육아를 경험했었기에 더 좋게 다가오는 것들이었다.

하지만 늘 그렇듯이 새로움은 익숙하지 않았다. 기존의 것들이 익숙하고 편했다. 나이가 들어가며 익숙한 것을 더 좋아하게 되는 것 같다. 40대 초반까지만 해도 컴퓨터를 내가 조립하고 업그레이드해가는 것이 즐거움이었는데 언제부터인가 내가 조립하는 것이 불가능하고 업그레이드도 극히 제한되어있는 노트북을 구매하는 내 모습을 보게 된다. 노트북을 구매하는 이유가 이동하며 사용하기 위함이 아니라 바꿀 수 없는 기계이기에 변화시켜야 한다는 마음의 부담에서 벗어나기 위한 행동이었다. 살아가며 점점 익숙한 것을 편안하게 생각하고 익숙한 것을 선택하게 된다. 익숙한 것을 좋아하는 까닭은 익숙한 것이 에너지 소모를 줄여주기 때문이다. 익숙한 것은 아는 것이기에 새롭게 배울 필요도 없다. 배우는데 들어가는 시간을 줄여주고 적응하는데 들어가는 시간을 줄여준다. 기존에 해왔던 일, 기존 방식, 기존 방법, 기존 제도들을 유지하는 것은 사람을 빠르게 적응하게 해 준다. 익숙한 것을 계속 유지하고 사용하는 것은 여러 가지 장점이 있다.

학교는 사회 속에서 보편적으로 알아야 할 것들을 가르치는 곳이었다. 산업혁명 시기 동일한 작업 비슷한 일들을 잘 할 수 있는 사람들이 많이 필요했기에 사회에서 보편적으로 알아야 할 것을 주입시키는 교육이 필요했고 효과적이었다.

그러나 현시점에서 학교는 익숙한 것만을 유지하고 기존 사회 속에 익숙해지도록 교육하면 안 되는 곳이 되었다.

학교가 혁신의 장소가 되어야만 하는 이유

첫째, 세계가 급격히 변화하고 있기 때문이다. 21세기에 들어서며 세계는 급속히 변화하고 있다. 너무도 급속히 변해서 기성세대도 어떻게 대처해야 하는지 고민하며 살아가는 세상이 되었다. 코로나로 변화된 사회가 그 급속한 변화의 증거이다. 앞으로 이 변화는 더 급속하게 진행될 것이다. 인공지능이 발달하여 활용되고 있는 세상이다. 가상 인물이 실제 인물과 구별이 힘들어지는 세상이다.

이제 학교에서 기존의 지식을 가르치는 것 만으로 이 사회를 유지 시키고 발전시킬 수 없는 세상이 되었다. 아니 기존의 지식을 배우는 것만으로는 학생들이 졸업하고 사회에 적응해 살아가기 힘든 세상이 되어가고 있다. 그렇기 때문에 새로운 시대에 적응할 수 있는 인재로 성장시키기 위해서 학교는 혁신의 장소가 되어야 한다.

둘째, 사람은 함께 살아가는 존재이기 때문이다. 많은 사람이 피부색이 달라 차별을 해왔고 사는 지역이 다르다는 이유로 차별을 해왔다. 차별을 자신을 지키려는 방법의 하나로 선택했을 것이다. 그러나 세상이 급격히 변해가는 현시점에서 세계는 매우 가까워졌다. 차별하는 것은 고립을 자처하는 것이 된다. 인공지능 시대에 협업능력의 부재는 도태됨을 의미하게 될 것이다. 공자가 강조하는 인(仁)은 사람 사이의 관계에 기초한다. 인간은 아주 오래전부터 함께 살아가야만 생존할 수 있는 존재였다.

사람이라는 존재는 각각 특별한 존재이기에 모든 사람마다 잘하는 것이 다르고 배우는 방식이 다르다. 각각 다르게 가르쳐야 한다. 학교가 사회 부적응자를 만들어내는 곳이 되어서는 안 된다. 다르게 반응한다고 다 틀린 것은 아니기 때문이다. 다르게 반응하는 것을 서로 수용할 수 있는 능력을 길러주어야 하는 곳이 되어야 한다. 한쪽의 일방적인 요구나 다수의 일방적인 요구만을 강요하는 곳이 아니라, 서로 조정할 수 있고 서로를 존중하고 배려할 수 있는 능력을 키울 수 있는 곳이 학교이어야 한다. 서로를 존중하고 배려하는 능력이 있을 때 함께 살아가는 사회가 이루어진다. 피부색이나 부모의 국적이나 살아가는 장소, 소득수준의 차이를 틀림이 아닌 다름으로 받아들이고 함께 살아가고 서로를 존중할 수 있는 능력을 배울 수 있는 곳이 학교이어야 한다. 서로를 존중하고 배려할 수 있는 능력을 키워가기 위해서는 학생 개개인을 향한 맞춤형 교육이 필요하고 매년 새로운 신입생이 들어오는 학교는 매년 변화하는 혁신의 장소가 되어야 한다. 학교는 매년 신입생을 만나는 곳이다. 유일한 사람, 특별한 사람들을 매년 새롭게 만나는데 새롭게 만나는 사람들을 동일한 방법으로 교육하는 것은 21세기에는 맞지 않는다.

21세기에 들어서며 학교는 사회 속에서 보편적으로 알아야 할 것들만을 가르쳐서는 안 되는 시대가 되었다. 학교는 혁신의 장소가 되어야만 이 사회에 미래가 있는 것이다.

혁신(革新) : 묵은 풍속, 관습, 조직, 방법 따위를 완전히 바꾸어서 새롭게 함.

완전히 바꾸어서 새롭게 하는 것이 혁신이라고 표준국어대사전에 나온다. 완전히 바꾸고 새롭게 하는 것은 서로 사랑할 때 가능해지는 것 같다. 내게는 익숙하지 않지만, 사랑하기 때문에 받아들이게 되고 사랑하기 때문에 변화하려 한다.

진화론의 사상으로 약육강식이 생존의 원리처럼 여겨지고 있는 사회 속에서 강해져야만 생존할 수 있음이 강요되고 있고 생존을 위해 변화하고 성장해야 한다는 것은 어린 아이들에게 너무도 힘든 일이다. 우리 아이들은 약육강식의 생존이 아닌 사랑 속에서 생존을 배우고 사랑 속에 성장해 감을 가르치는 학교가 진정한 학교라 생각된다.

사랑으로 한 사람 한 사람에게 새로운 교육 방법을 찾고 사랑으로 서로를 존중하고 배려함을 배워 함께 성장하고 함께 살아가는 힘을 길러가는 혁신의 장이 학교가 되기를 소망한다.

6 '공동육아'는 '내 아이'를 맡기거나, '남의 아이'를 보호해 주는 것을 넘어서 '우리 아이들'을 함께 키우자는 뜻으로, 뜻을 함께하는 부모들이 출자금을 모아 장소를 마련하고 교사를 채용해서 운영하는 협동조합으로 어린이집 형태의 공동육아협동조합과 방과후협동조합이 있다.
7 경기도 과천지역에서 운영되는 공동육아협동조합.

작은 학교로 유학 왔어요!

아이들을 사랑하는 평범한 엄마 송해영

지난겨울 이야기

지난겨울. 찬바람에 몸이 움츠러들어 아무것도 하기 싫었던 어느 날, 아이들이 커다란 봉투를 하나씩 들고 학교에서 집으로 돌아왔다. 봉투 안에는 알이 실한 커다란 배추가 두 포기씩 들어 있었다. 유치원을 다니는 막내를 제외하고 세 아이가 두 포기씩 가져오니 배추가 여섯 포기였다.

'으악, 어쩌지!'

당황스러웠지만 얼른 표정 관리부터 들어갔다.

"어머, 배추야? 텃밭에서 가져온 거구나? 와우~ 진짜 잘 키웠다~!"

표정 관리! 혁신학교 보호자로서의 첫 번째 덕목이다.

5년간의 경험으로 이 배추의 탄생과 우리 집으로 오기까지 배달과정이 머릿속으로 그려졌다. 학교에 마련된 장화를 신고 학교 뒤편 텃밭에 몇 번을 들락날락하며 씨를 심고 싹이 나오는 모습을 구경하고, 때로는 친구들과 함께 물을 주기도 했을 것이다. 간혹 특이한 모양의 잎이나 애벌레를 발견한 날에는 잘 기억하고 있다가 학교 버스에서 내리자마자 큰일이라도 난 것처럼 이야기를 늘어놓을 때도 있었다. 그리고 이렇게 수확물을 집으로 가져올 때는 마치 자기네들이 다 키운 것 마냥, 진짜 농부라도 된 듯 자랑스럽게 나에게 건네주었다. 여름에 가져온 오이고추야 모두 맛있게 냠냠 식탁에 둘러앉아 금세 먹었었다. 아빠처럼 고추를 먹을 수 있게 됐다고 유치원 다니는 막내도 잘 먹어주었다. 그런데 배추 여섯 포기는 요리에 좀처럼 재능을 보여주지 않는 나의 두 손에 벅찬 대상이었다. 그렇지만 학교에서 만든 물건 하나에도 의미를 부여하는 아이들에게 본인들이 키운 배추는 더욱 소중한 존재였다. 특히 지난 일 년 동안 학교에서 지구를 생각하는 교육을 받고, 밤에 30분 동안 전등을 끄고 계단을 이용하고 손수건을 사용하는 등의 환경지킴이 미션을 함께 했는데 엄마가 배추를 소홀히 여기다 버리는 모습을 보여 줄 수 없었다. 그래서 고심 끝에 김장을 담가 보기로 했다. 나를 너무나 잘 아는 남편은 그 소식을 듣고 깜짝 놀라며 시골에 계신 어머님께 가져다드리자 했지만, 그렇게 되면 아이들은 자신들이 가져온 배추의 행방을 알 리가 없지 않은가? 물론 이 배추가 온전히 아이들의 힘만으로 키워진 것이 아니라는 것, 다른 여러 선생님의 도움으로 키워진 것이라는 것을 잘 알고 있다. 하지만 여러 달에 걸쳐 오고 가며 우리 학교, 우리 텃밭, 우리 배추라 생각한 아이들의 관심과

정성을 끝까지 지켜주고 싶었다. 그래서 아이들이 보는 앞에서 배추에 간을 하고 숨이 죽을 때까지 기다린 후 양념을 발라 우여곡절 끝에 김장 담그기에 성공했다. 사실 맛까지 따지자면 성공했다고 볼 수 없지만, 나의 첫 김장을 축하하며 온 가족이 함께한 식사는 절대 잊지 못할 추억으로 남게 되었다. 학교에서 자신들이 수확해 온 배추라는 사실과 엄마가 처음으로 김장을 담갔다는 사실이 마법으로 버무려져 우리의 미각을 마비시켰는지 그날의 김치는 우리 가족에게는 정말 최고였다. 이렇게 또 학교 활동 덕분에 아이들과 내가 성장하게 되었다.

노안남초 가족이 된 이야기

유학(遊學). 나는 중학교 이후 광주에 살고 있었고, 남편은 그곳에서 태어나서 자랐다. 그래서 직장도 광주였고 가족과 친지, 친구들도 대부분 근거리에 살아 언제든 쉽게 연락하고 만나며 지냈다. 그러던 우리 가족이 갑자기 나주로 이사 간다고 하자 모두 놀라며 그 이유를 물었다. 우리는 유학이라고 대답했다. 아무 연고도 없는 나주로, 아는 것이라고는 나주 배 밖에 없는 나주로, 우리는 웃으며 유학 간다고 했다. 조기유학(留學) 보낸다는 소리는 들어봤어도 전교생이 100명도 훨씬 안 되는 시골 학교로 공부시키러 간다는 소리는 못 들어봤다며 이해가 안 된다는 반응도 있었다.

사실 우리에게도 쉬운 결정은 아니었다. 네 명의 아이들을 키우며 이 아이들을 어떤 환경에서 키워야 하는 것이 맞는지 끊임없이 고민하던 중 교육에 몸담고 계시는 이모를 통해 노안남초등학교에 대해 알게 되었다. 내 인생의 멘토로 생각하는 분의 조언에 노안남초에 대해 여러 가지로 알아보기 시작했다. 그중에 한 반의 인원이 적다는 사실이 제일 먼저 우리 부부의 마음을 사로잡았다. 입학을 앞둔 첫째를 비롯해 우리 집 아이들은 많은 사람 앞에 나서는 것을 즐기지 않는 성향이 강했기에 아이들이 긴장감을 덜 느끼겠구나 하는 생각이 들었기 때문이다. 게다가 흙으로 된 넓은 운동장도 마음에 들었고 학교에서 자전거도 타며 건강하게 자랄 수 있겠다는 생각이 들었다. 아이들이 가방 메고 학교를 왔다 갔다만 하지는 않을 것 같았다.

집을 팔지 않았을 때 앞으로 생길 수 있는 이익, 자전거로 출퇴근할 수 있는 편리함, 친구들과 즐거운 만남 등 우리 부부가 포기해야 할 목록들과 네 아이가 작은 학교에 다녔을 때 생길 수 있는 교육의 효과를 양손에 쥐고 머릿속에서 계산기를 얼마나 오래 두드렸는지 모르겠다. "에라 모르겠다. 눈 딱 감고 일단 1년만 다녀보고 아니다 싶으면 다시 돌아오자"라는 마음으로 나주로 이사를 결정했다. 그런데 이렇게 여섯 번째 봄을 나주에서 맞이하고 있다.

노안남초에서의 함께 그려가는 일 년

노안남초에서의 일 년은 정말 빠르게 지나간다. 학교 주변의 노란 개나리를 선두로 이 나무 저 나무에서 다양한 색상의 꽃들과 푸릇푸릇한 잎들이 인사하고 초록이 진해지다 차츰 다른 빛깔들을 보여준 후 학교 주변으로 나뭇잎들이 떨어지며 계절이 한 바퀴 돌아가는 것처럼, 3월 2일 개학식 후 종업식까지 아이들의 학사일정도 그렇게 계절을 따라간다. 계절 프로젝트, 어울림 한마당, 자전거 하이킹과 같은 굵직한 일정 사이사이에 학년별 교육과정에 맞는 여러 가지 체험학습들이 자리를 잡고 있다. 그런데 늘 찾아오는 봄, 여름, 가을, 겨울이 한 번도 똑같은 모습을 보여주지 않는 것처럼 학교의 모든 일정이 되풀이되는 듯하지만 똑같은 적은 없었던 것 같다. 졸업과 입학으로 매년 아이들과 보호자님들의 구성이 달라지고, 전출과 전입으로 인한 선생님들의 구성이 조금씩 달라지기 때문일 수 있다. 하지만 그것이 전부는 아니라는 생각이 든다. 새롭게 입학하는 아이들과 성장해가는 아이들에 맞춘 선생님들의 부단한 노력 덕분이라고 생각한다. 아이들이 두발자전거를 탈 수 있도록 뒤에서 열심히 자전거를 잡아주시는 선생님, 아이들의 생활지도를 하실 때 눈높이를 맞추기 위해 무릎을 꿇고 이야기를 나눠주시는 선생님, 즐거운 장기자랑의 추억을 위해 무대에 함께 올라 춤을 춰주시는 선생님, 학교를 오고 가며 항상 반가운 얼굴로 인사하시는 선생님들의 모습에 감사를 느끼게 된다. 나만 그렇게 생각하는 게 아닌 다른 보호자님들께서도 같은 마음이기에 도움이 필요한 큰 학교 행사가 있을 때마다 힘을 보태기 위해 즐거운 마음으로 행사 준비에 참여하게 되는 것 같다.

이 글을 쓰며 가만히 생각해보니, 나는 노안남초 전교생의 이름과 얼굴을 대부분 알고 있는 것 같다. 네 명의 아이들을 둔 이유도 있겠지만, 만약 나의 아이들이 학급당 학생수가 많은 큰 학교에 다녔다면 꿈도 못 꿀 일이다. 아마도 내 아이 반 친구들 이름도 다 못 외웠을지도 모르겠다. 그런데 작은 학교에 다니는 덕분에 아이들의 친구들뿐 아니라 다른 학년의 아이들까지 대부분 알게 되었다. 그래서 하교 후에 아이들은 쉽게 학교에서 있었던 이야기를 꺼내고 나도 신나게 맞장구쳐 줄 수 있어 대화가 끝이 없다. 아이들의 즐겁고 다양한 경험을 위해 노안남초를 찾아왔는데 아이들을 더 이해할 수 있는 이점까지 보너스로 얻고 있다.

서로 간의 마음과 마음이 전해지는 노안남초 안에서 선생님들과 아이들, 그리고 보호자님들이 함께 어우러져 학교가 아름답게 채워져 가는 앞으로의 일 년을 또 기대해 본다.

2015년~2022년 동안 보도되었던 노안남초등학교에 관한
기사들을 모았습니다. 기사문들을 통해 노안남초에서 이뤄졌던
다양한 교육 활동이 무엇이 있는지 알아보고, 교육 활동을 이끈 선생님들과
보호자들이 어떤 노력을 했는지 알 수 있었습니다.
지난 8년간의 역사 속에서 노안남초는 수많은 사람의 애정과
헌신으로 지금의 '노안남초'로서의 모습을 갖추게 되었습니다.

뉴스 기사로 알아본

노안남초 혁신학교 발자취

폐교 위기의 작은 학교,
혁신학교로 거듭나다!

제한적 공동학구제가 시행된 이후로 노안남초등학교 재학생들의 절반 이상은 인근의 혁신도시에서 에듀버스를 이용해 등하교하고 있으며, 2022년 현재까지도 혁신도시의 과밀학급에서 벗어나 학생들이 편안하고 즐겁게 학교생활을 할 수 있기를 바라는 학부모님들의 전입 및 입학 문의가 끊이지 않고 있다.

2017. 3. 6.
연합뉴스

제한적공동학구제 농촌학교에 활력

학생 수 감소로 위기를 맞았던 나주 노안남초등학교가 제한적공동학구제 도입으로 새로운 가능성을 만들었다. 존폐위기에 놓인 학교의 학생 수가 50명으로 늘어난 것이다.

1961년 문을 연 나주 노안남초등학교는 분교였지만, 한때 전교생 수가 300여 명에 이를 정도로 학생이 많았다. 광주로 인구가 빠져나가면서 2014년 47명, 2015년 43명, 2016년 35명으로 학생 수가 급격히 줄었다. 하지만 2017년 나주시교육지원청이 처음으로 제한적공동학구제를 도입해 혁신도시 전입 학생 15명을 받아들이면서 학생 수가 50명으로 늘어났다.

제한적공동학구제는 일부 학교를 대상으로 주소를 옮기지 않아도 학생 수가 많은 학교에서 인근의 작은 학교로 전, 입학할 수 있도록 한 제도다. 제한적공동학구제로 인해 초등학교 14곳과 중학교 8곳, 중학교 1 분교 등 모두 23개교가 다른 읍·면·동에 있는 학교에서 신입생과 전학생을 받을 수 있게 됐다. 노안남초등학교도 빛가람혁신도시에 있는 학생들이 옮겨와 학생 수가 늘어났으며, 전, 입학생들의 통학을 도울 버스도 한 대 지원받았다.

제한적공동학구제로 학생 수가 늘어나자, 학교 자체적으로 전문학습공동체인 '노리터'를 구성해 독서 토론을 도입하는 등 수업의 질을 높이는 데 주력했다. 학교 측은 학생 수가 늘면서 작은 학교에 대한 지원도 늘어날 것으로 기대하고 있으며, 학교에 대한 지원이 학생 수를 기준으로 하다 보니, 낡은 책·걸상 교체 등 시설 개선에서도 도움이 될 전망이다.

임은영 교감은 "2015년부터 학생 확보를 위해 학교 차원에서 제한적공동학구제를 교육청에 건의했다."라며 "지난달 20일 열린 나주교육 소통 한마당에서 막간을 이용해 학교를 홍보했는데, 다음 날부터 상담이 밀려들어 결국 버스까지 확보해 학생이 늘었다."라고 했다.

2017. 3. 7.

호남교육신문

“학생 수 54% 증가 주목”

제한적공동학구제를 적극적으로 활용해 2016년 35명이던 재학생 수가 54% 가까이 증가해 2017년 학생 수가 50명으로 늘어 주목을 받았다. 특히, 광주전남 혁신도시에서 신·전입생 15명을 유치했다.

전라남도교육청이 지정한 미래지향적 공교육 혁신학교 ‘무지개학교’를 운영하고 있는 노안남초는 수개월에 걸쳐 작은 학교 통폐합 위기 극복을 위한 전략을 구상해서 실천해왔다. 내부적으로는 전문학습공동체 ‘노리터’(노안남초의 이야기가 있는 터전)를 구축해 비전을 공유하고 주제통합, 독서 토론 등 수업 혁신과 소통하는 학교문화 조성을 통해 학교 교육력을 높였고 지속적인 홍보 활동을 전개했다.

외부적으로는 제한적공동학구제의 조기 시행, 소규모 학교를 연계한 순환형 에듀버스제 운행, 농어촌형 스쿨버스 운행노선 규제 완화와 같은 적극적인 제도 개선을 제안했다. 이러한 전략은 나주교육지원청의 전폭적인 지지를 이끌어 내 에듀버스 한 대를 임차 지원받았다.

또 지난달 20일 한전KDN에서 진행된 ‘나주교육 소통 한마당’ 행사에서 노안남초는 에듀버스를 이용한 통학의 유리성, 작은 학교의 비전과 목표를 홍보하고 노안남초가 자랑하는 ‘학생·학부모 노리터’의 락밴드 공연, ‘교사 노리터’의 교육수요자 상담 활동을 진행함으로써 재학생의 절반이 넘는 외부 유입생 모집이라는 예상 밖의 커다란 결실을 보았다.

빛가람혁신도시에서 노안남초로 아이를 전학 보낸 한 학부모는 “무엇보다 학교 교육에 자부심을 갖고 프리젠테이션과 상담을 하는 선생님들의 열정이 돋보였고 자연 속 작은 학교에서 더불어 성장하는 수업을 할 수 있고, 안전하고 편안한 통학수단이 마련돼 전학을 결심했다.”라며 기대감을 나타냈다.

박성수 교장은 “교육공동체 모두가 한마음으로 혼연일체가 되어 직접 발로 뛰며 학교 홍보와 교육수요자에 대한 상담 활동으로 이뤄낸 성과라 더욱 만족스럽고 또한 의미하는 바가 크다.”라며 “우리가 쏘아 올린 작은 희망의 메시지가 본교와 같은 작은 학교들의 좋은 모델로 남기를 희망한다.”라고 말했다.

2017학년도 신입생 입학식

2017. 7. 25.
함께하는 교육

작은 학교? 경쟁은 적고 혜택은 많은 '단란한' 학교랍니다

흔히 작은 학교라고 하면 다양한 프로그램을 운영하거나 학생 간 상호작용이 어려워 질 높은 교육을 받기 힘들다고 생각한다. 전남 나주 노안남초 사례는 이런 선입견을 무색하게 한다.

노안남초는 교사, 학부모, 학생이 각각 '노리터'(노안남초의 이야기가 있는 터전) 활동을 한다. 교사들은 전문학습공동체를 만들어 수업 혁신과 교육과정을 함께 연구한다. 아이들과 어떻게 하면 재미있는 활동을 더 해볼까 궁리하는 모임이다. 학생들은 월 1회 다 같이 회의를 연다. 학생 수가 적다 보니 학급회의가 아니라 전교생이 모여 전체회의를 하는 것이다. 텃밭부, 생활부 등 기능부서별로 협의도 하고 생일파티도 직접 연다. 학교 규칙을 정해 모니터링한 결과도 발표하고 상을 만들어 수여하기도 한다.

임은영 교감은 "보통 1, 2학년은 학급회의를 해도 집중을 잘 안 하는데 다 같이 하니까 선배들의 회의 참여 태도나 발표 내용을 보고 배운다. 분위기가 흐트러지면 옆에서 고학년 선배들이 잡아주기도 한다."라며 "기능부서도 학년을 섞어 활동하니까 모두 친하게 지내고 저절로 생활지도가 된다."라고 했다.

학부모 노리터는 록 밴드, 리딩 푸드(동화책 안에 나오는 내용을 가지고 간단한 요리를 하는 것) 등 하고 싶은 활동을 직접 꾸린다. 아는 내용을 가르쳐주고 육아나 교육에 대한 고민을 상담하며 서로 친밀해졌다. 방학 때 진행하는 계절학교에서는 협력해 직접 수업을 진행하기도 했다.

학교 측은 "학부모들이 학교 교육에 대한 이해도가 높아지니까 무조건 평가만 하려 들기보다 어떤 어려움이 있는지 찾아서 협조하려고 한다. 교사도 학생과 학부모의 긍정적 반응이 촉진돼서 더 좋은 수업을 하려 노력한다."라고 했다.

방학 때 전체 교사가 인근 지역 학부모 대상 신설 학교 설명회를 찾는 등 학교 홍보에도 발 벗고 나섰다. 이 결과 올해만 학생이 20명 늘었다. 스쿨버스 승차 인원이 차서 현재 대기자만 10명이 넘는다. 30명 안팎이던 전교생이 현재 52명으로 늘어 이 추세라면 내년에는 소규모 학교 통폐합 대상에서 벗어나게 된다.

임 교감은 "해마다 교육부에서 학부모 대상으로 통폐합과 관련한 수요조사를 한다. 우리 학부모들은 거의 다 반대했다. 학교별·지역별로 학교가 존재해야 할 가치를 정확히 평가해서 문 닫을 곳은 닫고, 아닌 곳은 남겨야 한다. 지역적 특성이나 교육내용을 고려하지 않고 무조건 적용하는 건 문제이다."라고 했다.

"소규모 학교로도 알차게 운영하며 나름의 문화가 자리 잡았는데 작은 학교가 가진 장점을 무시하고 '60명 이하니까 문 닫으라' 하면 그곳에서 나오는 교육 효과를 완전히 무시하는 것이다."

강성종 교사도 "방과후학교 운영비를 따져보니 학생 1인당 1년에 10만 원꼴로 든다. 다른 곳에서 10만 원 갖고 이렇게 다양한 교육을 받을 수 없다. 학교 현장에 경제적 논리를 적용하려면 이런 식으로 교육의 내용과 질을 기준으로 삼아야 한다. 단순 학생 수나 운영비 절감만을 놓고 판단해서는 안 된다."라고 했다.

특색교육사업으로 학교에서 자전거를 마련해
전교생과 희망 학부모들이 자전거 하이킹을 떠났다

주제 중심 집중 체험프로그램으로
더욱 탄탄해지는 학교

2015년부터 시작된 학부모회가 주축이 되어 진행하는 '독서프로그램'과 '작가와의 만남' 행사는 계절프로젝트와 함께 2022년까지 해마다 꾸준히 진행되었고, 노안남초의 전통적인 교육 활동 프로그램으로 자리 잡아가고 있다. 2015년 이후로 거의 매년 가을 프로젝트와 연계되어 즐겁게 책 활동을 하고, 작가를 만나는 일이 노안남초 학생들에겐 더 새로운 사건이 아니다.

또한, 2015 개정 교육과정의 '한 학기 한 권 읽기' 교육 활동에 관심을 두고 아이들에게 책을 천천히 깊게 읽으며 사고력을 향상하게 시키고자 하는 교사들의 노력으로 '독서프로그램'은 더욱 풍성해졌으며, 일상 교육 활동으로 자리매김하고 있다.

2015. 7. 17.
appledodo.co.kr

'읽go, 깨닫go, 느끼go, 감동하go'

2015년 7월 10일, 독서캠프가 열렸다. '읽고, 깨닫고, 느끼고, 감동하고'라는 주제로 열린 독서캠프에서는 전교생(42명)이 책과 관련한 다양한 활동을 전개했는데, 독서 골든벨 대회, 북아트 체험, 작가와의 만남, 독후 표현 활동, 시 낭송회 등이 진행됐다.

북아트 체험에서는 전통 바인딩 방식을 이용해 메모 책을 직접 만들었고, 작가와의 만남에서는 그림동화 작가 무돌 선생님과 아동 소설 작가 임지형 선생님을 초청해 강연을 듣고 책과 관련한 대화를 나누는 시간을 가졌다.

독서캠프의 마지막 프로그램으로 진행된 시 낭송회에서는 전교생이 참여해 동화 구연, 시 낭송, 악기 연주, 합창 공연을 통해 시와 음악이 함께 어우러지는 무대를 선사했다.

독서캠프에 참여한 3학년 조○우 학생은 "작가와의 만남이 재미있었다. 내가 읽은 책을 직접 그리고 쓴 작가 선생님을 만나서 이야기를 나누니 뜻깊었고 책의 내용을 더 이해할 수 있는 시간이었다."라고 말했다. 또 5학년 박○호 학생은 "책과 관련한 다양한 활동을 알차게 해서 즐거웠다. 독서캠프를 통해 책과 더 가까워진 느낌이다."라고 했다.

독서캠프 '작가와의 만남'에서 대화를 나누는 모습

여름계절학교

2016. 7월.
교육연합신문

2016년 7월 12일부터 14일까지 3일 동안 진행된 여름계절학교는 교육공동체 모두에게 만족감을 선사하며 마무리되었다. 문화예술 체험, 나눔 장터 및 행복 기부, 과학 페스티벌, 여름 물놀이 등 다양한 프로그램을 운영해 학생들에게는 기쁨을, 교사에게는 보람을, 학부모님들에게는 감동을 선물했다.

첫째 날 문화예술 체험활동으로 마련된 목공, 공예, 디자인, 요리 프로그램에서는 학부모님들이 일일 강사로 나서 아이들에게 자신의 재능을 기부했다. 아이들과 함께 직접 만들고 꾸미는 활동을 하면서 노동의 가치를 경험하고 내 아이만을 위함이 아닌 모든 아이를 위한 교육 활동을 실천했다. 또한, 나눔 장터를 열어 행복 기부의 밑거름을 다졌다. 어머니들은 요리를, 선생님들은 재능을, 아이들은 추억의 물건을 기부해 작은 나눔에 동참했고, 수익금 전액은 도움이 필요한 사람들에게 직접 기부를 통해 전달됐다.

둘째 날 과학 페스티벌에서는 꼬마 과학자가 되어 고래 피리 만들기, 태양광 자동차 만들기, 천연 모기 퇴치제 만들기, 솜사탕 만들기 등 여름 관련 물건을 과학적 원리로 직접 제작하며 사용하는 기회를 가졌다.

마지막 날, 물놀이 체험에서는 35명의 아이들이 여름을 만끽하며 즐거움과 행복감을 '까르르' 웃음소리로 대신했다.

5학년의 한 아이는 "나에게 나눔과 기부는 000이다."라는 질문에 "나에게 나눔과 기부는 초능력이다. 왜냐하면, 무엇인가를 나누면 나쁜 병이나 마음의 상처가 초능력을 부리는 것처럼 없어지기 때문이다."라고 대답했다. 물건을 사고, 파는 것에 머무른 나눔 장터가 아닌 아이들의 마음을 두드리는 시간이 됐음을 확인했다.

학부모와 함께하는
문화예술 체험활동

2016. 11. 23.
전남타임스

가을계절학교, 집중체험학습 운영

노안남초등학교는 2016년 11월 16일(수)부터 3일간 집중체험활동 프로젝트인 '가을계절학교'를 운영했다고 전했다.

노안남초등학교의 가을계절학교는 몇 가지 주제를 정해 일정 기간 집중적으로 학습하는 교육적 프로젝트의 일환인 몰입형 체험활동이다. 이 기간에 학생, 학부모, 교사로 구성된 노안남초등학교 학습공동체는 영화 감상을 통한 대중문화 체험, 다른 나라 음식문화 접하기, 아시아 문화 체험 등의 '문화예술체험 프로젝트', 그림책 읽고 도토리묵 만들기, 버킷리스트 작성 등 개별 및 모둠 활동을 하며 미션을 수행하는 '책과 노니는 날 프로젝트', 내 고장의 역사와 문화를 바로 알기 위해 관내 사찰인 불회사와 역사유적 관람 시설인 나주학생독립운동기념관 등을 찾아가는 '나주얼 계승 프로젝트' 활동 등 의미 있고 진정성 있는 체험학습을 진행하였다.

집중체험활동을 하는 동안 학생들은 학교 안팎에서 다양한 경험을 하고 부여받은 과제를 수행하면서 자연스럽게 바른 인성을 함양하고 자기 주도적 학습력과 창의성 신장을 이룰 수 있었으며 나아가 주어진 과제에 대한 도전 정신과 문제해결능력 및 이에 따른 성취감까지 고양시키는 계기가 되었다.

또한, 미래핵심역량인 '심미적 감성역량'과 '문화향유 능력' 함양을 통해 본교 교육목표인 '큰 꿈을 갖고 즐겁게 배우는 행복한 학교' 만들기에도 한 걸음 더 다가서는 성과를 이루었다. 가을계절학교가 진행되는 3일 동안 다양하고 재미있는 체험을 하고 온 3학년 신○○ 학생은 "책도 실컷 보고, 여기저기 다니면서 너무 재미있었어요. 우리 학교에 다니는 게 전 너무 즐거워요."라며 해맑은 웃음을 지었다.

노안남초 박성수 교장은 "자라나는 아이들에게 가장 중요한 것은 의미 있는 경험을 가능한 한 많이 제공하는 것"이라며 "이번 가을계절학교 기간이 아이들의 인성과 감성을 동시에 충족시키는 뜻깊은 시간이 되었을 것으로 확신한다."라고 깊은 만족감을 드러냈다.

함께라서 더 HEART하고 HOT한 봄 프로젝트 학습

2017. 4. 22.
나주투데이

노안남초등학교는 2017년 4월 19일(수)부터 3일간 집중체험 프로젝트학습 '봄 계절학교'를 운영했다고 전했다.

연 2회 새로운 주제와 방식으로 진행되는 노안남초 계절학교 프로젝트는 일단 독특하다. 그러므로 행사에 참여하는 학생과 학부모들은 정형화되고 식상한 행사에 수동적으로 참여하던 것과는 달리 항상 질리지 않고 매 순간 눈이 휘둥그레진다. 이번 봄 계절학교는 '함께'와 '스마트 창의과학'이라는 두 가지 주제로 진행되었다.

계절학교 첫째 날 목포 신항에서 인양된 세월호를 바라보며 참사로 희생된 분들의 영혼을 위로하고, 학교에서 직접 만든 노란 리본을 추모 울타리에 매달았다. 학생들은 경건한 분위기 속에 유가족들과 아픔을 공유하고 안전의 소중함을 깨닫는 계기로 삼았다. 이후 목포 자연사박물관과 어린이 바다박물관 등을 들러 미래 산업의 중심이 될 바다와 그 속에서 일어나는 다양한 해양과학 현상을 살펴보았고, 자연사박물관에 전시된 거대한 몸집의 공룡 화석을 보면서 벌어진 입을 한동안 다물지 못하기도 하였다.

둘째 날에는 무학년제 과학창의 부스체험으로 에어로켓과 VR(가상현실)안경을 만들어 보기, 햄스터, 비봇, 오조봇, 언플러그드 등 상상이 현실로 구현되는 스마트 과학의 신비함을 경험하였다. 마지막 행사로 전교생이 모두 한자리에 모여 고래의 꿈 만들기 행사를 진행하며 다시 한번 세월호 희생자들을 기억하고 안전하고 따뜻한 세상을 만들자고 다짐하였다.

봄 계절학교가 진행되는 동안 의미 있는 체험을 한 6학년 손○○ 학생은 "세월호 이야기를 TV로만 듣다가 직접 바다에서 건져진 세월호를 바라보니 저절로 눈물이 났어요. 노란 리본을 걸면서 희생자들을 잊지 않아야겠다는 다짐을 했어요."라며 진지한 속내를 밝혔다.

노안남초 박성수 교장은 "세월호 참사 3주기를 추모하고, 재미있고 신기한 과학의 세계로 학생들을 초대하는 게 이번 봄 계절학교의 주요 방향이었다."라며 "오늘도 우리 학생들은 어제보다 한 단계 성장하였음을 확인했다."라며 깊은 만족감을 드러냈다.

2017. 10. 28.
대한뉴스

가을계절학교 '올해도 완전 GREAT'

2017년 10월 25일부터 3일간 집중체험활동 프로젝트인 '가을계절학교'를 운영했다. 노안남초의 계절학교는 몰입형 프로젝트 활동으로 학교의 대표적 자랑거리다. 이번 계절학교는 '놀이'라는 대주제에 따라서 '가을-독서-전래놀이-공예-도전'이라는 소주제 활동으로 구성되어 학생 행복 구현과 의미 있는 교육 활동 시간으로 진행됐다.

25일 첫날은 학년 군별 프로젝트 활동으로 남도 한 바퀴 버스를 타고 전통 사찰과 향토 시장을 찾아가 '우리 고장 보물찾기' 활동을 하는 나주 얼 계승 활동과 학교에서 구연동화를 감상한 후 2017년 초에 개장한 금성산 생태숲을 찾아 자연의 품 안에서 책과 사랑에 빠져 보는 '책과 노니는 날' 활동을 했다.

둘째 날은 외부 전문 강사를 초빙해 재미있는 전래놀이 체험을 진행함으로써 전통의 흥과 멋을 한껏 만끽한 후 학부모 재능기부 활동으로 학부모와 함께하는 냅킨아트 활동이 진행됐다.

마지막 날은 개인별 주행 역량에 따라 급수를 나누어 달려보는 자전거 캠프 도전 활동을 진행했다. 학생들은 전날 미리 사전 안전교육을 받은 후 동행한 선생님들의 안전한 지도하에 승촌보와 서창평원, 광주 챔피언스필드로 나뉘는 코스를 자전거로 왕복했다.

3일간의 가을계절학교를 마친 후 6학년 학생은 "3일간 엄청 열심히 공부한 것 같으면서도 한편으로는 너무 신나게 논 것 같다.

올해도 우리 학교 계절학교는 Great다."며 활짝 웃었다. 노안남초 김옥경 교장은 "3일간의 계절학교 기간 동안 학교에서 웃음소리가 떠나지 않았다."라고 3일간의 활동을 평하며, "본교의 계절학교 프로그램이야말로 작은 학교에서 운영하는 큰 교육의 대표적 성공 사례로 자리 잡을 것이라 믿는다."라고 말했다.

자전거 도전활동을 하는
노안남초 아이들

봄에 빠지다 퐁덩~

2018. 4. 23.
교육연합신문

노안남초는 2018년 4월 19일부터 2일간 집중체험 프로젝트 학습인 '봄 계절 프로젝트'를 운영했다.

연 2회 새로운 주제와 방식으로 진행되는 계절 프로젝트는 늘 독특했다. 그러므로 행사에 참여하는 학생과 학부모들은 정형화되고 식상한 행사에 수동적으로 참여하던 것과는 달리 적극적으로 참여했다.

2018년 봄 계절학교는 '문화예술'과 '자연·생태'라는 두 가지 주제로 진행됐다.

첫째 날 오전에는 학생들이 모두 의상디자이너가 되는 시간이었다. 흰색 티셔츠에 봄과 관련된 밑그림을 그리고, 염색 물감으로 채색하여 '나만의 티셔츠 만들기'를 하였다. 저학년생들은 고사리 같은 손으로 정성껏 자기만의 봄 풍경을 흰색 티셔츠에 그려내거나 꽃 모양 도장을 찍으며 하나뿐인 나의 티셔츠를 만들며 뿌듯해했다. 고학년생들은 붓으로 글자를 써넣기도 하여 글자와 아름다운 꽃과 식물들을 어울리게 장식해 수준 높은 작품을 완성해냈다. 학생들은 자신이 만든 티셔츠를 바로 알아보며 매우 만족해했다.

오후에는 노안남초 학부모노리터(학부모회)의 지원으로 특별한 프로그램이 진행되었다. '책과 만나는 재미난 세상' 프로그램으로 학부모들은 1일 교사가 되어 아이들에게 그림책을 읽어주고, 책 내용과 관련된 주제에 따라 떡 클레이 만들기 활동을 하였다. 이날 학부모들은 학생들의 창의성을 돋보이게 하는 훌륭한 놀이 활동을 선물했다.

둘째 날에는 자연·생태 프로그램으로 저학년생들은 학교 화단에 있는 나무와 식물의 이름을 알아보고 학교의 화단 꾸미기 활동을 하였다. 학교 화단에 채송화, 해바라기, 봉숭아, 사루비아, 노란 민들레, 금잔화, 코스모스 등 각자 심고 싶은 꽃씨를 선택하여 심었다. 아름다운 꽃들이 피어나 학교가 꽃으로 꾸며질 것으로 생각을 했는지 학생들의 얼굴에는 벌써 웃음꽃이 피었다. 고학년생들은 좀 더 특별한 미세먼지 프로젝트를 진행하였다. 미세먼지가 우리 생활에 미치는 영향, 환경보호의 중요성, 미세먼지를 줄이기 위한 노력 등 자료를 수집하고 정리하여 작은 프로젝트 발표회를 했다. 미세먼지 걱정 없는 봄날을 기대하는 학생들의 마음이 잘 담겨 있었다.

봄 계절 프로젝트가 진행되는 동안 의미 있는 체험을 한 3학년 박○○ 학생은 "내가 세상에 하나뿐인 티셔츠를 만드는 디자이너가 되다니, 정말 짱!"이라며 만족해하였다. 1학년 김○○ 학생은 "우리가 뿌린 꽃씨에서 빨리 예쁜 꽃이 피어 거기서 친구들과 사진도 찍고 싶다."라며 기대하는 마음을 표현했다.

떡 클레이 만들기 활동하는 모습

호기심 팡팡! 과학탐구 한마당

2019. 4. 23.
전남교육 통

2019년 4월 18일(목)에 신나는 과학 놀이 중심의 과학탐구 봄 계절 프로젝트를 운영했다.

봄과 가을 연 2회 학생들의 감각을 깨우고 창의력을 신장시키기 위해 새로운 주제와 방식으로 진행되는 노안남초 계절 프로젝트는 늘 특별하다.

2018년 봄 계절 프로젝트는 과학의 달을 맞이하여 과학에 대한 흥미를 고취하기 위해 다양하고 창의적인 프로그램들로진행되었으며, 강당에서 7개의 프로그램이 부스 형태로 이루어졌다.

고무줄 탄성 로켓 만들기, 렌티큘러 액자를 만들어 입체감 느끼기, 나만의 LED 태엽 자동차 만들기, 천연 손 소독제 만들기, 헬륨풍선 체험 등 과학의 원리에 맞게 조작 활동을 한 후 과학적 원리를 탐구하면서 부스 체험을 했다. 학생들에게 가장 인기가 좋았던 부스는 '천연 손 소독제 만들기' 체험이었다. 에탄올이 세균의 단백질을 응고시켜 없애는 원리를 알아보고 만든 후

직접 사용할 수 있어 인기가 많았다.

부스 체험을 지원한 3학년의 한 학부모는 "과학 놀이형 부스 체험을 통해 과학지식을 체득함과 더불어, 기초 탐구력 신장 및 협동심과 배려심을 기를 좋은 기회를 가졌다."라며 소감을 전했다.

고무줄 탄성 로켓 만들기
활동을 하는 모습

2019. 4. 23.

전남교육 통

봄 계절프로젝트 – 화전만들기

2019년 4월에 진행된 봄 계절 프로젝트에서는 연분홍빛 고운 진달래꽃 등 다양한 봄꽃을 보면서 봄의 아름다움을 느끼고, 화전 만들기를 체험하면서 자연의 고마움과 고운 심성을 기를 수 있는 기회가 있었다.

1학년의 박○○학생은 진달래꽃을 탐색해보고 찹쌀 반죽을 조물조물 만져보는 체험을 하며 "동글동글, 쫄깃쫄깃한 맛있는 화전을 만들고 싶어요."라고 말했다. 학생들은 찹쌀 반죽을 동글납작하게 빚어 예쁜 꽃을 올려놓으며 솜씨 자랑도 하였다.

3학년의 최○○학생은 잘 익은 화전을 호호 불어먹으며 "집에 가지고 가서 가족과 함께 먹었으면 좋겠다."라며 말하기도 하였다.

이번 화전 만들기 봄 계절프로젝트를 지원한 한 학부모는 "학생들이 자연과 함께하는 조상들의 삶의 지혜를 배우게 되었고, 음식을 함께 만들고 나누어 먹는 활동을 통해 협동과 배려, 나눔의 기쁨을 알 수 있는 좋은 기회가 됐다."라고 했다.

화전 만들기 체험하고 있는 학생들

책이랑 놀자!

2019. 11. 4.
전남교육 통

2019년 11월 4일, '학부모와 함께하는 책 놀이', '작가와의 만남', '그림책으로 보는 다문화 이야기', '가을 별밤 캠프' 프로그램이 진행됐다. '학부모와 함께하는 책 놀이'는 관련 책을 읽고 이야기 탑 쌓기, 보자기 제기차기, 방 탈출 게임, 빙고 게임, 인간 윷놀이 등 12개의 부스 체험으로 진행됐다.

학부모회가 중심이 되어 준비하고 진행한 행사로 다양한 체험활동이 마련돼 학생들이 즐겁게 참여했다. 이 중 인기가 있었던 부스는 '방 탈출 게임'으로 그림책 관련 퀴즈를 풀면 밖에서 숫자 하나씩을 알려주고 그것을 근거로 자물쇠를 열어 교실을 탈출하는 놀이로 학생들의 몰입도가 가장 높았다.

그다음은 '할로윈' 부스 체험으로 유령의 집 버금가는 교실 환경 구성과 할로윈 복장 체험, 원어민 학부모님과 할로윈 관련 영어 동화책 읽기, 'trick or treat' 외치고 사탕 받기 활동들을 운영하여 학생들에게 인기를 끌었다.

그다음은 '할로윈' 부스 체험으로 유령의 집 버금가는 교실 환경 구성과 할로윈 복장 체험, 원어민 학부모님과 할로윈 관련 영어 동화책 읽기, 'trick or treat' 외치고 사탕 받기 활동들을 운영하여 학생들에게 인기를 끌었다.

'작가와의 만남'은 「연필의 고향」의 김규아 작가를 초청해 진행했다. 학생들은 김규아 작가와 함께 어떻게 그림책 작가가 됐는지, 연필을 소재로 책을 쓰게 된 배경 등을 이야기 듣고 질의응답을 하는 소중한 시간을 가졌다.

이어서 다문화 관련 그림책을 읽고 다양한 나라의 공예품 만들기 활동이 진행됐고 밤늦게까지 이어지는 별밤 캠프에서 레크레이션과 캠프파이어를 하며 교사, 학생, 학부모가 함께하는 의미 있는 시간을 보냈다.

한 6학년 학생은 "전교생이 모둠을 구성해 함께 협력하여 책 놀이 미션 체험활동을 하니 너무 즐거웠다."라며 함박웃음을 지었다. 3학년 학부모는 "할로윈 부스를 담당했는데, 학생들이 나에게 '마녀 엄마'라는 별명을 지어줬다. 나를 기억해 주니 반갑고 뿌듯하다."라고 미소를 지었다.

책 읽는 즐거움을 가질 수 있도록 학생, 교사, 학부모가 함께 만드는 노안남초 가을 독서 프로젝트가 다음 해에 또 어떻게 전개될지 기대된다.

위. 방 탈출 게임을 하고 있는 모습
아래. 할로윈 부스 체험

2020. 11. 5.

전남교육 통

아이들의 꿈에 날개를 달다.

2020년 10월 30일 오후 1시부터 2시간여 동안 학년 군별로 그림책 및 동화작가님과 특별한 만남의 자리를 마련하였다. 1~2학년은 그림책 작가인 최민지 작가님과 3~4학년은 동화작가 김다노 작가님, 5~6학년은 동화작가 임지형 작가님과 자신의 꿈과 희망을 이야기하는 진로 콘서트 시간을 가졌다. 세 명의 유명 작가님이 동시에 학교에 온 날은 처음이었다.

1~2학년 학생들과 함께한 최민지 작가는 「문어 목욕탕」, 「코끼리 미용실」, 「마법의 방방」 등 다수의 그림책을 출간하며, 초등학생에게 친숙하고 재미있는 이야기를 선사해 왔다. 이날 최민지 작가와 1~2학년 학생들은 「마법의 방방」 책을 함께 읽고 마법의 방방을 타고 가고 싶은 곳, 하고 싶은 것 등 미래 자신의 꿈을 그려보았다.

3~4학년 학생들이 만난 김다노 작가는 「비밀의 소원」 이라는 책이 나오기까지의 과정을 학생들과 이야기 나누었다. 또한, 여러 형태의 가족과 삶의 모습을 살펴보고 아이들의 고민과 꿈에 관한 이야기를 하였다.

5~6학년 학생들에게 초대된 임지형 작가는 「영혼을 파는 가게」, 「방과후 초능력 클럽」, 「유튜브 스타 금은동」 등 다양한 동화를 출간하며 아이들에게 잘 알려진 작가이다. 임지형 작가는 작가가 되기 위한 노력과 책이 출간되기까지의 긴 여정을 소개하며 학생들이 작가에 대한 꿈을 키우는데 필요한 사실적이고 경험적인 이야기를 나누는 시간을 가졌다. 학생들은 평소 작가에게 궁금했던 점들을 적극적으로 질문하며, 작가라는 직업과 독서의 중요성을 체감하였다.

이번 작가와의 만남에 만족감을 드러낸 5학년 조○홍 학생은 "유머가 있는 작가님과 만남에 시간 가는 줄 몰랐고, 「영혼을 파는 가게」 가 작가님의 재미있는 상상에서 시작된 것이라 는 것을 알게 되었다."며 특히 강연 내용 중 '부모님이 좋아하는 2시간(공부와 독서)을 하고 당당하게 놀아라.'라는 작가님의 말씀이 기억에 남는다고 말했다. "공부도 열심히 하고 책도 많이 읽어서 장래 희망을 꼭 이루고 싶어요."라고 소감을 드러냈다.

'지구를 살리는 우리들의 한걸음'

가을 계절프로젝트 운영

2021. 10. 25.
전남교육 통

2021년에 학생, 학부모, 교직원이 뜻을 모아 탄소중립시범학교를 운영하였으며, 같은 해 가을에 진행된 계절프로젝트는 환경 관련 그림책과 동화책을 읽고 다양한 책 놀이를 해보는 친환경 부스 활동으로 구성되어 진행되었다.

운동장에서 자연물을 직접 찾으며 미션을 해결하는 생태 빙고 게임, 버려지는 헌 그림책을 활용한 업싸이클링 팝업북 만들기, 먹을 수 있는 물병! 오호 물병 만들기, 환경OX 퀴즈, 환경 도서 작가와의 만남 등 총 14개의 부스 활동으로 학생들은 지구를 살리기 위한 한 걸음을 내디뎠다.

특히 '도전! 분리배출 도사' 부스 활동에서는 학생들이 재활용 쓰레기의 종류에 대해 알아보고 우유 팩을 깨끗이 씻은 후 뜯어서 말리기, 페트병 라벨 제거하여 분리수거 하기 등 직접 체험하며 올바른 분리수거 방법을 배웠다. 학생들은 활동이 끝난 후 '나는 분리수거 도사' 뺏지도 받아 뿌듯해했다.

또한, 학부모님들도 버려지는 아이스팩을 활용하여 방향제 만들기, 휴지심을 꾸며 도깨비 집 만들기, 환경 보드게임 부스를 운영하였다. 탄소중립시범학교를 운영하면서 노안남초 교육공동체가 함께 환경을 살리는 가을 계절프로젝트를 기획하고 창의적인 활동들을 경험한 것은 더욱 뜻깊었다.

1학년 이○진 학생은 "분리배출 도사, 퍼즐 맞추기, 방 탈출 게임, 이야기 탑 쌓기 등 정말 재미있어서 다음에 또 하고 싶어요."라고 말하며 함박웃음을 지었다.

5학년 김○희 학생은 " 「네모돼지」 를 쓴 김태호 작가님을 온라인으로 만났다. 직접 만나지 못해 아쉬웠지만, 작가님의 말씀을 듣고 동물 학대 금지, 동물복지에 대해 생각해보게 되었다. 동물과 함께 살아가는 아름다운 환경을 만들어가야겠다."라며 소감을 남겼다.

프로젝트를 기획한 담당교사 박숙현은 "지구를 지키는 일은 거창한 일이 아니다. 각자 작은 실천으로부터 학생들이 인식할 수 있도록 최선을 다하겠다."라고 말했다.

정정하 교장은 "2050 탄소중립을 실현을 위해 미래 세대에게 기후 위기 및 환경생태 교육은 필수적이다. 어릴 때부터

2021학년도 가을 계절프로젝트 활동 모습

환경위기를 이해하고 해결을 위한 실천을 하는 것은 중요하다. 기후·환경 교육 강화를 위해 최선을 다하겠다."라고 말했다.

위. 아이스팩 방향제 만들기
아래. 생태 빙고 게임 하는 모습

5월 축제 한마당

2022. 5. 6.
참교육뉴스

2022년 5월 3일(화)~5월 4일(수), 이틀 동안 즐거운 배움의 축제의 한마당 자리를 마련해 진행했다.

5월 3일 행사는 노안남초가 해마다 환경과 생태를 생각하며 진행한 봄 계절프로젝트 행사로 줍깅활동, 화단에 꽃씨 뿌리고 나무 심기, 일회용 투명 컵 및 요구르트병을 이용한 업싸이클링 체험활동, 환경지킴이 보드게임, 친환경 저금통 만들기 등의 활동을 학생들이 경험할 수 있었다. 해마다 치러지는 계절프로젝트 행사를 통해 환경 사랑, 지구사랑을 실천하는 노안남초 학생들에게는 분리수거를 하거나, 우유를 마시고 다 쓴 우유 팩을 씻어 말리는 것은 일상적인 활동인 듯하다.

5월 4일 행사는 노안남초 어린이들이 모처럼 야외에서 신나게 뛰어놀 수 있는 운동회로, “그동안 위축되었던 신체활동을 마음껏 하면서 면역력을 키워 코로나를 이겨내자!”라는 교장선생님 말씀과 함께 시작했다. 이에 대한 응답이라도 하듯 파란 하늘 아래에서 펼쳐진 박 터뜨리기, 줄다리기, 이어달리기 경기 등에 어린이들의 함성과 구호는 그칠 줄 모르고 울려 퍼졌다.

운동회는 감염병을 예방하기 위해 부모님과 지역민을 모시고 대규모로 치러지진 못했지만, “다음 운동회에서는 학부모를 포함한 교육 가족 전체가 모여 더욱 즐거운 행사로 치러질 것”이라고, 행사를 준비하고 진행한 교사 오장현은 말했다.

신나는 어울림 한마당

2022. 10. 19.

호남교육신문

매년 가을을 기다리는 아이들

10월 한 주간 창의융합 한마당과 하이킹 행사 열려

2022년 10월 11일(화)~14일(금) 한 주간 가을축제 행사를 진행했다. 가을축제 행사는 매년 봄, 가을에 진행되는 계절 프로젝트(창의융합 한마당)와 자전거 하이킹 활동으로 진행됐다.

11일에 진행된 계절프로젝트 행사는 '책 제목으로 N행시 짓기·책 띠지 만들기 등의 책 놀이 활동, 강정 만들기·태양광 로봇 만들기·바다유리 목걸이 만들기 등의 창의활동과 수학 방탈출게임·주차장 탈출게임 등의 수학 놀이활동' 총 세 개 영역, 14개 부스 활동으로 진행되었다. 노안남초 어린이들에게 계절프로젝트 행사는 학년 구분 없이 유치원부터 6학년까지의 학생들이 삼삼오오 모여 일상 수업에서 경험할 수 없었던 것을 경험할 기회였다.

1학년 한○진 어린이는 "2학년이 빨리 돼서 또 프로젝트 활동을 해보고 싶다."라고 했으며, 가장 재밌었던 활동으로 '주차장 탈출놀이'를 꼽았다.

6학년 담임인 교사 유새영은 "학급의 아이들이 아닌 다른 학년의 아이들을 만나 함께하면서 다른 아이들에 대해 이해할 수 있는 시간이었다."라며 평소 이름만 알던 아이들을 만났던 소중한 시간이 되었다고 했다.

프로젝트 활동의 부스 활동 진행자로 참여한 학부모들은 "아이들의 학교생활을 직접 들여다보는 기회를 얻게 된 것 같고, 내 자녀의 친구들을 만난 것도 좋았다."라며 뿌듯해했다.

노안남초 교감 노수진은 계절프로젝트 행사에 참여한 학부모 일일 도우미 선생님들을 보며 어느 유행가 가사처럼 '교직원 같은 교직원 아닌 교직원인 학부모'라며 교직원들과 전혀 이질감 없이 교육 활동에 스며들어 아이들과 함께하는 모습이 무척 자연스럽게 느껴진다고 했다.

12~14일 3일간은 저, 중, 고학년이 차례대로 자전거 하이킹 활동을 했다. 1~2학년은 호가정에서 송정교까지의 왕복 13km의 영산강 자전거 길을 달렸다. 달리는 도중 쉬어가면서 가을 풀숲의 사마귀, 나비, 벌 등의 곤충을 관찰하고 파란 하늘을 나는 비행기도 보면서 자연을 맘껏 느끼고 가슴

동력 비행기 만들기 활동 모습

을 활짝 펼 수 있는 시간이었다.

그 밖에 3~4학년은 학교에서 남평교까지 왕복 20km 코스를 다녀왔고, 영산강 자전거 길 주변 플로깅을 통해 자연 보호 활동에 앞장섰다. 5~6학년은 동강교에서 학교까지 편도 40km 코스를 통해 학생들이 도전 활동을 통해 끈기와 인내심을 기르고 더 나아가 성취감까지 느끼는 매우 의미 있는 자전거 하이킹 활동이 되었다.

노안남초 교장 정정하는 항상 열정적으로 교육 활동을 계획하는 선생님들과 즐겁게 참여하는 학생, 학생들을 위해 모든 지원을 아끼지 않는 학부모와 지역사회 단체들이 있기에 노안남초는 교직 역사상 최고의 학교라고 자부한다고 말했다.

3~4학년 자전거 하이킹 모습

도전과 열정의 자전거 하이킹

2012년부터 시작된 자전거 하이킹 활동은 2023년까지 12년째 계속 진행되고 있는 프로그램이다. 초반에는 도전 활동의 성격을 중시하여 활동이 진행되었으나 점점 주제와 결합한 자전거 하이킹 활동으로 변모하면서 도전 활동을 넘어서 교과교육 내용 및 주제를 담은 교육 활동으로 거듭나고 있다.

2015. 10. 6.
전라뉴스

담양까지 50Km 자전거 하이킹 완주

2015년 10월 2일, 학생과 교직원이 함께하는 자전거 하이킹을 시행했다. 학교에서 담양까지 약 50Km의 거리를 완주하기 위해 담당교사 및 전 교직원은 사전 협의 및 답사를 진행했으며, 특히 학생들의 안전을 위한 교육을 진행하기 위해 철저하게 준비하고 계획했다.

노안남초는 2012년부터 현재까지 학교 특색 교육 활동으로 '자전거 하이킹'을 선정해 꾸준히 실시해왔다. 매일 중간놀이 시간이면 요일별 2개 학년(저학년, 고학년)이 운동장에 모여 자전거 타는 연습을 하고 자전거를 못 타는 동생들은 고학년 언니, 오빠들이 도와가며 전교생의 자전거 기본 기능을 익히고 있다.

학생들은 학교에서 출발해 승촌보를 거쳐, 서창교, 극락교를 지나고 담양관방제림까지 포기하지 않고 학년 군별 선정한 도전 거리를 모두 완주했다. 하이킹을 마치고 적은 질문지에서 5학년 한 학생은 "나에게 자전거 하이킹이란 힘들수록 커지는 기쁨이다. 왜냐하면, 자전거를 탈 때 엄청 힘들었지만 도착했을 때는 힘들었던 만큼 기쁨과 뿌듯함이 커졌기 때문이다."라고 했다.

학생들과 함께한 교사는 "자전거 하이킹을 통해 신체적, 정신적 어려움을 마주하고 보니 나도 모르던 나의 모습을 볼 수 있는 계기가 됐다."라며 "자전거 하이킹은 나에게 인사이드 아웃"이라고 강조했다. 박성수 교장은 "이번 자전거 하이킹을 통해 저마다의 어려움과 극복의 의미를 느낄 수 있었을 것"이라며 "노안남초등학교 학생들의 도전은 앞으로도 계속될 것"이라고 했다.

꿈을 찾아 떠나는 자전거 여행

2018. 6. 18.

교육연합신문

노안남초는 2018년 6월 4일과 7일 이틀에 걸쳐 자전거 하이킹을 진행했다.

2012년 극기체험교육의 목적으로 시작하여 7년째 자전거 하이킹을 진행하고 있는 노안남초는 자전거 하이킹 활동을 통해 협동심과 자신감, 인내심을 기르는 인성교육 성과를 거두었다.

4일 오전에 진행된 자전거 하이킹은 초급자반으로 승촌보를 목표로 진행하여 학생들의 개별 주행 능력에 따라 진행되었다. 이를 위해 전날 사전 안전교육과 장비 점검도 잊지 않았다. 참가한 학생들은 임장 지도한 선생님들의 철저한 안전 지도와 서로 간의 격려와 협력을 바탕으로 단 한 건의 안전사고, 단 한 명의 낙오자와 부상자 없이 정해진 코스를 전원 완주하는 기쁨을 누렸다.

7일 오전에 진행된 자전거 하이킹은 중, 상급자 반으로 영산강 대상공원(광주광역시 소재)을 목표로 영산강 자전거 길 상행코스로 진행되었다. 날씨도 조금씩 더워지고, 안전상의 문제도 있어 학부모님께서도 흔쾌히 협조해 주셔서 선생님, 학부모님, 학생들이 함께하는 도전이 되었다.

6학년 나○○학생은 "힘들었지만 내가 뭔가를 해냈다는 성취감이 제일 큰 것 같아요. 그리고 졸업하기 전에 재미있는 추억거리가 생겨서 기뻐요."라며 밝게 웃었다.

2학년 곽○○ 학생은 "이 학교로 전학 오기 전에는 자전거를 못 탔었는데, 자전거 실력이 늘어서 너무 좋아요. 앞으로는 보조 바퀴 없이 자전거를 탈 수 있으면 좋겠어요."라며 앞으로 더 도전하려는 의욕을 비쳤다.

자전거 하이킹 후 귀교하는 모습

2020. 6. 16.
전남교육 통

도전과 열정! 자전거 하이킹

전교생이 영산강 자전거 길을 이용하여 학년별, 개인별 수준에 맞춰 '도전과 열정! 자전거 하이킹'을 꾸준히 실천하고 있다. 학교 특색교육인 자전거 하이킹은 영산강 자전거 길의 아름다운 자연환경을 벗 삼아 매년 4월에는 벚꽃 길과 9월에는 코스모스길 하이킹을 하고 있다.

2020년에는 코로나 19로 인해 4월에 하이킹을 운영하지 못했고, 6월 둘째 주에 코스를 축소해 전교생이 함께 참여하는 하이킹을 운영했다. 6월9일에는 1~2학년 학생들이 승촌보 영산강 문화관 주변 연습코스를 돌았고, 11일에는 3~4학년이 학교↔나주대교 구간을 탔다. 12일에는 5~6학년 학생들이 학교↔빛가람 대교 자전거 길 왕복 코스를 다녀왔다.

2020년 하이킹은 19년에 비해 거리가 짧았지만, 학생들은 더위와 싸워야 했고, 열정을 가지고 전교생이 완주했다.

자전거는 밀접 접촉을 하지 않고 실외에서 간격을 유지하며 체력관리를 할 수 있어 좋은 운동이 되고 있다. 노안남초 학생들은 매년 자전거 하이킹을 통해 건강한 체력을 기름과 동시에 우리 고장의 자연환경을 돌아보며 생태 감수성과 애향심을 기르고 있다.

5학년 한 학생은 "날씨가 더워 힘들다가도 예쁜 꽃이 핀 자전거 길을 달리니 오히려 마음이 편안해지고 성취감도 느꼈다."라고 말했다.

2학년 학부모는 "이 시기에 전교생이 자전거 하이킹을 다녀올 수 있다는 것이 정말 대단하게 느껴진다."라면서 "작은 학교라서 가능한 것 같고 또한 학부모와 학생들이 그만큼 학교와 학부모회를 믿고 있다는 의미"라고 학부모 밴드에 글을 남겼다.

6학년 교사는 "노란 꽃이 핀 영산강 길이 너무 아름다웠고 학생들이 마음껏 자전거 길을 씽씽 달리는 모습을 보면서 잠시 코로나로부터 해방이 된 느낌이 들었다."라고 말했다.

위. 자전거 하이킹 출발 전 안전교육을 하는 모습

맑은 하늘, 푸른 바다. 우리가 지키자!

'하늘자전거팀' 제주도 자전거 일주

2020. 8. 18.
전남교육 통

2020년 8월 15일 청소년 미래 도전 프로젝트 '하늘자전거팀'이 5박 6일 제주도 자전거 일주를 성공리에 마치고 돌아왔다. 5학년 남학생 5명으로 구성된 하늘자전거팀은 영산강 및 제주도 자전거 길을 달리며 아름다운 우리나라 자연환경을 지켜나가자고 캠페인 활동을 했다.

제주도 자전거 일주를 준비하기 위해 하늘자전거팀은 일정과 코스 정하기, 자전거 수리 및 안전교육 등을 6월부터 계획하고 준비하였다. 팀원들은 제주도 자전거 길 240km 완주를 위해 매주 토요일 영산강 자전거 길을 30km 이상 타며 연습하였다. 코로나 19로 인해 제주도 자전거 일주를 계속 연기하였다가 8월에야 실행에 옮길 수 있었다. 하지만 올해 유난히 긴 장마와 더운 날씨로 출발하기 전까지 목표 코스 완주에 어려움이 있었으나 하늘자전거팀은 모두 안전하고 건강하게 제주도 일주를 마치고 15일에 돌아왔다.

5학년 윤○우 학생은 제주도 출발하기 전 최종 점검을 하는 날 "제주도에 가서 우리 팀의 목표를 달성할 수 있게 열심히 최선을 다하겠다.", "다치지 않고 안전하게 팀원들과 서로 협력하며 완주해 내겠다."라며 각오를 다지기도 했다.

'청소년 미래도전 프로젝트'는 학생들이 자발적으로 팀을 구성해 원하는 활동을 기획하고, 일정 기간 실행·평가·성찰하는 과정을 통해 미래 역량을 기르는 전남형 학생 중심 체험프로그램이다.

학부모 인솔자로 함께 참여한 최○덕 학부모는 "아이들이 평생 잊지 못한 소중한 경험을 할 수 있는 청소년 미래도전 프로젝트에 참여할 수 있어서 감사했다." 또한 "아이들을 믿고 지지해 준 하늘자전거팀원 학부모님들께도 감사의 말을 전하고 싶고, 아이들과 함께하는 시간이 즐거웠다."라고 환하게 웃으며 후기를 남겼다. 인솔자 정병렬 교감은 "우리 5학년 학생들이 더운 날씨에도 불구하고 자연환경 보호의 중요성을 알리며 제주도를 완주하여 자랑스럽다."라고 말하며 "전라남도교육청 핵심 역점사업인 만큼 학생들이 열정을 다해 다가올 미래에 맞서 도전 의식을 갖고 활동할 수 있도록 지원을 아끼지 않겠다."라고 했다.

하늘자전거팀이 제주도에서 캠페인을 하는 모습

2021. 11. 1.
전남교육 통

광주교대 예비교사들과 함께한
'아주 특별한 자전거 하이킹'

2020년 10월 19일~10월 23일 동안 광주교대 예비교사를 대상으로 농어촌 참관 실습학교를 1주일간(비대면 3일, 대면 2일) 운영하였다.

참관 실습에 참여한 예비교사들은 광주교대 2학년 학생들로 농어촌 학교의 실정을 알아보고 학생들과 노안남초 다양한 교육 활동을 직접 체험하는 기회를 가질 수 있었다. 코로나 19로 대면 참관 실습 일이 이틀밖에 되지 않아 아이들과 만나는 시간이 짧았지만, 노안남초의 특색교육인 자전거 하이킹을 학생들과 함께하며 아주 특별한 만남을 가졌다.

가을 자전거 하이킹 코스는 1~2학년은 승촌보 일대(약 3km), 3~4학년은 학교↔빛가람대교(약 15km), 5~6학년은 학교↔영산대교(약 20km)로 학년 군별로 학생들의 수준을 고려하여 진행하였다.

교생선생님들은 담임교사를 도와 학생들의 안전교육 및 학생들이 목표지점까지 완주할 수 있도록 자전거를 함께 타며 격려하였다. 이◯호 교육실습생은 "갈대밭 사이의 자전거 길을 가면서 정말 복잡했던 마음이 정화되는 기분을 느꼈다. 전교생이 함께하는 자전거 하이킹은 주변 자연환경의 아름다움을 느낄 수 있는 소규모 학교만의 매력이라고 생각한다. 20년을 서울에서 산 나에게 정말 신선한 충격이었다." 라고 소감을 말해주었다. 박◯ 교육실습생은 "아이들이 자전거를 잘 탈 수 있을까? 걱정했는데 나의 우려와 달리 저학년 학생들도 너무나도 질서 정연하게 자전거를 탔으며 목표한 곳에 도달하기 위해 최선을 다하는 모습을 보여 놀라웠다."라고 후기를 남겼다. 강◯아 교육실습생은 "자전거 하이킹은 코스 선정, 안전 등 학교관리자, 담당교사, 담임교사가 책임져야 할 것이 많아 힘듦에도 불구하고 한 학기에 한 번씩 이 활동을 진행해 오셨다는 것에 존경스러운 마음이 들었다."라고 말했다.

참관 실습 담당교사 임미희는 "교생선생님들이 학생들과 자전거를 함께 타며 정겨운 이야기를 나누는 장면을 보고 마음이 따뜻해졌다. 이번 참관 실습을 통해서 전남 농어촌 학교의 매력을 느껴 훗날 많이 지원해 주면 좋겠다."라고 밝혔다.

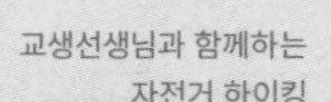
교생선생님과 함께하는
자전거 하이킹

하이킹도 하고 탐구활동도 하고!

2022년 5월 13, 17, 18일 주제가 있는 자전거 하이킹 운영 -광주 극락초교와 노안 청년회, 학부모회 지원 안전 지도 및 교육협력

봄 자전거 하이킹은 1~2학년은 승촌보 일대(왕복 5km), 3~4학년은 학교↔황룡친수공원 일대(왕복 27km), 5~6학년은 학교↔광주극락초교(왕복 36km)로 학년 군별로 학생들의 수준을 고려하여 진행하였다. 학부모님들의 적극적인 지원과 함께 노안 청년회의 안전 차량과 물품 지원 등 지역사회 협력 및 시도 간 교류(광주 극락초 협력)까지 더해져 더 뜻깊은 의미가 담겼다. 담임교사들과 함께 학생들의 안전교육 및 학생들이 목표지점까지 완주할 수 있도록 자전거를 함께 타며 격려했다.

또한, 이번 하이킹은 '주제가 있는 하이킹'이라는 부제로 각 학년 군별로 1~2학년은 승촌보 일대 생태 탐구 활동, 3~4학년은 영산강 자전거 길 주변 플로깅 등 환경 정화 활동, 5~6학년은 5·18 관련 역사 탐구 활동을 주제로 진행하였고, 참가한 학생은 모두 완주에 성공하였다.

특히, 5~6학년 학생들은 5·18 민주화운동과 관련 백성동 선생님을 직접 찾아가 민주주의 및 5·18과 관련된 이야기를 나누고 기념품을 나누는 등 광주광역시와 전라남도 간 교류를 통해 학생들에게 더욱 뜻깊은 교육 활동이 되었다.

김○서 학생은 "마스크를 벗고 자전거를 타니 기분이 상쾌했고, 갈 땐 조금 힘들었지만, 막상 도착하니 뿌듯했습니다. 또, 광주 극락초등학교에서 몰랐던 5·18 이야기를 들어서 좋았습니다."라고 했다. 또한, 한○선 학부모회장은 "학생들이 목표를 향해 도전하면서 힘들고 어렵지만 참고 이겨내는 방법을 알고, 친구들과 함께 격려하며 목표를 달성한 후 얻는 성취감이 자전거 하이킹 최고의 매력이다. 특히, 이번 하이킹은 교사-학부모-지역사회와 더불어 시도 간 교류를 통해 학생들에게 더 의미 있는 교육 활동이었다."라고 소감을 말했다.

노안 청년회 김○현 사무국장은 "학생들이 너무나도 질서 정연하게 자전거를 탔고 목표한 곳에 도달하기 위해 끝까지 포기하지 않는 모습을 보여 놀라웠다."라고 후기를 남겼다.

2022. 5. 19.

전남교육 통

광주 극락초 교사 백성동은 "노안남초 학생들이 5월의 역사를 알아보러 직접 자전거를 타고 온다는 소식에 너무 기뻤다. 앞으로 코로나 19가 더 안정화 된 후 극락초 학생들과 노안남초 학생들이 함께 자전거를 함께 타며 교육 활동을 한다면 아이들에게도 더 좋은 경험이 될 것 같다."라고 밝혔다.

주제가 있는 자전거 하이킹 활동

다양한 활동으로 역량을 키워가는 아이들

5·18 민주화 운동 자작시 전시회를 이끈 최바라 선생님과 조류 충돌방지 생태 프로젝트를 진행한 유새영 선생님은 노안남초등학교 교육 활동에서 한 획을 그은 교사라 할 수 있다.

최바라 선생님은 학생 자치활동에 대한 신념을 갖고 헌신적으로 자치활동을 이끌어 노안남초 자치활동을 한 단계 발전시키고, 아이들이 학교생활의 주인으로 거듭나 주체적으로 활동할 수 있는 길을 열었다고 평가된다.

또한, 유새영 선생님은 생태환경교육에 대한 열정을 갖고, 5, 6학년 학생들과 조류충돌방지 프로젝트를 진행하면서 아이들의 생각을 좁은 학교 안이 아닌 지역으로, 또한 함께 공존해야 할 생명으로까지 넓혔다.

2016. 10. 22.
대한뉴스

이색 테마형 수학여행, 눈길

2016년 10월 18일부터 수도권 일대를 중심으로 3일간 이색 테마형 수학여행을 다녀왔다. 5~6학년 재학생 12명이 참여한 이번 수학여행은 교과서나 TV에서만 접한 우리 문화와 그 속의 다양한 체험활동들을 직접 보고 경험하는 폭넓은 학습을 통해 그 우수성과 가치를 깨닫고 다른 지역과의 비교를 통해 문화와 인권의 개별성과 필요성을 스스로 터득할 기회가 되도록 하였으며, 궁극적으로 학생들에게 창의적으로 문제를 해결할 수 있을 경험을 제공하기 위해 진행됐다.

특히, 이번 수학여행은 차려진 밥상에 수저만 얹는 식의 기존 체험학습 유형에서 탈피하고자 학생과 학부모들의 의견을 미리 수렴해 선정된 지역과 코스를 기반으로 철저한 사전 답사를 통해 학년별 주제 탐구 프로젝트와 테마형 체험학습을 병행해 눈길을 끌었다. 학생들은 나주역에서 기차로 서울로 출발하는 첫날 일정을 시작으로 롯데월드와 경복궁, 인사동, LG사이언스홀 등을 지하철과 버스를 이용해 이동하면서 다양한 볼거리를 즐기고 문화 체험을 하며 우리 문화의 우수성을 체감함과 동시에 자율적 투어와 모둠별 프로젝트를 수행했다.

인권 프로젝트 수행을 위해 외국인과 시민들을 인터뷰하면서 사람들이 안고 사는 다양한 문제를 함께 공감하고 자신의 삶을 성찰해보는 소중한 배움의 시간도 가졌다. 또한, 지역과 학교를 대표한다는 마음가짐으로 공공질서를 준수하고 단체 활동의 규칙을 스스로 정하고 지키는 의젓한 모습을 보였다.

수학여행에서 돌아오는 기차 안에서 5학년 학생은 “벌써 집으로 돌아가는 것이 실감 나지 않는다. 친구들, 선배들과 계속 여행하며 공부하고 싶다.”라며 짧지만 알찬 학습 여행을 아쉬워했다. 학교 관계자는 “2박 3일의 아름답고 소중한 경험이 이들의 빛나는 앞날에 의미 있는 씨앗이 되기를 기대한다.”라고 말했다.

수학여행에서 문화 체험을
즐기고 있는 학생들의 모습

'태풍의 흔적' 꼬마 작가님들, 지구지킴에 앞장서다.

시집 판매 수익금, 그린피스 환경단체에 기부

2021. 4. 12.
전남교육 통

노안남초는 매년 시집, 그림책, 학급 앨범 등 각 학년 특성에 맞게 교육 활동 모음집 발간 프로젝트를 진행하고 있다. 특히 2020년 4학년들은 1년 동안 써온 시를 모아 '태풍의 흔적'이라는 시집을 발간하였다.

2020년 당시 4학년이었던 아이들은 생활 속에서 소소한 글감을 찾아 시를 써 학급에 비치된 '시 주머니'에 넣어 시를 차곡차곡 모아 왔다고 한다. 학기 말에 그 시를 모았더니 무려 80편이 넘었다. 담임 선생님과 학생들은 쓴 시를 선별하여 독립출판사를 통해 시집을 발간하였다. 학생들은 시집의 제목, 목차, 삽화 등 시집 제작에 모두 참여하였으며, 이 시집은 알음알음 알려져 모두 판매되었다.

아이들은 '게으를 때 보이는 세상'이라는 학급 사진전도 기획하여 열었는데, 사진전에서 얻은 수익금과 시집 판매 수익금을 모아 총 243,600원을 2021년 4월 5일 식목일에 그린피스 환경단체에 기부하였다. 평소 기후변화, 해양 생태계 파괴와 산림 파괴 등 환경문제에 관심이 많았던 아이들은 토의를 통해 이러한 결정을 내렸다.

5학년 최○○ 학생은 "우리가 쓴 시로 시집도 만들고, 지구를 지키는 데 앞장설 수 있어 일거양득인 것 같아요."라고 말하며 함박웃음을 지었다.

5학년 한○○ 학생은 "우리가 기부한 후원금이 지구 곳곳을 심각하게 위협하고 있는 시급한 환경문제를 해결하는 데 조금이나마 도움이 되었으면 좋겠어요."라고 말했다.

정정하 교장은 "앞으로도 학급에서 학생들이 기획하고 실천하는 다양한 주제 중심프로젝트 교육 활동을 적극적으로 지원할 계획이며 이러한 활동으로 학생들이 지구 환경문제 등에 관심을 가지고 세계시민으로 자라는 데 밑거름이 되길 바란다."라고 했다.

'태풍의 흔적' 시집을 발간한 4학년 학생들

2021. 6. 11.

나주투데이

오월의 광주를 시로 기억합니다.

6학년 학생들, 5·18 민주화 운동 41주년 맞아 자작시 전시회 열어!

"이 땅에 민주주의의 꽃을 활짝 피울 수 있는 거름이 되어 주셔서 감사합니다."

2021년, 5·18 민주화 운동 41주년을 맞아 6학년 학생 12명이 5·18 민주화 운동에 대한 배움의 결과를 시로 적어 교내 체육관 한편에 전시 공간을 마련하여 6월 첫 주 일주일간 전시하였다. 5·18 민주화 운동에 대해 아직 모르는 후배 학생들도 그 내용을 이해할 수 있도록 5·18 기념재단에서 제공하는 포스터도 시와 함께 전시하였다.

학생들은 '5·18 민주화 운동 바로 알기' 프로젝트를 통해 사회 시간뿐 아니라 국어, 미술 시간과 연계하여 5·18 민주화 운동의 원인과 전개 과정, 그 당시 광주 시민들의 참여 모습 등을 관련 사진 및 영화 관람, 체험학습의 다양한 방식을 통해 깊이 있게 이해하고, 온 마음으로 느끼는 기회를 가졌다.

프로젝트의 첫 단추로 학생들은 5·18 민주화 운동 전후 역사적 사건의 전개 과정에서 나타나는 민주주의 발전을 위한 시민들의 참여 모습을 비주얼 씽킹 플로우 맵으로 나타내어 모둠별 발표를 하며 5.16 군사 정변 이전부터 오랜 독재로 고통스러워하던 시민들의 뜨거운 저항과 민주주의에 대한 열망이 5·18 민주화 운동과 6월 항쟁으로 이어져 우리나라의 민주주의가 발전하였음을 이해하였다.

또한, 영화 '택시 운전사' 관람을 통해 5·18 민주화 운동 당시 광주 시민들이 하나의 공동체를 이루어 계엄군의 폭력에 맞서 싸웠으며, 그 과정에서 수많은 희생과 그 진실을 알리기 위한 수많은 노력이 있었음을 간접적으로나마 체험할 수 있었다. 노안남초 6학년 학생들은 영화 '택시 운전사'에 나오는 여러 인물에게 다양한 상상의 질문을 작성하고, 이를 가상 인터뷰 형식으로 묻고 답하는 활동을 통해 5·18 민주화 운동에 관계된 다양한 분야 인물들의 심정을 조금이나마 헤아릴 기회를 가졌으며, 이 공감의 마음을 바탕으로 시를 펼쳐 나갔다.

지난 5월 17일에는 오월지기 해설사와 동행하여 직접 (구) 전남 도청 일대와 전일 빌딩, 5·18 민주화 운동 기록관을 직

위. 5.18 민주화 운동 자작시 전시회를 열고 있는 모습
아래. 비주얼 씽킹 플로우 맵으로 발표를 하는 모습

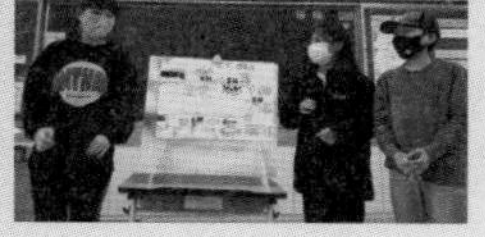

접 둘러보고 그 장소에 얽힌 생생한 이야기를 들어보았다.
학생들은 이러한 깊이 있는 배움의 경험을 바탕으로 5·18 민주화 운동 상황을 '바람에 나부끼는 붉은 깃발', '무등산 진달래', '시들어 버린 장미', '비빔밥', '어항에서 뛰어오르는 금붕어', '꽉 막힌 도로', '쩍쩍 갈라 메마른 땅', '체스판 위 게임', '던져진 주사위', '할아버지의 이야기', '슬픔이 가득한 병원' 등으로 빗대어 자신만의 생각과 느낌을 시로 적어 나갔다.
'꽉 막힌 도로의 끝'이라는 시를 적은 6학년 윤○우 학생은 "5·18 당시 계엄군이 광주 주변을 모두 막고, 모든 정보를 막은 채 시민들을 향해 무차별적인 폭력을 저지른 모습을 보고 어찌나 답답했는지, 꽉 막힌 도로에 갇힌 것 같아서 이 시를 적게 되었다. 그런 무서운 상황에서도 시민들이 폭력 진압에 물러서지 않고 시민들이 원하는 것을 당당히 요구하고 5·18의 진실을 전하기 위해 노력했던 모습이 정말 대단하고 멋지다고 생각하였다. 그래서 그런 시민들의 노력을 뻥 뚫린 도로를 향해 천천히 가는 차로 비유하게 되었다."라고 전했다.
또한, 6학년 박○예 학생은 "사실 프로젝트 처음에는 5·18 민주화운동이 사회책에만 나오는 먼 이야기처럼 느껴졌는데, 영화로도 보고 직접 역사적 장소를 둘러보고 나니 정말 생생하게 그 상황이 느껴지고, 지금 내가 여러 사람의 희생과 노력 덕분에 편하게 살고 있다는 생각이 들어 죄송하고 감사한 마음이 들었다. 우리나라에서 수십 년 전에 일어났던 일이 지금 미얀마에서 똑같이 일어나고 있다는 것이 충격적이다. 미얀마의 시민들도 우리처럼 민주주의를 되찾을 수 있기를 온 마음으로 응원하고 있다."라고 소감을 밝혔다.
또한, 이 프로젝트를 지도한 최바라 교사는 "우리 고장에서 일어난 역사적 사건을 바탕으로 우리나라의 민주주의가 시민들의 오랜 노력으로 힘겹게 일구어진 것임을 학생들이 깊이 있게 이해하기를 바라는 마음으로 이 프로젝트를 준비하고 학생들과 함께 실천하였는데, 모든 과정에서 열심히 고민하고 성심껏 참여해준 우리 반 친구들이 고맙다. 앞으로도 우리 학생들이 공감과 연대의 마음으로 사회 공동의 문제에 적극적으로 관심을 가지고 해결을 위해 적극적으로 참

여하는 민주시민으로 성장할 수 있는 교육을 펼치도록 노력하겠다."라고 전했다.

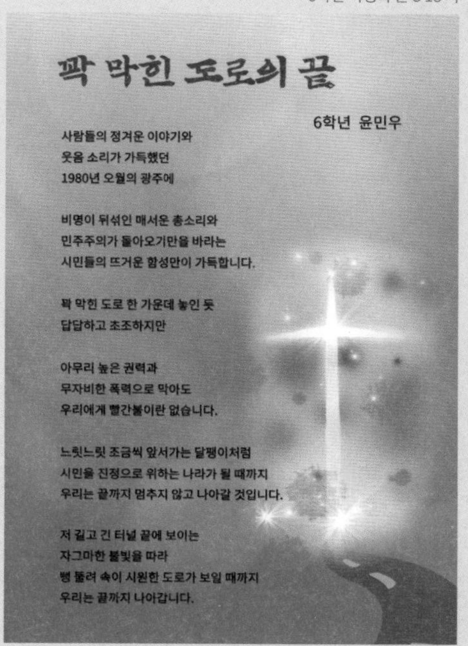

6학년 학생이 쓴 5·18 시

"동네 '투명 방음벽'에 죽은 새가 한 달간 39마리"… 초등생이 나섰다.

2022.6.7.
한겨레

초등학생과 시민들이 새의 이동권을 보장해 주기 위해 투명 방음벽에 테이프를 부착하는 작업을 함께 진행했다.
7일 동물권 단체 성난 비건은 "노안남초등학교 학생과 시민 자원봉사자 등 76명이 지난 3일 전남 나주시 공산면 상방리 복사초리 삼거리에서 길이 252m, 총 규모 504㎡에 달하는 투명 방음벽에 조류 충돌방지 테이프를 붙이는 작업을 완료했다."라고 밝혔다.
노안남초등학교 생태 프로젝트 수업으로 진행된 복사초리 삼거리 조류 충돌방지 작업엔 노안남초등학교 5~6학년 학생 29명과 교사 2명, 성난 비건 활동가 2명과 조류충돌방지협회 회원 12명, 학부모와 시민 자원봉사자 31명 등 76명이 참여했다. 이들은 방음벽에 묻은 이물질을 제거한 뒤 방음벽 패널 윗줄과 아랫줄에 10㎝ 간격으로 기준점을 찍은 뒤, 조류 충돌방지 테이프를 수직으로 이어 부착했다.
노안남초등학교 학생들과 교사들은 복사초리 삼거리에 조류 충돌방지 테이프를 부착한 후 새의 충돌이 얼마나 줄었는지 확인하기 위해 사후 모니터링 활동을 진행할 예정이다.
노안남초등학교 어린이들과 성난 비건 활동가들이 조사해 기록한 결과, 지난 5월 한 달간 복사초리 삼거리 방음벽에서만 솔부엉이(천연기념물), 박새, 방울새, 참새 등 39마리의 새들이 방음벽에 충돌해 사망했다. 조류 충돌 여부를 조사·기록하던 노안남초등학교 학생들은 5월 2일과 16일 두 차례 걸쳐 방음벽에 충돌해 사망한 새들의 사체를 수습하고 추모하기도 했다.
생태교육에 참여한 학생들의 반응도 긍정적이다. 노안남초등학교 6학년 김○희 학생은 "날씨가 생각보다 덥고 팔이 아팠지만, 조류 충돌방지 테이프가 부착된 방음벽을 보니 새의 충돌을 줄일 수 있을 것 같아 기분이 좋았다."라고 말했다.
유새영 노안남초등학교 교사도 "학생들이 동물의 생명을 귀하게 여기는 활동을 통해 누군가의 불편함을 조롱하지 않고 작은 목소리에 귀 기울일 줄 아는 사람으로 성장하길 바라는 마음으로 생태 수업을 기획했다."라고 말했다.

노안남초등학교 학생들은 2022년 5월 2일과 16일 방음벽에 충돌해 사망한 새들의 사체를 수습하고 추모했다. (이하 성난 비건 제공)

전남 나주 노안남초등학교 학생들이 공산면 복사초리 삼거리에 있는 투명 방음벽에서 조류 충돌방지 테이프를 부착할 수 있도록 기준점을 찍고 있다.

나주 노안남초등학교 학생들과 자원봉사자 등 74명이 지난 3일 전남 나주시 공산면 상방리 복사초리 삼거리에 있는 투명 방음벽에 조류 충돌방지 테이프 부착 작업을 끝냈다.

놀이가 밥이다

우리 아이들과 놀이는 떼려야 뗄 수 없는 활동이다. 놀이를 통해 성장하고, 놀기 위해 아침에 일어나고 밥 먹는 아이들이 우리 아이들이다. 이런 아이들을 위해 노안남초 교사들과 학부모들은 놀이시간을 지키기 위해 고심하고, 놀이공간을 만들기 위해 많은 노력을 기울여왔다.

함께 놀 수 있는 놀이문화 한마당 자리에서 기꺼이 놀이선생님이 되어주었던 우리 부모님들과 자투리 공간을 작은 놀이터로 변화시켰던 노안남초 선생님들이 있어서 우리 아이들은 놀이 속에서 부쩍 성장하고 배워 간다.

2015. 11. 11.
호남교육신문

전래놀이 속으로 풍덩

2015년 11월 7일, 우리의 전래놀이와 문화를 바르게 알고 계승하자는 의미로 학부모회가 주관하는 '전래놀이야 놀자'라는 전래놀이 체험 캠프를 실시했다.
이번 체험은 저학년부터 고학년까지 다양하게 조를 편성해 동생, 형, 언니들과 함께 놀이하고 문제를 해결하며 나 혼자가 아닌 공동체 의식을 키워주는 계기가 됐다. 학부모 또한 누구의 엄마, 아빠가 아닌 모두가 하나라는 생각으로 학생들과 서로 소통할 수 있는 계기가 되어 전통놀이에 참여하는 뜻깊은 자리가 됐다.
학부모회 주관으로 이뤄진 체험활동은 '잼잼 곤지곤지, 퐁당퐁당 돌을 던져라'라는 손 유희의 놀이로 시작해 '짝 묶기 놀이, 꽃 찾기 놀이, 남생아 놀아라, 아리랑, 소 외양간 놀이, 태평소 만들기, 비빔밥, 투호, 비석치기, 단체 제기차기, 시조 찾기'와 마지막으로 '밧줄 가마타기'로 학부모들이 아이들 하나하나 태워주면서 체험활동이 마무리됐다. 체험활동에 참여한 한 학부모는 "우리가 어릴 때 하던 놀이를 아이들과 같이하면서 저도 초등학교로 돌아간 듯한 느낌이었다. 저는 모교라 그런지 그 시절 친구들 모습이 기억났다. 운동장에서 하던 오징어놀이, 비석치기 등 어린 친구들의 얼굴이 추억 속에서 살아 움직여 행복한 시간이었다."라고 말했다.
박성수 교장은 "'아이들은 놀이가 밥이다'는 말이 있듯이 이번 전래놀이를 통해 아이들이 마음껏 놀아보고 성취감과 규칙, 여럿이 함께 어울려 놀이함으로써 협동심과 서로를 위한 배려를 실천할 수 있는 계기가 됐다."라면서 "학부모, 학생 모두가 하나 되어 놀이 활동을 경험한 것도 의미 깊었다."라고 평가했다.

학생중심, 놀이문화 활성화

2017. 9. 4.

뉴스깜

이상적인 초등학교의 모습이란 열심히 배우는 중에 학생들이 마음껏 뛰어놀고 함께 어울려 생활하며 인성을 기르고 지덕체를 함양해가는 모습일 것이다. 이를 위해 2017년 한 해 학생 중심 놀이문화를 조성하는 데 심혈을 기울였다.

우선 공급자 중심이 아닌 수요자 중심의 놀이문화를 조성하기 위해 학생회가 학생 놀이문화 조성 계획과 운영을 주도하였다. 이를 통해 학생들을 위한 놀이시간과 공간을 확보할 수 있었다. 핸드폰 게임을 하며 무의미한 시간을 보내던 쉬는 시간을 적극적으로 활용하여 자전거와 인라인스케이트 타기를 정례화하였으며 이를 지원하고자 학교 운동장에 전용 도로를 조성하였다. 또한, 학생들의 흥미와 관심을 적극적으로 수용하여 공작부, 보드게임부, 방송부, 댄스부, 문화예술감상부 등으로 세분화된 자율 동아리 활동을 매주 목요일마다 운영하였다.

이와 함께 학생들의 교내 자투리 시간에 주목하였다. 학교 급식 이후와 방과후학교 종료 후 남는 유휴 시간에 안전한 장소에서 친구들과 함께 어울려 놀면서 학업 스트레스를 보다 긍정적으로 해소할 방안을 모색한 끝에 학생들이 자주 애용하는 체육관에 놀이 공간을 조성하였다. 개설된 놀이방에는 안전 매트를 바닥에 깔아 다양하고 재미있는 놀이기구와 물품을 비치하여 학생들이 언제든 자유롭게 이용할 수 있도록 하였다.

그 결과, 노안남초의 학생들은 오늘도 학교에서 열심히 배우며 즐겁게 뛰어놀고 있다. 본교 5학년 학생은 "날씨에 상관없이 친구들과 함께 언제나 즐겁게 뛰어놀 수 있는 우리 학교로 놀러 오세요."라고 환하게 웃으며 기뻐했다. 노안남초 김옥경 교장은 "놀이도 중요한 교육 활동의 하나라는 점을 학생들이 스스로 깨닫게 되는 것 같다."라며 "발상의 전환으로 이뤄진 노안남초의 자발적 놀이문화 조성이 작은 학교 운영에 좋은 본보기가 되었으면 좋겠다."라며 깊은 만족감을 드러냈다.

도미노 게임을 하는 학생들의 모습

2017. 10. 21.

나주토픽

전통놀이를 가르쳐주는 엄마, 아빠들

'술래잡기 고무줄놀이 말뚝박기 망까기 말타기 놀다 보면 하루는 너무나 짧아~♬' 귀에 익숙한 노래가 학교에 흘러나오면 아이들은 여러 가지 전통놀이를 학부모들에게 배우면서 즐거워했다. 2017년 매주 월요일 중간놀이 시간의 모습이었다.

학생 중심 놀이문화 조성에 심혈을 기울이던 노안남초는 전통놀이의 활성화와 학부모의 교육 활동 참여를 동시에 이루어내어 눈길을 끌었다. 2학기부터 학부모들은 평생교육 프로그램에서 익힌 전통놀이를 매주 월요일 중간놀이 시간에 전통놀이 강사가 되어 직접 아이들과 함께 놀아주었다. 아이들은 명절에 TV에서나 볼 수 있었던 투호, 제기차기, 팽이치기, 굴렁쇠 굴리기 등 전통놀이를 직접 해보며 조상들의 지혜와 얼을 느끼고 친구들과 재미있게 즐기면서 또래 친구들과의 상호작용과 공감 능력을 배웠다. 또한, 학부모들은 학교 교육과정에 자발적으로 참여함으로써 교육공동체로서의 소속감도 높이고 자녀들과의 의미 있는 놀이시간도 가질 수 있게 되어 학교와 학부모 모두 일거양득의 효과를 볼 수 있었다.

아이들과 즐겁게 전통놀이를 하고 난 후 한 학부모는 "아이들과 재밌게 놀다 보면 시간 가는 줄도 모르게 된다."라며 "오히려 배운 것을 교육 기부로 나눌 수 있어서 기쁘다."라고 밝게 웃으며 소감을 말했다.

학부모와 함께
전통놀이를 즐기고 있는 학생들

생태 텃밭 활동

2017년, 학부모회가 주도하여 조성한 학교 텃밭은 매년 학생들의 생태환경교육 활동의 장으로서의 역할을 톡톡히 하고 있다. 2021년에는 학교 텃밭에서 수확한 고추와 가지 등을 지역로컬푸드에 판매하여 수익금을 기부하는 등 의미 있는 활동으로까지 이어져 학생들의 관심은 물론 지역사회에서까지 주목을 받고 있다.

2019. 7. 19.
한국농수산TV

어린이 농부가 기른 농산물, 이웃과 함께 나눠요.

나주시가 관내 초등학생들이 학교 텃밭에서 기른 농산물로 나눔과 기부 문화를 확산하는 새로운 먹거리 상생 모델을 구축하고 나섰다.

전라남도 나주시(시장 강인규)는 지난 16일 나주농업진흥재단, 노안남초등학교, 어린이복지시설(3개소) 등 5개 기관이 참여하는 '학교 텃밭 농산물을 활용한 기부 문화 확대 협약식'을 개최했다고 19일 밝혔다.

5개 기관은 학교 텃밭 농산물을 매개로 로컬푸드에 담긴 공익·교육적 가치확산과 나눔과 기부를 통한 공동체 상생에 힘을 모은다.

'학교 텃밭 재배기술 교육 및 농산물 공급·기부', '지역 아동의 먹거리 기본권 증진', '건강한 식문화 교육', '로컬푸드를 활용한 공익적 활동' 등 6개 사항에 대한 상호 지속적인 협력을 약속했다.

나주농업진흥재단 공공급식 지원센터는 노안남초교 학생들이 직접 기른 가지, 오이고추 등 텃밭 농산물을 매입해 아동복지시설(이화영아원·백민원·금성원)의 식재료로 무상 공급한다.

학생들에게는 텃밭 농산물에 대한 재배기술과 식문화 교육을 통해 우리 농산물의 중요성, 건강한 식습관 형성을 도모할 계획이다.

특히 초등학생들은 농산물 판매 수익금을 이화영아원에 전액 기부할 예정으로 이웃과의 나눔과 농업의 공익적 가치를 몸소 실천하고 깨닫는 뜻깊은 계기가 될 것으로 기대된다.

강인규 나주시장은 "어린 학생들이 농업의 소중함과 참된 상생, 기부 문화를 배우고 실천하는 소중한 계기가 될 것"이라며 "앞으로도 우리 농업과 로컬푸드를 매개로 다양한 공익적 활동을 발굴, 확산하는 데 노력해가겠다."라고 밝혔다.

위. 학교 텃밭에서 농산물을 수확하는 노안남초 어린이들
아래. 학교 텃밭 농산물을 활용한 기분 문화 확대 협약식

지역사회 나눔과 기부로 '스쿨팜 프로젝트' 마무리

2022. 2. 8.
광주매일신문

2022년 2월 4일, 학생들은 제2회 친환경 농업 가치확산 우수학교 경진대회 최우수상 수상금 중 일부(100만 원)를 어린이복지시설 백민원에 기부했다.

친환경 농업 우수학교 경진대회에서 최우수상을 받은 노안남초 어린이 농부들은 마을 교육공동체와 협력해 천연비료, 무농약 재배를 활용한 친환경 농법을 실천하는 'School Farm(스쿨팜) 프로젝트'를 운영하였다. 친환경 퇴비와 달걀껍데기 천연비료를 활용해 오이고추와 가지를 재배했다. 지난 7월에는 나주농업진흥재단, 노안남초등학교, 어린이복지시설(3개소) 등 5개 기관이 참여하는 '학교 텃밭 농산물을 활용한 기부 문화 확대 협약식'을 개최하여 상호 지속적인 협력을 약속했다.

나주농업진흥재단 공공급식 지원센터는 노안남초 학생들이 직접 기른 텃밭 농작물을 매입해 아동복지시설(이화영아원, 백민원, 금성원)의 식재료로 무상 공급하였다.

초등학생들은 농산물의 판매 수익금을 지난 11월 이화영아원에 전액 기부하여 이웃과의 나눔, 농업의 공익적 가치를 몸소 실천하였다.

또한, 농약 제로! 친환경 농업으로 지구 살리기, 우리 농산물 로컬푸드 이용 캠페인, 주 1회 채식 급식 도입에 대한 찬반 토론, 음식물 잔반 줄이기 챌린지 등 2050 탄소중립실현과 관련된 친환경 프로그램을 실천하여 친환경 농업 가치확산 경진대회에서 높은 평가를 얻었다. 수상금 중 일부를 또 기부하면 좋겠다는 학생들의 의견에 따라 사회복지법인 나주 백민원에 100만 원을 기부하게 되었다.

정정하 교장은 "이번 학교 텃밭 프로젝트를 통해 우리 학생들이 농업의 소중함을 배우고 이웃 사랑을 실천하는 소중한 계기가 되었다."라며 "학교 현장에서 농업의 공익적 가치확산과 나눔과 기부 문화 확대를 위해 다양한 친환경 프로그램을 지속적으로 실천하겠다."라고 밝혔다.

2022. 5. 4.
전남교육 통

어린이 농부들! 행복한 나눔을 위한 첫발을 떼다.

나주시 공공급식센터와 함께 진행한
노안남초 어린이 농부들의 텃밭 활동

노안남초는 2022년 5월 2일(월) '어린이 농부들의 행복한 나눔'이라는 기치 아래 텃밭 활동을 시작했다. 나주 농가에서 도움을 주기 위해 나온 한 농민으로부터 모종을 심는 방법, 주의해야 할 점 및 작물의 특성에 관해 설명을 들은 뒤, 어린이 농부들은 조심스럽게 땅을 파고 모종을 심은 뒤 잘 자라길 바라는 마음을 담아 작물을 응원하는 말을 남기는 등 텃밭 활동에 진지한 모습을 보여주었다.

어린이 농부들이 텃밭 활동을 통해 수확한 고추, 가지 등의 농작물은 나주시 로컬푸드에 판매하고 수익금을 나주지역 복지시설에 기부하는 등의 나눔 사업을 2021년에 진행한 바 있다. 2022년에도 작년에 이어 수확 농작물 판매 수익금을 기부할 예정에 있으며, 노안남초 어린이들은 작년에 이은 스쿨팜 활동에 기대감을 보이며, 어린이 농부들이 직접 심은 가지, 고추 등이 잘 자라 올해도 잘 판매하여 기부를 많이 할 수 있기를 바라고 있다.

텃밭 활동에 참여한 4학년 최○민 학생은 "오이고추와 토마토를 심었는데 조금 힘들기도 했지만, 재미있었고 우리가 심은 고추와 토마토가 많이 열리기를 바란다."라고 했으며, 2학년 김○석 학생은 "얼른 키워서 먹어보고 싶다."라고 말했다.

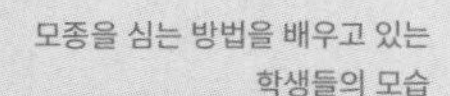
모종을 심는 방법을 배우고 있는
학생들의 모습

자기 삶의 주인으로 살아가기

2022년에도 노안남초 학생자치회는 공약을 실현하기 위해 분주하였고, 연말에는 학생회가 주관하여 '노안남 장기자랑' 행사를 진행하는 등 학생이 주인으로 참여하는 교육 활동의 명맥을 유지하고 있다.

이러한 학생자치회의 모습은 2017년 활동에서도 엿볼 수 있으며, 학교생활의 어엿한 주인으로서의 면모는 현재까지도 이어지고 있다.

2017. 3. 3.
교육연합뉴스

학생자치회 주관 입학식 행사

2017년 3월 2일 금정관에서 7명의 입학생과 병설 유치원생 11명의 입학식을 했다. 특히, 노안남초는 이번 입학식 때 '입학식은 엄숙하고 딱딱하다'라는 기존의 패러다임에서 탈피, 학생들이 주관해 재치 넘치는 진행과 깜짝 축하 행사를 진행했다.

입학식의 하이라이트는 모든 학교 구성원들이 '행복한 학교를 위한 우리의 다짐'을 함께 제창하며 입학을 축하하는 떡케이크에 촛불을 끄는 장면이었다. 재학생들은 1학년 신입생들에게 뜨거운 환영의 박수를 보내며 한 가족이 되는 것을 축하했으며, 입학생들은 함박웃음으로 자랑스러운 후배가 되겠다고 약속했다.

"여름방학은 End가 아닌 And다"

2017. 7. 30.
나주투데이

2017년 7월 21일에 열린 노안남초의 이번 여름 방학식은 선생님들이 계획하고 주관하는 기존의 운영 방식에서 탈피해 학생회가 주관하고 학생들이 직접 진행해 눈길을 끌었다.

1교시를 마치는 종소리가 울리자 학생들은 모두 도서관으로 모여서 자리를 잡고 앉아 방학식을 위해 미리 동아리 활동 방송부 학생들이 직접 제작한 1학기 학생 활동 모음 동영상을 감상했다. 입학식부터 시작해, 한 학기 동안 진행된 학생노리터 활동, 다양한 체험학습, 봄 계절학교, 학부모 책 읽어주기 등의 모습을 돌아보며 학생들은 서로를 바라보며 때로는 마음껏 웃고 때로는 눈시울을 붉혔다.

동영상을 통해 1학기에 얼마나 많은 것을 배우고 느꼈는지 돌아보는 시간을 가진 학생들이 한 명씩 마이크를 잡고 한 학기를 마치는 소감과 바라는 점 등을 자유롭게 발언했다.

이날 여름 방학식에는 한 가지 반전이 있었다. 방송부 학생들이 8월 말 정년퇴임을 앞둔 교장 선생님을 위한 감사의 동영상을 직접 제작해 상영한 것이다.

전교생이 모두 출연해 각 반별로 구호를 외치며 교장 선생님에 대한 사랑과 퇴임에 대해 아쉬움을 얘기하는 깜찍하고 감동적인 영상으로 방학식장은 일순간 숙연해지기도 했다. 노안남초 박성수 교장은 "학생들이 직접 만든 멋진 동영상으로 1학기를 마무리하게 되어 학생들과 선생님들 모두가 만족하는 뜻깊은 여름 방학식이 된 것 같다."라며 "여름방학 동안 다양한 체험과 학습을 통해 더욱 건강하게 성장한 모습으로 다시 만나기를 우리 모두 약속하자."라고 말했다.

이제 일시적으로 가동을 멈춘 노안남초의 학생 시계는 여름방학 동안 돌봄교실과 방과 후 활동을 통해 예열한 후 8월 23일에 다시 가동될 예정이다.

박성수 교장선생님 퇴임을 기념하며

2018. 10. 11.
국제뉴스

학생 노리터 다모임

노안남초등학교의 전교생이 참여하는 학생노리터(노안남초의 이야기가 있는 터전) 다모임의 학생 자치활동이 주목을 받고 있다. 교직원들은 학생 자치활동을 통해 학생들이 자신의 꿈과 끼를 발휘할 기회를 가짐으로써 자신감을 회복하고 행복한 학교생활을 영위할 수 있도록 돕고 있다.

학생노리터 문화 하나, 학생 중심 학교 행사

교사 주도이던 학교 행사를 학생 주도 활동으로 이루어진다. 입학식, 방학식, 졸업식, 학예회, 캠페인, 봉사활동, 계절프로젝트 등 교육 활동의 내용 선정에 학생 의견을 반영하며 행사 진행 또한 학생노리터 임원들이 직접 담당한다. 지난 4월 네팔에 건립하는 전남 휴먼스쿨 건립 후원 모금 활동으로 감사장을 받았으며, 7월 여름방학을 맞아 전교생이 다 함께하는 놀이 한마당을 계획·실행하여 학생들의 호응도가 높았다.

학생노리터 문화 둘, 학생회 협의 활동 활성화

학교생활에서 함께 지킬 규칙을 스스로 정하고 실천 약속을 다짐한다. 통학버스에서 지켜야 할 예절, 금정관(강당) 사용 규칙, 복도 통행, 스마트폰 사용 예절 등 학생노리터에서 전교생이 모여 학교생활에서 발생하는 문제점과 해결책을 찾아보며 학교문화 바꾸기에 능동적으로 참여한다. 얼마 전 금정관 사용 규칙을 정하고, 지키지 않는 학생들에 대한 경고를 어떻게 줄 것인가에 대해 진지하게 토론하기도 하였다.

학생노리터 문화 셋, 학생노리터 부서별 프로젝트 운영

5개의 부서별로 학생들이 직접 프로젝트를 계획하여 실천하고 있다. 방송부는 월, 금 중간놀이 시간에 학생들의 사연과 신청곡을 받아 교내 방송 활동을 하며 학생들과 소통하는 기회를 가진다. 환경부는 운동장 주변 떨어진 꽃이나 나뭇가지 등 자연을 느낄 수 있는 물체를 주워 자신만의 환경작품 만들기 활동에 참여하며 환경에 관심을 가질 수 있도록 하였다. 상담부는 고민이 있는 선후배 학생들에게 심리테스트를 해주고 상담을 해주며 또래 상담자의 역할을 한다.

6학년 손○○ 학생은 “다모임을 진행하면서 의견이 맞지 않아 사소한 다툼이 일어나기도 하지만 선후배 간에 존중하고 배려하는 모습을 볼 때마다 자부심이 생겨요.”라며 학교생활에 대한 만족감을 표현했다.

부서별로 회의하고 있는 학생들 모습
(2021년도 회의 장면)

학생자치회 주관, 세월호 추모식 열어

2021. 4. 16.
나주신문

세월호 7주기를 맞아 2021년 4월 15일에 '기억하겠습니다'라는 주제로 세월호 추모식을 개최하였다. 이 행사는 학생자치회(학생노리터 다모임)에서 스스로 기획하고 추진한 첫 번째 프로젝트로 세월호 참사에 대해 알아보고 이와 더불어 일상 속에서 안전 생활을 실천하겠다는 다짐의 기회가 되었다.

주요 활동으로는 세월호 추모 영상, 동화책을 보고 유가족의 슬픔에 공감하며 이야기 나누기, 노란 종이에 추모의 글 또는 그림 그리기, 안전 실천 다짐 노란띠 만들기 등 학년 수준과 특색에 맞게 진행되었다. 학생자치회에서는 세월호의 아픔을 담은 학생들의 글과 그림, 안전띠를 모아 협동 작품을 만들어 강당에 게시하기도 하였다.

6학년 김○○학생은 " 세월호 추모 영상을 보고 유가족들이 얼마나 가슴이 아플까 생각하니 슬퍼서 눈물이 많이 났다. 세월호와 같은 참사가 다시는 일어나지 않았으면 좋겠다."라고 말했다.

담당교사 최바라 선생님은 "이번 세월호 추모식은 학생자치회 학생들이 자신들의 생각을 담아 추진한 첫 번째 프로젝트여서 더욱더 의미가 있었고, 세월호의 아픔에 공감하며 진솔한 마음을 담아 적극적으로 참여해 준 전교생들에게 감사한 마음을 전한다."라며 소감을 남겼다.

정정하 교장은 "학생들이 스스로 추모식을 계획하고 전교생이 마음을 담아 참여하는 코끝이 찡해지는 행사였다."라고 소감을 밝혔다.

세월호 추모식을 준비하는 학생들

세월호 추모 활동을 하는 학생들

2021. 5. 17.
전남교육 통

학생자치회, 다채로운 ‘스승의 날 기념행사’ 펼쳐

2021년 5월13일에 학생자치회(학생노리터 다모임)가 주관한 다채롭고 의미 있는 스승의 날 행사가 진행되었다.

선생님들의 어린 시절의 모습과 이야기가 담긴 포스터를 보며 누구의 사진인지 찾아보는 ‘라떼는 사진전’을 시작으로, 스승의 날 현수막 문구 공모전, 선생님 꼭 맞춤형 감사장과 손수 만든 카네이션 브로치 수여, 학생들이 선생님을 직접 인터뷰하며 선생님의 속마음을 들여다보고 선생님과 더 가까워지는 ‘유퀴즈 온더 스쿨’까지 톡톡 튀는 아이디어가 가득한 다채로운 스승의 날 기념행사가 진행되었다.

특히 5월 13일 전교 다모임 시간에는 강당에 한데 모여, ‘우리 선생님 소개’ 인터뷰 내용을 바탕으로 학생회에서 직접 작성한 ‘미소 천사상’, ‘저세상 텐션상’, ‘굿 타이밍상’, ‘기대 이상 상’등 개성 만점 감사장을 선생님들께 수여했다. 또한, 학생들이 촬영한 ‘유퀴즈 온더 스쿨’ 영상을 함께 시청하였는데, 기발한 상장 내용과 영상 속 선생님들의 예상치 못한 답변에 그 자리에 함께했던 학생과 선생님들의 얼굴에는 모두 웃음꽃이 활짝 피었다.

이어서 학생회 임원들의 진행으로 복도에 일주일간 게시되었던 ‘라떼의 사진전’ 정답을 골든벨 퀴즈 형식으로 확인하였다.

끝으로 ‘나에게 우리 선생님이란?’ 질문에 대한 각자의 생각이 담긴 사랑의 쪽지 적어 선생님께 전달하기 활동까지 펼쳐져 선생님과 제자 간의 소통을 늘리고 사랑과 감사의 마음을 전달하는 의미 있는 스승의 날 기념행사가 진행되었다.

6학년 조○○ 학생은 “그동안 학생회에서 다양한 스승의 날 행사를 준비하느라 무척 바빴지만, 우리가 직접 준비한 상장을 받으며 선생님들이 너무 기뻐해 주시고, 행사 내내 선생님들이 계속 웃고 계셔서 정말 보람 있고 행복하였다.” 라고 소감을 전하였다.

5학년 김○○ 학생은 “<라떼는 사진전>에서 선생님들의 어릴 적 모습을 보니 너무 귀여워서 놀랐다. 그리고 선생님들의 어릴 적 이야기를 들을 수 있어서 재미있었고 선생님과 더욱 가까워진 생각이 들었다.”라고 전했다.

정정하 교장 선생님은 “오늘 학생들에게 ‘미소 천사’ 상을

선생님들에게 감사의 마음을 전하는 학생들

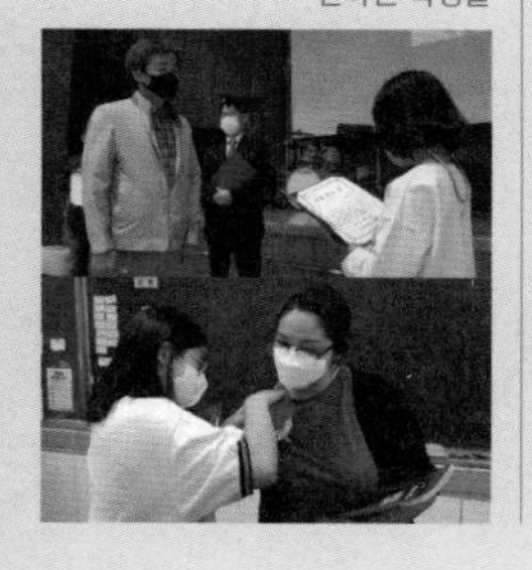

받았는데, 그동안 그 누구에게 받은 상보다 더욱 귀하고 값지다. 학생들의 반짝이는 아이디어가 돋보이는 다양한 행사로 학생들과 선생님들이 함께 스승에 대한 감사의 마음을 다지고 행복한 시간을 보낼 수 있도록 수고해준 우리 학생자치회 친구들이 대견하고 고맙다."라고 감동 가득한 소감을 밝혔다.

학생회 주관 스승의 날 기념행사 모습

배움과 성장을 위하여

다양하고 의미 있는 교육 활동을 펼치기 위해, 노안남초의 교사들은 적극적으로 배우고 연구하기 위해 열정을 다한다. 역사탐방, 생태환경교육 및 생태놀이 연수, 온작품 읽기 연수, 그림책 활동 연구, 아이패드 사용자 연수, 놀이 및 보드게임 연수 등 교사들의 배움의 분야는 무궁무진하며, 배움 장소도 학교 안으로만 제한하지 않는다.

열린 공간에서 진행되는 다양한 배움 활동으로 교사들은 연구와 배움은 물론 묵은 스트레스를 풀어내고 새로운 에너지를 얻는 힐링의 계기를 얻기도 한다. 이로써 교사들은 다시 교육 활동에 전념할 수 있게 된다.

2016. 11. 6.
나주투데이

교사공동체 '노리터'

노안남초등학교는 '노리터'(노안남초의 이야기가 있는 터전)라 이름 붙인 교사, 학생, 학부모들이 교육 주체로서 소통-협력하는 다모임을 운영하고 있다. 교육공동체의 자발적 참여와 소통 중심의 민주적 학교문화 조성을 위해 추진 중인 노리터 중 특히 교사 노리터의 경우 주 1회 모임을 정례화해 동료성을 바탕으로 함께 성장하고 배움을 목표로 수업 협의, 업무 협력, 연수 활동 등을 운영하고 있으며, 근무 시간과 공간에 제약 없이 자율적으로 활발하게 운영되고 있다.

이들 공동체는 협동 학습과 협력 학습, 하브루타 교육, 배움의 공동체, STEAM 융합 수업, 과정 중심평가, 슬로리딩 등 다양한 주제에 대해 자유롭게 질문과 협의, 토론 및 컨설팅을 거치면서 동료애와 전문성 신장에 앞장서고 있다. 특히, 교사 노리터에 소속된 교사들은 2016년 11월 29일(토) 관내 학교에서 진행된 '학생의 꿈과 끼를 키우는 과정 중심평가 연수'에도 휴일도 반납한 채 연수와 협의를 병행하며 전문적 학습공동체로서의 진면모를 대내외에 과시했다. 교사 노리터에서 공동연수에 한창인 한 저 경력 교사는 "개별적 연수 활동보다 동료 선후배 간 함께 교육 문제를 공감하고 소통하면서 공동연수와 실행을 했을 때 전문성 향상과 교사로서의 성장이 배가 되는 것 같다."라고 했다.

교사 노리터에서
함께 연구하는 모습

선생님들, 5·18 역사투어에 나서다

2022. 5. 2.
전남교육 통

노안남초는 2021년 5·18 시화전과 그림책을 활용한 5·18 역사교육에 이어, 2022학년도의 보다 발전된 5·18 역사교육을 하기 위해 지난 4월 27일(수)에 5·18 역사투어를 진행했다. 5·18 역사투어는 광주 극락초 백성동 선생님의 설명을 들으며 5·18 역사 정신을 가슴에 새기고, 노안남초 학생들에게 더욱 유익한 역사교육을 모색해보는 연수로 진행되었다.

5·18 역사투어는 5·18 민주화운동 당시 계엄군에 맞선 시민군이 최후 항쟁을 벌였던 장소이나, 국립아시아문화전당 건립 당시 훼손되어 80년 당시의 모습을 지키지 못하고 있는 '옛 도청건물' 앞에서 시작해서 '민주의 종', '시계탑', 당시 희생자들의 주검을 안치했던 '상무관'과 시민운동의 중심에 있었던 광주 YWCA 사적지를 둘러보는 순서로 진행되었다.

가장 많은 설명을 듣고 시간을 보낸 장소는 '전일빌딩245'였다. 탄흔의 흔적을 확인하고, 숫자 '245'가 빌딩에 새겨진 탄흔의 숫자라는 설명을 들었다. 또한, 입체적으로 재현된 영상자료를 보며 당시의 상황을 알 수 있었다. 무엇보다 '전일빌딩245'가 과거 기록으로서의 역사를 보존할 뿐만 아니라 광주 콘텐츠허브의 역할을 하는 공간 및 휴게공간이 있어 과거와 현재, 미래를 아우르는 곳으로 자리매김하는 것을 보고 감탄을 하지 않을 수 없었다.

오월길을 걸으며 보고 듣고, 느꼈던 것을 학생들과 다시 경험해보는 교육을 기획해도 좋고 학생들의 수준에 맞는 자료를 활용하여 5·18 역사교육을 진행하는 것도 좋겠다. 강사로 오신 백성동 선생님이 만들고 소개하신 '오일팔수업.com'은 5·18 역사교육을 위한 다양한 자료가 있어 수업을 준비할 때 선생님들에게 많은 도움이 될 것 같았다. 당시의 자극적인 자료를 그대로 보여주고 사실을 열거하는 일방적인 역사교육을 넘어서는 것이 중요하다는 강사님의 말씀은 5·18 역사교육 방법에 대해 깊게 고민하는 계기를 만들었다.

서울에서 근무하다 전남으로 내려온 박숙현 선생님은 "글과 영상으로만 보고 듣던 5·18 역사 이야기를 생생한 현장에서 들을 수 있어 뜻깊은 역사투어였다."고 말했으며, 나효

광주 금남로 5·18 사적지를
돌아보며 되새긴 80년 민주정신

정 선생님은 “학교 안이 아니라 학교 밖에서 투어 형식으로 진행된 색다른 연수라 뜻깊은 경험이었다.”고 후기를 밝혔다.

교육 활동의 동반자,
학부모(보호자)[8]

2017년, 제한적공동학구제 실시로 학교가 되살아난 데에는 학부모들의 역할이 무척 컸다. 학생 유치는 물론이고 학생들의 재미있고 의미 있는 교육 활동을 위해 재능기부를 마다하지 않은 점, 특히 가꾸고 수확하는 기쁨을 위해 학교 텃밭을 일구는 데에 들인 학부모님들의 노고와 정성은 대단했다.

그러므로 학부모회의 노안남초 교육 활동에 대한 애정은 크다고 생각한다. 학부모님들의 관심과 열정, 애정은 학부모회의 문화로 자리 잡아 2022년까지도 이어져 오고 있으며, 학부모회와 교사들은 지금까지도 정기적인 만남과 협의를 하며 한마음으로 노안남초의 교육을 뜻깊게 만들기 위해 노력하고 있다.

8 다양한 가족 형태를 반영하여 '학부모' 보다는 '보호자'라는 용어를 쓰는 것이 바람직하겠으나, 이전의 많은 자료가 '학부모'를 사용하고 있어, 이 책에서도 그대로 사용하기로 함.

2016. 6. 22.

호남교육신문

"학부모 락밴드 날라리가 뜬다."

노안남초등학교에 학부모들로 구성된 '날라리 락밴드'가 구성되어 주목을 받았으며, 다양하고 건전한 학교 참여를 위해 2016년 5월 20일(금)부터 7월 22일(금)까지 총 10회에 걸쳐 학부모 평생교육을 실시했다.

학부모 평생교육은 사전 수요조사를 통해 선호도가 가장 높은 락밴드가 선정됐으며 총 15명의 학부모가 참여해 자신의 꿈을 펼쳤다. 학부모 락밴드 활동이 이뤄진 계기는 2016년부터 시작된 노안남초 학생 락밴드부(방과 후 활동 프로그램) '신나 밴드'의 활약이 크게 작용했다.

밴드를 시작한 지 두 달도 안 되어 선보인 봄 운동회 공연에서 아이들의 진지한 연주 실력에 반한 학부모들이 밴드 활동을 통해 학창 시절 한 번쯤은 꿈꾸었던 자신들의 꿈을 실현하기 위해 팔을 걷어붙이고 나선 것이다. 처음 악기를 접한 학부모들은 악기 연주에 대한 두려움, 악보 보는 것에 대한 부담감이 컸지만, 연습을 통해 하루하루 변화되는 자신들의 모습을 보며 스스로 대견해하고 무엇인가 해낼 수 있다는 자신감도 높아졌다.

가칭 '날라리'라는 밴드명으로 주말까지 연습에 몰입하며 락밴드 활동에 참여한 한 학부모는 "아직은 서툴고 부족한 점이 많지만, 악기 연주를 통해 직장과 가사 일로 쌓인 스트레스를 해소하고 무엇보다 아이들과 대화할 수 있는 이야깃거리가 생겨서 좋다."고 말했다.

노안남초 학부모 평생교육 락밴드 '날라리'는 학생의 행복한 학교생활을 위한 교육공동체 일원으로서 오랜 시간 동안 서로 호흡을 맞추고 마음을 나누며 자신의 꿈을 실현하고자 노력하는 열정이 있기에 더욱 값지고 의미 있는 활동이었다. 다양한 학교 행사를 통해 숨겨진 끼와 재능을 선보일 학부모들의 활약에 기대를 모았다.

가칭 '날라리' 학부모 락밴드 모습

'글벗맘'들의 행복한 학교 나들이

2018. 7. 12.
전남타임스

노안남초의 학부모회 회원들의 학교 교육 활동 참여는 확실히 남다르다. 월 1회 학부모 다모임을 통해 교사와 학부모는 상시적 대화의 장을 마련하고 학생 교육을 중심으로 상호 간의 신뢰와 협력적 관계 형성을 목표로 부단히 활동해 왔다.

이를 위해 독서교육(도서 대여 및 관리, 아침 책 읽어주기), 문화예술교육(프로젝트 동아리, 학교 축제), 생태 교육(주제 중심 체험학습, 텃밭 가꾸기) 등을 지원해 주고 있다. 특히 학부모 독서동아리 '글벗맘' 회원들의 매주 목요일 아침 책 읽어주기는 4년째 꾸준히 이어져 오고 있어 학부모들의 열정은 대단하다.

아침 책 읽어주기는 몇몇 학부모에 의해 지속되는 보여주기식 지원이 아니다. 각 학급의 거의 모든 학부모님이 매주 1명씩 참여하고 있으며 혹시 개인적인 사정으로 참여가 어려우면 그 자리를 대신해 줄 다른 글벗맘이 있어 중단되지 않고 매주 꾸준히 진행된다.

6학년 한 학생은 "이번 주에는 글벗맘과 책을 읽고 꿈은 자기가 잘하는 것으로 정할 것인지, 자기가 좋아하는 것으로 정할 것인지 진지하게 생각해보는 시간을 가져 좋았어요."라며 밝게 웃었다.

2학년 학생은 "선생님 내일 글벗맘들 오시는 날이죠? 무슨 책을 읽어주실지 기대돼요."라며 천진난만한 표정을 지었다.

아침 시간에 아이들에게
책을 읽어주는 글벗맘

2019. 5. 27.
전남교육 통

학부모 교육 기부 동아리 산따라~길따라

가족과 함께하는 새 둥지 만들기 자연생태 체험 실시

노안남초등학교는 2019년 5월 18일 토요일 오전임에도 불구하고 학교는 시끌벅적했다. 학부모 교육 기부 자연생태체험 동아리(산따라 길따라)에서 버려진 나뭇가지로 새 둥지 만들기 체험을 시행하였기 때문이다.

학생들은 가족과 함께 새 둥지 만들기 체험을 하면서 자연의 고마움과 고운 심성을 기를 기회를 가졌다. 나뭇가지를 한 가닥씩 연결하여 튼튼한 새집을 만드는 것이 쉬운 일은 아니었다.

하지만 학생들은 학부모님의 도움을 받아 내가 만든 새집에 새들이 너무 많이 찾아오면 어쩌나 행복한 고민을 하며 즐겁게 참여했다. 학생들은 직접 만든 새 둥지를 학교 화단과 텃밭에 있는 나무에 직접 달아주었다.

일주일이 지난 후 신기하게도 학교 화단에서 평소보다 새들이 지저귀는 소리가 더 많이 들려오는 것 같다고 학생들은 말했다.

3학년 박○○학생은 "나뭇가지를 엮어서 동그랗게 만드는 것이 어려웠지만 새들에게 포근한 집을 만들어 줄 생각을 하니 뿌듯해요."라고 말하며 수줍은 미소를 지었다.

이날 함께 참여한 학부모는 "새 둥지 만들기 활동은 저 또한 색다른 경험이었어요. 고사리 같은 손으로 만든 새 둥지에 새들이 많이 찾아왔으면 좋겠어요."라고 전했다.

새 둥지를 나무에 설치하는 모습

'자연을 닮은 아이들' 함께 길러요.

2019. 7. 29.
전남교육 통

2019년 7월 20일 학부모 교육 기부 자연생태 체험 동아리(산따라 길따라)에서 아이들과 함께 압화 책갈피 만들기와 물놀이 체험을 시행하였다.

노안남초 학부모 노리터(학부모회)는 자연생태동아리, 계절 프로젝트 프로그램 지원 등 자발적인 교육 활동 참여로 유명하다. 이날도 학생들은 학부모님들의 안내와 도움으로 말린 꽃과 잎을 조심스럽게 꾸밈 종이 위에 올려 나만의 책갈피를 만들었다.

이 책갈피를 활용하며 가을에 책을 많이 읽을 것을 서로 약속하기도 하였다. 가족과 함께 자연 재료를 이용하여 책갈피 만들기 체험도 하고 물놀이도 하면서 자연의 고마움을 느끼고 함께 어울릴 기회를 가졌다. 자연을 닮은 아이들을 함께 기르고자 하는 학부모님들의 적극적인 교육 활동 참여로 학교 밖에서도 인성교육이 실천되고 있다.

3학년의 황○○ 학생은 "예쁜 꽃으로 세상에서 하나뿐인 책갈피를 만들어서 뿌듯해요. 책을 읽고 싶은 마음이 생겨요."라고 말하며 함박웃음을 지었다.

이날 함께 참여한 학부모는 "1학기 학부모 동아리 활동이 잘 마무리되어 기뻐요. 학부모 동아리 활동을 하면서 작은 학교의 매력을 또 한 번 느끼게 되었어요. 2학기 활동도 기대됩니다."라고 했다.

가족과 함께하는 생태 체험

2019. 10. 12.

전남교육 통

텃밭 지킴이 – 허수아비 만들기

노안남초등학교는 2019년 10월 5일 학교 텃밭 지킴이 허수아비 만들기 생태 체험 행사를 개최했다.
이날 행사는 노안남초 학부모 생태동아리 '산따라~ 길따라~'에서 주관한 것으로 주말을 이용해 학생과 학부모 50여 명이 참여한 가운데 진행됐다.
이번에 제작한 허수아비는 '생명의 땅'인 노안남초 텃밭에서 농작물을 재배하고 있는 가정으로 보내 농작물 조류피해 방지 역할을 하게 된다. 학생들은 서로 만든 허수아비를 비교하고 기념사진을 찍는 등 즐거운 시간을 보냈다.
이날 자녀와 함께 행사에 참여한 한 학부모는 "아이와 평소 접하기 힘든 허수아비를 만드는 특별한 체험에 참여할 수 있어서 매우 뜻깊었다."라고 말했다.
3학년 한 학생은 "우리가 만든 허수아비가 농작물을 잘 지켜주었으면 좋겠다."라며 미소를 지었다.

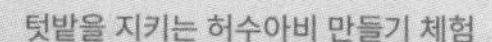
텃밭을 지키는 허수아비 만들기 체험

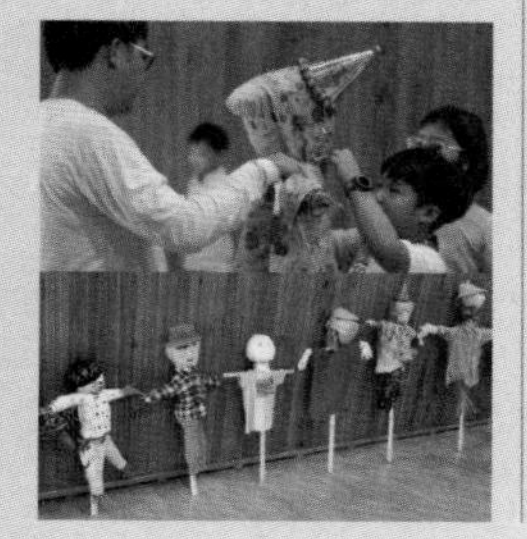

지역사회 속에 우뚝 선 학교

마을과 함께하는 교육과정 운영은 노안남초 교사들에겐 항상 어려운 숙제처럼 여겨지는 부분이다. 이유는 노안남초 학생들의 구성 때문이기도 하다. 제한적공동학구제 운영으로 학생들의 3분의 2가 학교가 위치한 노안면에 거주하고 있지 않아, 마을에 대해 느끼는 감정과 생각이 다르기 때문이다.

빛가람동에서 통학하는 학생들은 노안 마을이 낯설고, 노안면에 거주하는 학생들은 빛가람동이 낯설고 외지인처럼 느끼기 때문에 어떤 마음으로 마을과 함께하는 교육 활동을 진행해야 하는지 고민이 된다.

그러면서 찾은 방법의 하나가 빛가람동과 노안면이라는 지역을 넘어 모두 품을 수 있는 '나주'로 확장하여 생각해보자는 것이었다. '나주'를 공부하고, '나주'를 위해 활동하는 방법을 찾자는 것이다. 그래서 노안남초의 마을 교육과정은 나주의 모든 지역과 기관을 향해 열어두고 고민하려고 한다.

2016. 5. 4.
호남교육신문

교육공동체 '어울림 한마당' 성황

2016년 5월 4일, 기존의 경쟁적 구도의 운동회를 벗어나 교육공동체 모두가 참여해 한마음으로 어울리는 지역축제의 장을 열어 호응을 얻었다.

이날 운동회는 '오늘은 신난 Day!' 현수막 아래 '나도 1등 할 수 있는데요? 그냥 함께 놀아봐요!'라는 문구가 눈길을 끌었다. 학교 측에서는 프로그램 준비 및 계획부터 학생과 학부모의 의견을 적극적으로 반영해 경쟁보다는 어울림, 행사보다는 활동의 가치를 높이자는 취지로 교육공동체 모두가 함께 어울림의 장을 만들었다.

어울림 한마당에서는 이 학교 '신나 밴드'의 '오락실' 공연을 시작으로 민속놀이 한마당, 사물패 공연, 개인/단체 경기를 비롯한 알찬 프로그램들이 줄을 이었다. 교육공동체가 함께 즐기던 이 날 운동회는 모두가 영화 속 주인공처럼 신나는 하루가 됐다는 평가를 받았다.

박성수 노안남초등학교 교장은 "행복한 학교는 즐거운 배움에서 시작되고, 학교가 지역 성장의 생기 있는 터가 되기를 기대한다."라고 밝혔다. 이날 운동회에 참여한 학부모들은 "우리 학교에는 보물이 많다. 학생들이 보물이고, 선생님들이 보물이고, 우리가 모두 보물이다. 아이와 함께 학교에 다니고 있는 느낌이 든다."라고 학교 자랑에 입을 모았다.

전교생 유치원까지 45명에 불과한 노안남초는 무지개학교로 지정돼 운영 중이며 무지개학교 베테랑인 박성수 교장과 애정 어린 시선으로 학교를 지켜보는 학부모들, 열정으로 똘똘 뭉친 방과후학교 강사, 평균나이 33세의 젊은 교사들이 포진돼 행복한 교육공동체를 일궈나가고 있다.

행복 나눔 김장김치 담그기 봉사활동

2018년 12월 12일에 전교생과 교직원들이 함께 '행복 나눔 김장, 김치 담그기' 봉사활동을 실시하였다.

직접 심은 작물을 지배하여 주변 자연물과 만나고 생태 감수성을 기르는 '생명의 텃밭 가꾸기' 교육 활동을 하고 있는데, 지난 10일에 학생들은 생명의 텃밭에 직접 심은 배추와 무를 수확하는 기쁨을 얻었다. 이어 12일에는 절인 배추에 양념하며 김장김치 만드는 과정을 직접 체험하는 시간을 가졌다. 김장 체험 후에는 학교에서 준비한 수육과 함께 자신이 담근 김치를 먹고 각자 한 포기씩 집에 들고 가기도 하였다. 또한, 지역아동센터와 면사무소에 찾아가 김장김치를 전달하는 것으로 나눔 봉사활동을 마무리 지었다.

6학년 이○○ 학생은 "직접 김장김치를 담는 체험을 해보니 힘들었다. 하지만 마을 할아버지, 할머니께서 김치를 드시며 따뜻한 겨울을 보내실 것으로 생각하니 마음이 뿌듯했다."라며 소감을 전했다.

김○식 노안면 면장은 "고사리 같은 손으로 학생들이 직접 김치를 담다니 기특하다."라고 학생들을 칭찬하며, "사랑과 정성으로 담근 김장김치를 도움이 필요하신 분들에게 잘 전달하겠다."라고 감사의 마음을 전했다.

2018. 12. 23.

Korean Today

2019. 6. 8.

전남교육 통

평화통일 기원 모심기

2019년 6월 5일 이슬촌 마을 학교와 함께 지금은 사라진 손 모심기 체험 행사를 했는데, 평화통일을 기원하는 마음도 담아 더욱 특별하였다.

이날 손 모심기 행사는 노안초와 노안남초 학생 50여 명이 함께 참가하였다. 양쪽으로 갈라선 학생들은 남과 북을 상징하며 서투른 솜씨로 모내기를 시작하였다. 무릎까지 진흙에 빠져 발을 옮기기도 힘들었고, 옷이 진흙투성이가 되었지만, 학생들의 표정에는 즐거움으로 가득했다.

마을 어르신들의 도움으로 모를 한 줄, 두 줄 심다 보니 어느새 평화를 상징하는 초록의 모가 가지런히 자리를 잡았다. 양쪽 끝에서 모내기를 시작한 학생들은 한복판에서 만나 손을 맞잡고 "남과 북, 평화통일 기원하자."라고 큰소리로 함께 외쳤다.

3학년 박○○ 학생은 "진흙 때문에 좀 느낌이 안 좋았는데, 그래도 모를 많이 심어보니까 재미있었어요."라고 말하며 환한 미소를 지었다.

4학년 최○○ 학생은 "가을에 우리가 심은 모를 추수하러 또 오고 싶다."라고 말하며 기대에 부풀었다.

이날 행사 소식을 들은 학부모는 "우리 학생들이 어디서 이런 체험을 해보겠어요. 아이들에게 좋은 추억이 되었겠어요."라며 감사의 마음을 전했다.

노안면에 동네탐험대가 떴다.

2019. 9. 4.

전남교육 통

노안남초 2학년 어린이들 동네 곳곳 탐험!

노안남초 2학년 어린이 16명이 9월 4일 길을 나섰다. 교과서에 나온 동네 탐험을 위해 직접 친구들이 사는 동네를 탐험하기로 한 것이다. 어린이들은 탐험에 앞서 담임교사와 어떤 곳을 방문할지. 누구를 만나 인터뷰를 할지 미리 조사하고, 탐험 지도도 준비했다.

노안면의 파출소, 보건소, 소방서, 면사무소 등을 방문하면서, 가는 곳마다 "하시는 일이 무엇인지?", "일하면서 어떨 때 보람을 느끼시는지?" 등의 질문을 하며 진로 탐구활동도 함께 했다.

어린이들은 학교에서 노안면사무소까지 걸어가면서 친구들의 집 앞에 멈춰 사진도 찍고 풍경도 감상하면서 노안면의 모습을 자세히 볼 수 있었다. 탐험 중 동네 어른들에게 인사도 건네며 탐험의 취지에 관해 설명하면 어른들은 "기특하다."라며 칭찬해줬다.

어린이들은 "탐험대원으로서 자랑스러움을 느낀다."라며 더 당당한 태도로 탐험해 임하는 모습을 보이기도 했다. 어린이들은 탐험을 다 끝낸 뒤 학교에 돌아와 탐험 지도를 완성하고 인터뷰 내용을 함께 확인하면서 활동을 정리하고는 "힘들었지만 재미있고 의미 있는 체험활동이었다."라고 만족감을 표시했다.

노안면 곳곳을 탐험하는 학생들의 모습

파출소를 방문해 인터뷰하는 학생들

2020. 10. 21.
나주신문

'신나는 마을 교실'에서 미래의 꿈 키워요.

2020년 10월 14일 노안남초 5학년 학생들은 노안면 장동리 '신나는 마을 교실'에서 진로교육을 통해 자기의 꿈과 소망을 담은 도자기 모빌을 완성하고 돌아왔다. 지역의 마을과 연계한 이번 진로 활동은 2회에 걸쳐 이루어졌다.

지난 7월 학생들은 마을 학교에서 나의 꿈에 대해 서로 이야기 나누는 자리를 가졌고, 흙으로 꿈을 담은 나만의 모빌 조각을 만들었다. 이 모빌 조각들은 초벌과 재벌 과정을 통해 새로운 모습으로 재탄생 되었다. 두 번째 방문에서는 나의 꿈을 이루기 위한 실천을 다짐하고 끈에 매듭을 지으며 도자기 모빌 조작을 서로 연결하여 완성하였다.

5학년 학생 윤○○은 "세상에서 하나뿐인 이 모빌처럼 나의 개성과 소질을 키우며 꿈을 꼭 이루고 싶다."하고 말했다. 또 다른 5학년 고○○ 학생은 "도자기가 이렇게 어렵게 만들어지는지 몰랐다. 모빌을 만드는 것처럼 꿈을 이루기는 힘들겠지만 노력하겠다."라고 다짐했다.

임○○ 담임교사는 "이번 진로 활동은 코로나 19로 할 수 없는 것이 많아진 아이들의 마음에 희망을 안겨 주었다."며 뿌듯해했고 "교실에서 할 수 없는 다양한 교육 활동들이 마을 학교와 연계하여 지속적으로 운영되면 좋겠다."라고 하였다.

꿈과 소망이 담긴
도자기 모빌 만들기 체험

학교 텃밭 농산물, 아동복지시설에

2021. 7. 26.
나주신문

2021년에 학생들은 나주농협진흥재단과 함께하는 아주 특별한 'School Farm(스쿨팜) 프로젝트'를 실천하고 있다. 전교생들은 텃밭을 시작하며 로컬푸드에 대해 배웠고, 로컬푸드와 해외 수입 작물의 탄소발자국을 비교해 보았다. 더불어 학교 텃밭에서 직접 기른 고추와 가지를 수확하여 어떻게 할 것인지를 고민하였고, 좀 더 의미 있게 사용하는 방법을 생각해보았다. 바로 나주농업진흥재단과 협약을 통해 농작물을 판매하기로 한 것이다.

나주농업진흥재단 공공급식 지원센터는 학생들이 직접 재배한 텃밭 농산물을 매입해 아동복지시설(이화영아원, 백민원, 금성원)의 식재료로 무상공급했다. 특히 학생들은 농산물을 판매해서 생긴 수익금을 이화영아원에 전액 기부하기도 했다.

5학년 한○인 학생은 "우리가 열심히 농작물을 심고, 물도 주고, 잡초도 캐고, 수확해서 그 농작물을 아동복지시설에 기부하니 정말 보람차다."라고 말하며 함박웃음을 지었다.

5학년 최○림 학생은 "텃밭 활동을 하며 땀도 많이 나고 힘들었지만, 끝나면 바구니 한가득 쌓여있는 고추와 가지를 보면 뿌듯했다. 또 수확한 농작물을 기부한다고 하니까 2배로 뿌듯하다."라며 고운 마음을 전했다.

정정하 교장은 "노안남초 어린이 농부들이 텃밭을 가꾸면서 서로 협동하고 노력하는 모습을 보니 뿌듯하고 고맙다. 학교 텃밭 농작물을 매개로 생태 감수성과 우리 농산물의 중요성을 배우고 이웃과 나눔을 실천하는 뜻깊은 계기가 될 것이다."라고 했다.

판매할 농작물을 직접 수확하는 학생들의 모습

그리고…

벽화 그리기, 크리스마스 산타, 화끈하게 잘 놀아주는 특별한 선생님에 관한 기사 등 놓치기 아까운 이야깃거리가 있어서 관련 기사를 모았습니다.

2015. 8. 6.
에듀진

학생-교사 참여 벽화 그리기 도전

2015년 8월 3일에는 학생과 교사가 함께하는 벽화 그리기 행사를 진행했다. 이날 벽화 그리기 행사를 추진하기 위해 학생과 교사들은 노리터 (노안남초의 이야기가 있는 터전) 다모임 협의회에서 3회에 걸쳐 의견을 모으고 그림 밑 작업을 완성했다.

교내 환경을 개선하는 방법으로 벽화 그리기를 선정하고 '행복'이라는 주제로 전 학년과 교사가 함께 행복에 관해 이야기를 나눈 후 모둠별로 행복 밑그림을 그렸다. 그 후에 각 조에서 완성한 밑그림 그대로를 낡은 벽에 옮겨 담고 예쁜 색을 입혔다.

무더운 날씨였지만 붓을 잡은 아이들은 송골송골 맺은 땀방울만큼 아롱아롱 즐거움을 벽화에 새겨 넣었다. 자신들이 그린 그림 그대로의 모습이 벽에 옮겨질 때마다 아이들은 감탄했고, 모두의 열정으로 하나씩 하나씩 고운 색이 덧입혀질 때마다 뿌듯해했다.

벽화작업에 참여한 교사는 "60여 명의 행복은 저마다 다르면서도 누구나 공감할 수 있는 이야기였다. 시험에서 100점 맞을 때, 가족과 여행할 때, 맛있는 음식을 나누어 먹을 때, 아름다운 경치를 바라볼 때 등 다양한 행복이 고스란히 하나의 벽에 담겼다."라고 평가했다.

교육공동체가 함께한 행복한 크리스마스

2020. 12. 28.
전남교육 통

2020년 12월 성탄절을 맞이하여 학생, 학부모, 교직원이 함께하는 크리스마스 이벤트를 실시하였다. 정정하 교장과 이○환 학교운영위원장은 직접 산타로 변장하고, 최○덕 학부모회장은 익살스러운 트리로 변장해 칭찬 카드와 선물을 들고 유치원과 각 학년 교실로 깜짝 방문하였다. 갑자기 나타난 산타들 덕분에 학생들과 교직원들은 환호하며 즐거운 한때를 보냈다.

이번 행사는 코로나 19로 마스크 착용과 사회적 거리 유지 등 방역 수칙을 준수하며 학교생활을 해야 하는 힘들었던 2020년이었기에, 크리스마스이브 하루라도 학교 구성원 모두가 동심으로 돌아가 행복한 학교생활을 보내기 위해 기획되었다.

또 이날은 노안남초 학생노리터 다모임을 하는 마지막 날로 자치부서별로 준비한 K-POP 상식과 등굣길 안전 골든벨 퀴즈 대회도 열려 학생들의 재미를 더했다. 행사를 마치면서 학생들은 각자 자기의 소원을 종이에 적어 산타 양말에 넣기도 했는데 학생들이 '코로나 종식 마스크 벗기', '여행 자유롭게 가기'라고 적기도 해 올해 코로나로 얼마나 힘들었는지 짐작할 수 있었다.

유치원생 이○○은 "크리스마스이브에 산타가 온다고 선생님께 들었는데 진짜였어요."라며 함박웃음을 지었다.

1학년 학생 김○○은 "교장 선생님이 아무래도 산타 같아요. 칭찬 카드와 선물을 받으니 너무 기분이 좋아요. 감사합니다."라며 인사를 하였다.

정정하 노안남초 교장은 "코로나 19로 힘들고 어려운 시기를 열정과 지혜로 헤쳐나가는 모든 교직원과 아낌없이 지원해 주는 학부모님들께도 감사하다. 앞으로도 세심하고 따뜻한 교육 활동을 계속 이어가겠다."라고 약속했다.

교육공동체가 함께한
크리스마스 이벤트

2021. 11. 3.
문화일보

"우리와 화끈하게 잘 놀아줘요"

선생님 선생님 우리 선생님 - 노안남초등학교 최바라 교사

"선생님은 화려한 패션과 미모뿐 아니라 언제나 유쾌 발랄한 저세상 텐션을 지니셔서 즐거운 수업 시간을 만들어 주시고, 또한 놀 때도 화끈하게 학생들과 잘 어울리시며 행복에너지를 퍼트리시기 때문에 이 점을 칭찬하며 이 상을 드립니다."(노안남초 학생회)

학생들은 2021년 5월 스승의 날을 맞이하여, 한 해 동안 학교를 위해 애쓴 학교 구성원들에게 '맞춤형 상장'을 수여하는 이벤트를 열었다. 늘 맛있는 급식을 제공해주는 학교의 영양 교사에게는 '상상이상 기대이상'을, 학생들에게 유쾌한 유머로 친근하게 "나 때는~ 했는데"를 자주 언급하는 교감 선생님께는 'Cool 라떼 상'을 주는 등의 재미난 이벤트였다. 당시 최바라 교사도 학생들로부터 상을 받았는데 바로 '저세상 텐션상'이었다. 학생들이 적은 상장 문구에서 드러나듯, 최 교사는 한마디로 학생들의 '핵인싸(무리에서 아주 잘 지내는 사람)'다.

최 교사가 학생들로부터 많은 사랑을 받는 데는 이유가 있다. 그는 5년 넘게 '학생자치 담당교사'를 맡고 있는데, 이 과정에서 학생들과 소통하고 마음을 나누는 데 많은 고민과 노력을 기울였기 때문이다. 처음 학생자치 담당교사가 됐을 때 형식적으로 흘러가는 학생 자치활동에 적잖이 당황하고 답답했다고 한다. 그래서 바꾸기로 했다. 진정으로 학생들이 의미 있게 참여할 수 있는 학생 자치활동으로 말이다.

"한번은 새 학기 교통안전 캠페인을 새롭게 바꿔보자는 의견이 나왔어요. 학생들이 처음부터 생각한 주제에 대해 등하굣길에 직접 가서 사진도 찍고, 전교생 의견조사도 하고 지방자치단체에 의견서를 보내기도 했어요. 평소에 학생자치회 모임을 하려면 학원이나 여러 이유로 참여하지 않았던 학생들이 거의 빠지지 않고 전 활동에 참여했었죠. 학생들이 적극적으로 앞장서는 모습을 보면서 제대로 된 학생자치를 위해서는 학생·교사·학교·학부모·지역사회가 함께 노력을 기울여야 한다는 것을 깨닫게 됐어요. 그 후부터는 '어떻게 하면 학생들이 학교에서 진정한 주인으로서 권리를 행사할 수 있을까?' 하는 생각을 항상 잊지 않으려고 해요."

최근 교육계에선 인성과 창의성을 겸비한 글로벌 인재 양성의 목적으로 민주시민 교육을 강조하고 있다. 하지만 치열한 경쟁에 노출된 학생들이 제대로 된 존중과 공감, 소통하는 경험은 턱없이 부족한 현실이다. 최 교사는 학교에서만큼은 학생들이 소중한 존재로서 있는 그대로의 자신을 사랑하고 존중하며, 본인 삶을 둘러싼 많은 사람과 적극적인 소통을 통해 긍정적인 관계를 맺고 공동체와 더불어 행복한 삶을 꾸려나갈 수 있는 교육적 경험이 필요하다고 강조한다.

이 때문에 최 교사는 학급의 규칙을 정하는 일 아주 사소한 것부터도 먼저 아이들의 의견을 묻는다고 한다. 단정적으로 먼저 뭔가를 정해 일방적으로 지시하고 명령하지 않으려고 항상 돌아보고 반성한다.

"학교는 학생 중심 교육을 지향한다고 하지만, 빠르고 안정적인 업무 추진을 위해 중요한 결정들을 선생님들만의 회의로 정해버리는 경우가 많습니다. 학생들이 자신의 삶과 관련된 문제를 스스로 발견하고 자유롭게 의견을 제시하며 자신의 역할에 책임감을 느끼고 문제 해결 과정에 자발적으로 참여할 수 있어야 진정한 학교의 주인으로서 존중받을 수 있어요. 물론 그 과정이 좀 더디고 때론 답답하고 이견을 조율하는 과정이 조금 더 복잡해지더라도요."

최 교사의 고민을 알아주기라도 하듯, 그가 맡은 학급 학생들은 학기 초보다 2학기에 들어 더욱 주체적이고 적극적으로 자신의 의견을 제시하고 참여하고 있다고 한다.

학교 놀이 공간 부족을 해결하기 위한 실내 놀이 공간 디자인 협의, 통학차 이용 불편을 해결하기 위한 통학차 이용 수칙 협의, 교내 시설 안전 점검, 불편 사항 개선, 지구환경 지키기 프로젝트 등 다양한 문제를 고민하고 해결해 나가고 있다.

최 교사는 마지막으로 학생들에게 '있는 그대로의 나를 사랑하고 소중하게 여기라'고 당부했다.

"요즘처럼 타인의 시선에 민감하고 쉽게 흔들리는 경쟁의 시대에서는 특히 있는 그대로의 나를 소중하게 생각해야 합니다. 큰 성공과 큰 행복보다는 작은 행복을 자주 느끼는 사람, 나만 행복하기보단 나로 인해 다른 이도 함께 행복하게 만드는 사람이 진정으로 행복한 사람 아닐까요?"

전남 나주시 노안남초에서 최바라(왼쪽) 교사가 학생들이 궁금한 질문에 선생님이 답하는 '유퀴즈 온 더 스쿨' 인터뷰에 응해 질문을 듣고 있다.

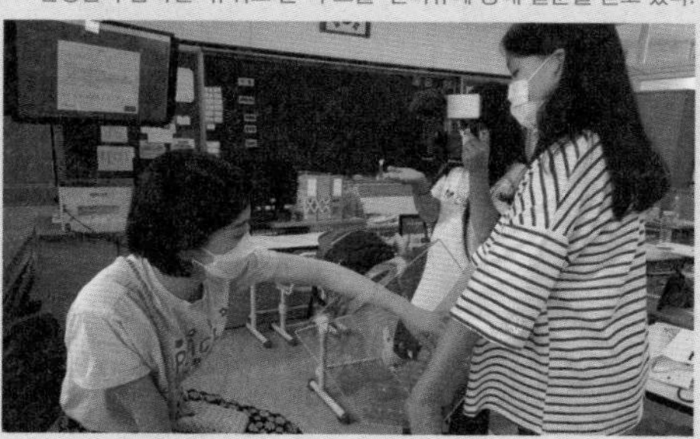

닫는 이야기

혁신학교 교사는 어떤 사람인가?

2021년 5월의 어느 날, 여러 교사가 노안남초 학생 자치회로부터 스승의 날을 기념하여 상장과 꽃을 받았다. 학생 자치회가 스승의 날을 기념하여 여러 행사를 준비했는데, '라떼는 사진전'과 '유퀴즈 온더 스쿨', '선생님은 어떤 분이신가요?' 인터뷰 등이 준비된 행사였다. '라떼는 사진전'은 선생님들의 어릴 적 사진을 추억 속 이야기와 함께 게시하면, 아이들이 그 사진을 보고 어떤 선생님 사진일지 추측해보는 것이다. 더불어 자연스럽게 선생님들의 어릴 적 모습과 생활에 관해 이야기 나누는 행사이다. '유퀴즈 온더 스쿨'은 학생자치회에서 준비한 퀴즈를 뽑아 질문에 대답하는 것인데, 유명 프로처럼 선생님들을 직접 찾아다니며 질문하고 대답하는 인터뷰 영상을 찍었다. 찍은 영상은 편집하여 스승의 날 즈음하여 영상을 공개하고 공유했다.

그리고 또 하나 정말 중요했던 것은 '선생님은 어떤 분이신가요?'라는 제목의 반 학생들을 대상으로 하는 인터뷰이다. 인터뷰는 학생자치회원들이 각 반을 찾아와 "여러분의 선생님은 어떤 선생님인가요?"를 묻고 학생들에게서 들은 대답을 모아 정리해서 각 선생님에게 딱 맞춤한 상장을 만들어 드리는 것이다. 담임 선생님뿐만이 아니라 교담선생님, 교장, 교감 선생님, 급식실 영양 선생님, 조리사님들, 환경 선생님까지 모든 선생님이 상장을 받는다, 상장을 받으신 선생님들은 모두 만족해하셨으며, 상장을 어디에서든 자랑하고 싶어 하신다. 특히 영양 선생님은 본인이 받은 상장을 사진으로 찍어 다른 학교 영양 선생님들께 자랑하셨다고 한다.

2021년 5월 14일은 우리 학교를 찾아온 교생들이 일주일 동안의 참관 실습을 마무리하는 날이었다. 교생들은 아이들 앞에 서서 이야기는 것도 서툴고, 수업 보는 것도 신기하고 낯설었을 텐데 눈망울 속에 열정을 담아 일주일을 소중하게 담아가는 듯했다. 그 교생들이 마무리 인사를 하면서 혁신도시에서 아이들이 노안면까지 찾아와서 학교에 다니는 이유를 알겠다고 한다. 다양한 체험이 있고, 수업이 재미있고 살아있는 느낌을 주는 학교라서 인기가 있는 것 같다고 한 이야기, 그리고 특히 급식이 무척 맛있다는 이야기 등을 남기고 갔다.

노안남초등학교는 담임교사 6명, 교과전담교사를 포함한 비담임 교사를 합해 총 10여 명 안팎의 교사가 근무하는 작은 규모의 혁신학교이다. 아니 혁신학교였다. 학년에 여러 학급이 존재하는 학교가 아니라 학년 부장이 없다. 그러니 학년 회의가 있을 리 만무하다. 학년 교육과정도 한 학년 한 학급이 존재하므로, 혼자서 교육계획을 작성하고, 행사를 기획한다. 한 선생님이 학년을 총괄하기 때문에 학년 교육과정 운영의 자율성이 다른 큰 학교에 비해 크고, 더불어 그 영향력도 크다. 함께 의논하고 검증할 수 있는 학년 동료교사가 없으므로 오로지 교육과정의 책임을 혼자서 떠안게 된다.

그러나 걱정하지 않아도 되는 것이 작은 학교라서 학년이 다르더라도 함께 운영의 틀을 맞춰갈 수 있는 인접 학년의 동료성이 크다는 점이다. 학년군이 함께 체험활동 등의 행사를 기획하고, 학년 교육과정의 연계성을 확보하여 함께 지도할 수 있는 부분을 찾아보게 된다.

학교 행사 및 운영의 전체적인 흐름을 알 수 있는 교사회의가 큰 규모의 학교에서는 쉽지 않았지만, 작은 학교라서 필요한 경우 논의할 수 있는 교사회의의 문턱이 낮다. 수시 회의 진행으로 모든 문제를 함께 공유하고 논의하고 조정할 수 있다. 매일 모인다고 보아도 무방할 듯하다. 잠시라도 만날 기회가 있으면 학교 행사에 대해, 아이들의 지도에 관해 이야기 나누고 더 좋은 방안을 찾아내기 위해 의논을 한다. 이것이 노안남초등학교 교사회의 모습이다.

2021년 초, 교무실의 이름을 협의실로 바꾸었다. 교무실이라면 교감 선생님 이하 교무 행정업무를 보는 딱딱한 업무공간이라는 이미지가 강하게 떠오르는데, 협의실이라면 학교에 있는 누구든 만나 협의하는 만남의 장소라는 이미지가 떠오르게 된다. 그런 만큼 협의실 공간을 만남과 협의, 논의의 장소로 스스럼없이 사용한다. 물론 이런 문화의 이면에는 협의실의 안주인인 교무행정사 선생님의 따스한 살림도 한몫한다. 교사들이 잠시라도 모여 학생 지도와 학교 행사에 대해 의논을 시작하려고 하면 슬쩍 간식거리를 가져다 놓는다. 더욱 편안하게 협의하고 일 진행을 도와주고자 하는 모습을 그런 부분에서 느끼니 협의실을 교사들뿐만 아니라 학교에서 일하는 많은 사람이 편하게 찾게 되는 것이다.

학생 자치회로부터 받은 상장, 동료 교사와 함께 한 교육과정 운영 그리고 소통하면서 교무실을 협의실로 바꿨던 모든 일을 통해 혁신학교 교사로서 자부심을 느꼈고 행복했다. 이런 점들 때문에 혁신학교에서 일하는 것이 즐겁고, 헌신하게 만드는 것 같다.

교무부장이 퇴근 전에 하던 말이 생각난다. 학부모, 교사 전체가 가입된 밴드에 아이들의 텃밭 활동에 대한 학부모 한 분이 쓴 댓글에 관한 이야기였다. 동네에서 가족 텃밭을 한다며, 가족들이 모종을 심는데 아이가 모종 심을 때 심는 방법을 정확히 알고 있었으며 척척 잘 심었다며, "학교 텃밭 활동 덕분이었군요."라는 글을 썼다고 한다.

당시 교무부장이던 임 교사는 교무부장을 2019년부터 3년째 맡아오고 있었는데, 조용하고 빠르게 모든 교무업무를 척척 해내고 있는 보석 같은 교사였다. 일이 많을 땐 토요근무도

마다하지 않고 나와서 학교 행사와 수업에 차질이 없도록 일을 마무리했다.

혁신학교에 대한 여러 가지 이야기들이 난무할 때, 여러 사람의 입에 오르내렸던 것이 "혁신학교에 근무하면 매일 늦게까지 남아서 근무해야 할 정도도 일이 너무 많은 거 아닌가?"였다. 서울에 있던 혁신학교에서 2년, 이곳에서 3년째 근무한 경험에 의하면 '사람 나름'이라는 것이다. 혁신이 좋고, 혁신하기 위한 생각에 골몰하게 되면 시간 외 근무를 하게 되는 것은 당연지사인 듯싶다.

쏟아지는 공문처리와 수업 마무리, 그리고 준비 활동은 방과 후에 2시간 정도의 시간을 써도 빡빡한 지경이다. 기본 업무와 수업 준비 이외에 새로운 사업을 하고 연구를 계속하려고 하면 시간이 매우 부족하다고 느끼게 되는 건 당연지사이다. 그러니 자연스럽게 교실에 남아 일을 조금씩 더 하게 되고, 미진한 부분이 생기면 토요일에도 학교에 오게 된다. 아이들이 좀 더 행복하게 재밌게 보낼 수 있도록 준비하기 위해서, 선생님들과 으쌰으쌰 마련했던 학교 행사가 성공적으로 치러지길 바라는 마음에서 시간 외 근무도 흔쾌히 하게 되는 것이다. 이런 혁신학교 교사들이 있어서 혁신학교가 더욱 성장하게 되는 것이라고 여겨진다.

•

그렇게 뒤에서 소리 없이, 자기 시간도 마다하지 않고 일을 처리하는 임 교사가, 2021년 노안남초에서의 마지막 해를 보내고 다른 학교로 전근을 갔다. 학교의 중심에서 커다란 역할을 하셨던 임 교사의 부재를 메우기 위해, 고심하고 분투하면서 2022년 노안남초는 혁신교육활동의 명맥을 유지하기 위해 노력했다. 주어지는 여건을 받아들이며, 노안남초의 문화가 지속적으로 유지되도록 힘써 온 것이 2022년이었다.

혁신학교의 인사시스템은 일반 학교의 그것과는 달라야 하는데, 전남학교의 인사시스템에 막혀서 혁신학교만의 특별한 인사구조를 마련하지 못하고 있다. 매년 바뀌는 교사, 개인적 사정이든 관리자와의 마찰이든 여러 이유로 교사들이 자주 바뀌는 것이 전남 인사 시스템이다. 규모가 큰 학교는 그나마 나은 형편인데 작은 학교는 상대적으로 영향을 더 받는다. 하지만 그 영향을 최소화하고, 혁신교육이 지속될 수 있도록 학교 내 시스템을 만드는 것도 혁신학교에 근무하는 교사들의 몫일 것이다.

노안남초에서 몇몇 교사들의 전근으로 혁신교육을 어떻게 이어갈지 고민하던 즈음, 함께 찾은 해답은 '소통과 협력'이었다. 항상 교사들이 함께 의논하고 해결점을 찾아가는 '소통과 협력'의 문화가 있다면 몇몇 교사들이 전근을 가더라도 혁신교육의 전통과 철학은 명맥을 유지하고 지속할 수 있을 것이다.

신뢰를 바탕으로 소통하고, 함께 목표를 세우고 아이들의 변화와 학교의 변화를 지켜보는 것이 즐겁다. 혁신이라는 이름은 공식적으로 종료되었지만, 동료 교사들과 함께 이 글을 쓰고 있는 지금 우리들의 혁신은 아직 끝나지 않았고 긴 여정의 길목 어딘가에 와 있다고 생각한다. 그리고 우리들의 여정은 계속될 것이라고 믿는다.

2023년 노안남초 협의실에서
대표 저자 박숙현

우리들의 혁신학교

초판 1쇄 인쇄 2023년 12월 08일
초판 1쇄 발행 2023년 12월 22일

글쓴이 노안남초등학교 교육공동체
교사 박숙현, 최바라, 임미희, 김부양, 유연주, 권범희, 정원선, 나효정, 오장현, 유새영, 이유광
학부모 최재덕, 송해영

펴낸곳 파종모종
주소 61218 광주광역시 북구 우치로 13-1, 1층
메일 pasonmoson@gmail.com
등록번호 2016년 2월 23일 제2017-21호

만든곳 종로인쇄
주소 광주광역시 동구 백서로125번길 7

표지 아르떼 230g/㎡, 문켄 90g/㎡
폰트 학교안심분필체, 최정호체, KOPUB체, 노토산스체

ISBN 979-11-985547-0-3 03370 17,000원
ⓒ 우리들의 혁신학교, 파종모종 2023

이 책은 저작권법에 따라 한국에서 보호받는 저작물이므로 무단전재와 무단복제를 금합니다.
이 책 내용의 전부 또는 일부를 이용하려면 반드시 저작권자와 파종모종의 서면 동의를 받아야 합니다.
이 책은 유해성분을 더욱 줄인 콩기름 잉크와 환경인증을 받은 친환경 중성지로 제작되었습니다.